장만영 전집 4권

일기편

장만영 전집 4권

일기편

장만영 전집 간행위원회 편

국학자료원

나의 아버지 '교과서 시인' 장만영 탄생 100돌

「장만영 전집」 출간 준비하는 장 석 훈 회우

1950~60년대 학창시절, 교과서에서 읽은 장만영(張萬榮)의 시(詩) '감자'를 기억하는가.

김동인(金東仁)의 소설 '감자'와 함께 국어시간에 배웠던 '감자' 시는 '전원(田園)을 지킨 디오니소스'로 불리던 장만영의 시세계를 보여주듯 흙냄새 사람냄새 고향냄새가 넘친다.

『할머니가 보내셨구나
이 많은 감자를
야, 참 알이 굵기도 하다
아버지 주먹만이나 하구나
올 같은 가뭄에
어쩌면 이런 감자가 됐을까?
할머니는 무슨 재주일까?
화롯불에 감자를 구우면
할머니 냄새가 나는 것 같다…』

올해는 초애(草涯) 장만영(1914~1975)의 탄생100돌이자 서거 39주기, 7남매의 장남 장석훈(張石勳,75) 회우는 갖가지 행사와 [장만영 전집] 4권을 펴내는 준비로 바쁘다. <편집자>

1936년 결혼 직후에 찍은 장만영 시인 부부.

아버지에 대하여 글을 쓰려하니 막막해진다. 별세하신지 어느덧 39년이라니 내 나이가 아버지의 천수를 훌쩍 넘어섰지만 부족한 아들이란 죄스러움이 앞선다. 아버지는 6척 거인이었다.

무성한 백발과 예리한 눈빛이 무인의 풍모였지만 내면은 여리고 다정다감한 분이었다.

50~60년 배고픈 시절 문인의 가정은 더 말할 나위 없었다. 신문사, 방송국, 잡지사의 원고청탁을 받아 늘 밤샘작업을 하며 커피와 담배를 입에 달고 사셨으니 건강을 해쳤으리라.

황해도 배천(白川)에서 태어난 아버지는 양조장을 경영하는 할머니가 들려주는 동화를 들으며 자랐고, 동화책과 소설 읽기를 즐겨하고 책 모으기를 좋아하게 되었다.

어린 시절을 회상하는 시 '양(羊)' '축제' '유년송' 등을 보면 혼자서 자연의 내밀한 목소리에 귀를 기울이는 소년의 모습이 보인다.

제2고보(경복)를 졸업한 후, 시인 김억을 만나 사제지간이 된다. 김억의 추천으로 [동광] 잡지에 '봄 노래' '마을의 여름밤'을 발표하면서 문단에 데뷔한다.

1934년 동경의 미사키 영어학교 고등과에 2년여 유학하는 동안 신동아, 신인문학, 동아일보 등에 '고요한 아침' '새벽' '봄 들기 전' 등 많은 작품을 발표했다. 부모의 강권으로 귀국한 이듬해 시인 신석정(辛夕汀)의 처제와 결혼한다.

신석정의 시에 매료 된 문학청년 아버지는 할머니에게 쌀 한말로 인절미를 만들어달라 하여 황해도에서 떡을 지고 전북 부안까지 찾아간다. 그의 풍모와 인격에 반한 아버지는 더 깊은 인연을 맺고 싶어 "저 장가 보내주세요"라고 청했다. 신 시인 역시 즉각 아내의 동생 16살 처제를 소개해 주었다. 너무 어린 소녀인지라 3년간 편지만 주고 받다가 혼례를 올렸다.

어느 겨울 날 할아버지는 농두렁을 지나다가 물이 얼지않고 김이 모락모락 솟는 것을 발견했다. 그 곳을 파보니 온천수가 터져 나와 '배천 온천 호텔'이 세워지고 그 주인이 되었다.

서울에서 가까운 온천호텔은 금방 유명해져 정치권력자들은 물론 사교계와 문화계 인사들이 몰려들었다. 장안을 떠들썩하게 했던 시인 이상(李箱)과 금홍이의 러브스토리의 배경도 바로 이 호텔이다. 김억 선생을 비롯하여 신석정, 김광균, 정지용, 김기림, 박영희, 서정주 등 시인들이 자주 왕래했다.

또 온천수를 이용한 대규모 온실을 만들어 꽃과 과일, 야채 재배까지 하여, 서울의 호텔과 고급음식점에 납품하였다. 아버지의 시에 '달-포도-잎사귀'라든지 온천, 온실이라는 말도 많이 나오는 것은 이때 이 온실을 관리한 체험 때문인 것이다.

아버지 장만영의 시 [정동길]이 간판으로 걸린 카페 앞에 선 장석훈 회우.

이처럼 아버지는 할아버지와 함께 호텔과 농장을 경영하면서 형편이 어려운 문인들을 도왔다.

시인들의 시집 출판비용은 물론, 화가들의 전시회도 열어 주고 그림도 여러 점 샀다.

해방후 미군이 들어오면서 배천호텔은 미군사령부에 소속되어 미군이 주둔하게 되었다. 이때 영어와 일어에 능통한 아버지는 사령부 통역으로 활동한 일도 있다.

배천 경찰서 옆에 위치한 호텔은 북한의 6.25 남침으로 경찰서와 함께 불타고 말았다. 하루아침에 공산주의자 세상이 되어 지주계급을 때려잡자고 몽둥이를 들고 설치는 세상이 되어 버렸다. 지주였던 할아버지도 붙잡혀 고초를 당하였는데 누군가 '이분은 마을을 위해 훌륭한 일을 많이 했으니 살려주자' 변호를 해주는 바람에 사지를 빠져 나와 서울로 이주할 수 있었다.

아버지는 서울에서 출판사 산호장(珊瑚莊)을 경영하며 세 번째 시집 [유년송 幼年頌]을 발표하였다. 책을 무척이나 좋아한 아버지는 김기림 시인의 [기상도]와 조병화 시인의 [버리고 싶은 유산] 등 시집들을 직접 만들어 주었고, 문학의 열정을 불태웠으나 해방후 혼란속에 너무나 힘들었다. 공산군이 서울을 점령하자 아버지는 골방 장롱 뒤에 숨어 살았다.

그 집은 지금 강북삼성병원 뒤편 자리이다. 당시 12살이던 나는 툭하면 내무서원이 들이닥쳐 아버지 행방을 추궁하여 곤욕을 치른 기억이 새롭다. 1.4후퇴 때는 온가족이 대구로 피란했다.

대구에서는 박목월 시인의 주선으로 옆집에 전세를 살았고 아버지는 종군기자단의 일원으로 서부전선 등 적지를 순회하며 문인들과 [전선문학]을 발행하였다.

아버지가 남긴 8권의 시집 제목엔 아무도 모르는 비밀이 숨겨져 있다.

자식들에게 회초리 한번 드신 일 없는 아버지, 고등학교 때 나와 친구를 불러 단성사 극장에서 상영중인 [누구를 위하여 종은 울리나]를 다 함께 보여주신 아버지, 사춘기 아들에게 사랑과 전쟁과 자유를 가르쳐 주던 아버지는 휴학하려는 나의 급우에게 등록금도 선뜻 내주었다.

온실 속의 꽃처럼 유복하게 자라난 아버지가 전쟁으로 가산을 잃고 망연자실, 자녀들을 힘들게 키우면서도 타협보다 시인의 품위를 끝까지 지키느라 얼마나 힘드셨을까.

아버지의 시에는 '순이'가 자주 등장한다. 그의 제6시집인 [장만영시선집]에는 '사랑'이란 시가 실려 있는데, 가수 최헌씨가 '순아'라는 노래로 불러 크게 히트했다. '서울 어느 뒷골목/ 번지 없는 주소엔들 어떠랴,/ 조그만 방이나 하나 얻고/ 순아 우리 단둘이 살자/…'

관수동 시절 연인이던 '순이'가 여급일로 번 돈으로 살았다는 대목도 보이지만 시는 시일뿐이라고 생각한다. 술 한 방울만 마셔도 얼굴이 빨개지는 순정파 아버지, 1954년 서울신문 출판국장, 1966년 한국시인협회 회장을 지내셨다.

■ 조선일보사 〈朝友〉에 실린 장만영 시인의 장남 장석훈 선생

(5) 第10430號 1982年9月18日 (土曜日)

年譜

文學史探訪 <15>

金容誠 <작가>

「蒲萄 잎사귀」의 張萬榮

부자집 3代獨子

선명한 心象드러낸 모더니즘의 旗手

시각적이고 繪畵的인 言語 구사

첫詩集 「羊」 "팔기쑥스럽다" 불태워

金億의 영향받아

詩的표상…「娥伊」

◇ 絶筆할때까지 살았던 주택집터엔 고려병원이 들어섰다

◇ 지금은 쑥넬땅… 30年代의 白川邑전경

◇ 生前 서재에서 결혼두돌 기념사진

◇ 저서 「蒲萄 잎사귀」 「그리운 날에」

病床의 詩 「절대로 울지말라 사랑하는 家族들아…」 남기고 75년10월 떠나

「新天地」社 主幹

【사진·金萬雲기자】

■ 이 글은 1982년 9월 18일자 ≪한국일보≫ 5면에 난 장만영 문학특집 문학사탐방 게재본이다(김용성(金容誠)작가의 문학사탐방 장만영 편)

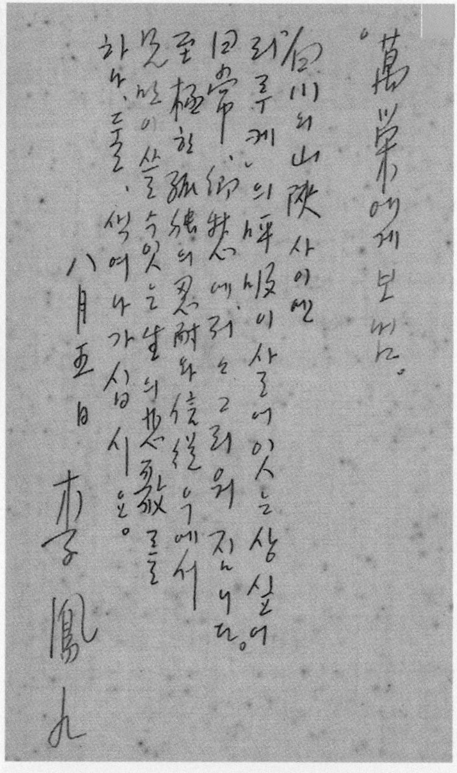
萬榮에게 보냄.
白川의 山峽 사이엔 릴케의 呼吸이 살어있는 상싶어 日常 鄕愁에 그리워집니다. 至極한 孤獨의 忍耐와 信賴 우에서 兄만이 쓸수있는 生의 戀歌를 하나, 둘, 색여나가십시요.
八月五日
李鳳九

- 지난 5월 8일 2014 탄생 100주년 문학인 기념문화제 중 “한국문학, 모더니티의 감각과 그 분기(分岐)” 심포지엄(주최: 대산문화재단/한국작가회의)에서 초애(草涯)의 장남 장석훈 선생이 인사말을 하고있다
- 김정 화백이 그린 장만영 시인
- 이봉구 평론가 분이 장만영 선생께 보내신 글 해설: 張萬榮에게 보냄. “배천(白川)의 산협(山峽) 사이엔 릴케의 호흡(呼吸)이 살아 있는 성싶어 일상 향수(鄕愁)에 그리워집니다. 지극(至極)한 고독(孤獨)의 인내(忍耐)와 신뢰(信賴) 위에서 형(兄)만이 쓸 수 있는 생(生)의 연가(戀歌)를 하나, 둘 새겨 나가십시오.” 소화(昭和) 十六年(1941년) 八月五日 李鳳九(소설가, 1916~1983)

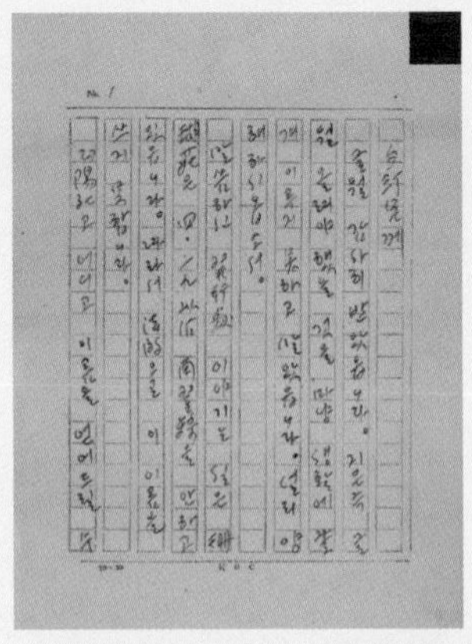

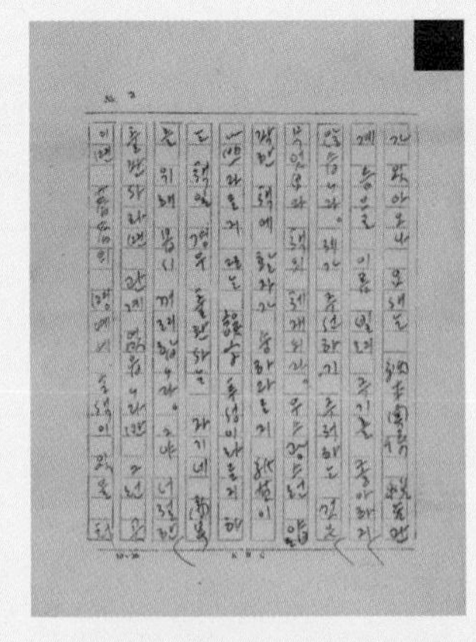

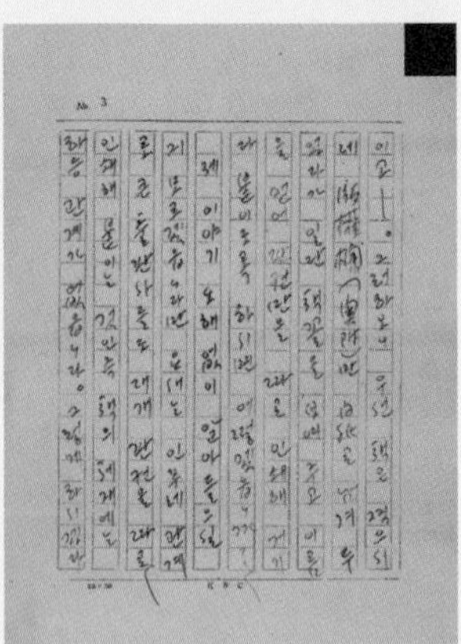

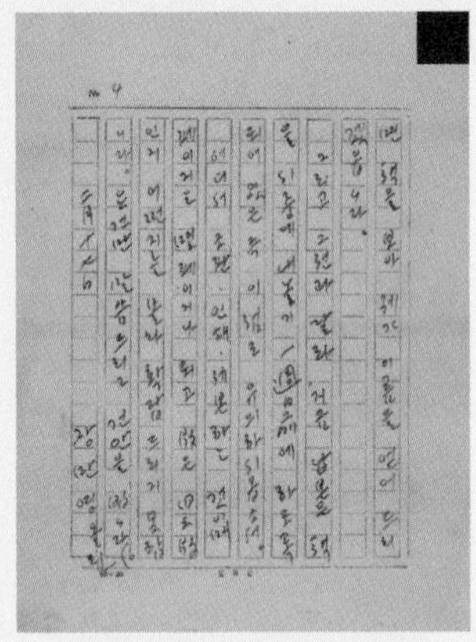

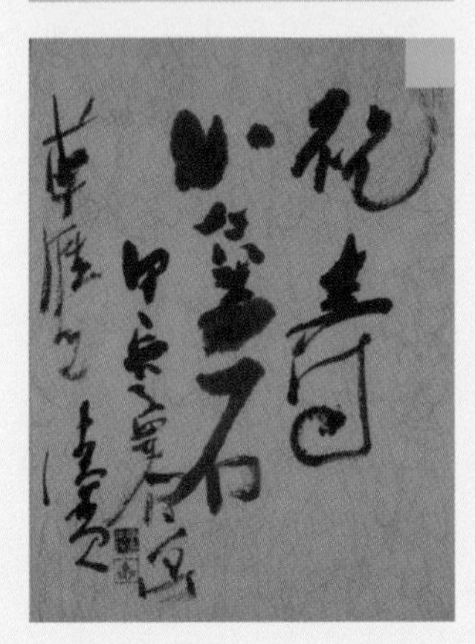

■ 장만영 시인의 편지

■ 신석정 시인이 초애 장만영에게 보낸 육순 기념 축하 휘호

■ 문학사상 1980년 10월호 표지에 실린 장만영 시인의 캐리커처(김구림 作)

『초애 장만영 전집』 발간에 즈음하여

초애 장만영 선생이 서거하신 지 어느덧 30년이 지났다. 향년 62세도 아쉬움이었지만, 그 후 세월에서도 다시금 덧없음을 느끼게 된다.

돌아가시기 2년 전의 시집 『저녁놀 스러지듯이』를 대했을 때의 무엇인가 허전하였던 마음이 어제의 일처럼 돌이켜 생각이 들기도 한다.

길손이 말없이 떠나려 하고 있다
한 권의 조이스 시집과
한 자루의 외국제 노란 연필과
때 묻은 몇 권의 노우트와
무수한 담배꽁초와
덧없는 마음을 그대로
낡은 다락방에 남겨 놓고
저녁놀 스러지듯이
길손이 말없이 떠나려 하고 있다

저때, 시집에서 「길손」은 시행을 짚어 가며, 갑자기 신약해지신 것이 아닌가, 불길한 예감이 앞서기도 하였었다.

선생은 서울 서대문구 평동 55번지의 골목 안 자그마한 집에 사셨다. 때로 찾아뵈면, 언제나 저 작은 미닫이 창문을 열고 반기셨고, 너그러운 음성으로 당신의 근황보다도 이 켠 주변의 안부부터 묻곤 하셨다. 당신의 평동 생활은 저 시집 속의 「게蟹」와 「네모진 창가에 앉아」에 그대로 여실히 드러나 있다.

이 놈은
가끔 외롭다고 집게질을 한다
이 놈은
가끔 바보처럼 운다

—「게 · IV」

네모진 창가에 앉아
놀 비낀 서쪽 하늘을 바라보며
「몽마르트르의 일몰」을, 반 · 고흐를
그의 고국 네덜란드를 나는 생각한다

—「네모진 창가에 앉아 · 끝 연」

저 1970년대 초반의 어려운 세상을 평동의 골목 안 좁은 공간에서 외로이 칩거하다시피 한 삶이셨다. 오늘에 이 시를 되짚어 보기가 안쓰럽고 죄스럽기만 하다.

1974년 3월에 주신 편지 한 통에 생각이 미친다.

홍이섭 추도시를 쓰다가 문득 '전라도 생각'이 나서 이 붓을 들었소. 버스로 세 시간 밖에 안 걸리는 그 곳이 오늘은 왜 이리 멀게만 생각되오. 그동안 내가 병원(고려병원)에 들어가 보름 동안 고생하다가 31일 퇴원해서 이런지도 모르겠소. 아무에게도 안 알리고 찾아 주는 벗 하나 없는 쓸쓸한 생활을 하다가 나왔소. 죄 없는 아내만 얼굴이 해쓱해 갖고 곁에 의자에 앉아 밤새우고 하는 꼴 정말 가슴 아팠소. 아내의 정성 탓인지 이렇게 나와 편지도 쓰고 시도 쓰고 하니 정말 살아난 것 같소. 이제 그만 쓰겠소. 약간 피로해서. 안녕히 계시오.

'홍이섭'은 선생과 동갑으로 1974년 3월에 작고하셨다. '전라도 생각'이란 저때 병상의 동서 신석정 선생을 두고 하신 말씀이었다. 당신의 입원을 전주의 동서에게도 알리지 않으셨던 것이다. '죄 없는 아내'는 신석정 선생의 처제 '박영규 여사'를 일컬음이다.

여기에 사신私信을 공개한다는 것이 외람된 일이나, 저 무렵 선생의 일상 심경을 다 헤아리지 못했다는 뉘우침과, 다른 한 편 『저녁놀 스러지듯이』에 대한 일반 독자의 이해에 혹 도움이 되지 않을까 하는 생각이 앞섰기 때문이다.

가까이에서 봐온 선생은 언제나 낙천적이셨다. 황해도 배천온천의 부유한 가정에서 부유한 삶을 누리셨음에도, 광복 후 실향민으로서의 고단한 서울 생활에 어떠한 짜증도 아픔도 밖으로 나타내는 일이 없으셨다. 또한 선생은 문단의 화제에서도 문학인에 대한 험담을 하시는 일이 없었다. "시인은 시인이 아껴야 한다"는 게 선생의 평소 말씀이셨다.

한국신시학회 주최로 선생의 10주기를 추모하는 '문학의 밤' 행사가 열린 바 있었다. 저때 조병화 시인은 추모시 「맑은 물처럼, 흙처럼」으로 선생의 삶과 시를 되새겨 주신 바 있다.

한국의 중부 서정을
밝은 언어의 결로
황토색 짙게
시를 깎으며 평생을 살아오신
62세

세월은
팔랑개비
시단을 던져 버리고
평동 골목에 묻혀
알맞게 사시다 알맞은 세월, 알맞게 떠나시는 모습
당신의 어진 시 같습니다

이 추모시로부터 20년 세월이 흘렀다. 이제 선생은 저승 세계의 어느 자연을 누리며 다시 만난 생전의 문우들과 어떤 시, 어떤 담소를 나누고 계실까. 선생이 이승에 남기신 시의 위상은 우리의 시문학사에 한 자리매김이 되어 있을 뿐 아니라, 앞으로도 계속 시문학도들에 의하여 논의될 것이다.

한 가지, 선생께서 한 평생 시를 쓰시며 시를 어떻게 생각하시었나 하는 것만은 다시 한 번 들어 두고 싶다. 선생은 서거 10년 전, 한국시인협회에서 엮어 낸 "나의 시 나의 시론"에 당신의 시에 대한 생각을 명료히 들어 말하신 바 있다.

> 시의 감동과 여운은 '애수적인 미'에 있다.
> 시의 목적은 '자기 만족'(쾌감) 외에 다른 공리성을 가질 수 없다.
> 시에는 '나'가 있고, 나의 '시'가 있을 뿐이다.
> 시에 '쾌감' 외의 '의미 부여'나 '현실 대결'을 요구하는 것은 마땅한 일이 못 된다.
> 시를 쓸 땐 쉬운 말, 소박한 말, 한글만으로 명료한 표현을 하고 싶다.

감히 위 다섯 가지로 요약해 볼 수 있지 않을까. 선생의 시론은 무엇보다도 선생이 남기신 시 작품과 시에 대한 감상, 해설의 글이 실증하고 있다. 시에 대한 선생의 생각이 오늘에도 어떠한 의의가 있고, 앞날의 우리 시에 어떠한 생명력으로 이바지될 것인가는 오직 시학도의 연구에 맡겨진 일이라 할 수밖에 없다. 이번 『초애 장만영 전집』의 간행 의의도 이 점에 있다.

끝으로, 유족으로서는 그동안 마음만 동동거렸을 뿐 힘이 미치지 못했던 일을 외솔회 총무이사 박대희 선생께서 추진하여 오늘의 아름다운 간행을 이루게 되었다. 어찌 유족뿐이겠는가. 우리 시문학의 앞날을 위해서도 다 같이 고마워해야 할 일이 아닐 수 없다.

2014년 12월 12일 탄생 100주기를 맞아
『장만영전집』 간행위원회 위원장 최승범

장만영 전집 4권(일기편) 차례

장만영 전집 4 차례

『1958~1961년 일기문』

『1961~1968년 일기문』

『1969년 일기문』

『새벽 종으로부터 저녁 종까지(1898년)』

『러시아 염소담艶笑談』

『프랑스 설화집說話集』

장만영 전집 1 차례

제1시집 『양羊』

제1부 _ 양羊

제2부_ 달 · 포도 · 잎사귀

제3부 _ 풍 경風景

제4부 _ 유년송幼心抄

제2시집 『축제祝祭』

제1부

제2부

제3부

제4부

제3시집 『유년송幼年頌』

제1부 _ 어머니에게

제4시집 『밤의 서정抒情』

제1부 _ 이 향 사離鄕詞

제2부 _ 순아에의 연가戀歌

제3부 _ 산협석모山峽夕暮

제4부 _ 천향시초泉鄕詩抄

제5부 _ 별의 전설傳說

제6부 _ 일 기 초日記抄

제7부 _ 물 방 울(동시초童詩抄)

제5시집 『저녁 종소리』

제1부 _ 저녁 종소리

제6시집 『장만영 선시집選詩集』

제1부 _ 三十年代

제2부 _ 四十年代

제3부 _ 五十年代

장만영 전집 2 차례

제7시집 『놀따라 등불따라』

제1부 _ 놀따라 등불따라

제2부 _ 푸른 골짜기

제8시집 『저녁놀 스러지듯이』

제1부 _ 저녁놀 스러지듯이

제2부 _ 등불따라 놀따라抄

마지막 시집 『창작 노트에 담긴 시詩들』

제1부 _ 창작 노트에 담긴 시詩들

■ 미발표 시들

장만영 전집 3　차례

『현대시現代詩의 이해理解와 감상鑑賞』

제1부 _ 봄 · 춘春

제2부 _ 여름 · 하夏

제3부 _ 가을 · 추秋

제4부 _ 겨울 · 동冬

『이 정 표里程標』

제1부 _ 동 자 상童子象

제2부 _ 소년화첩少年畵帖

제3부 _ 아름다운 계절季節

제4부 _ 회색灰色 노트

제5부 _ 별의 전설傳說

제6부 _ 촛불 아래서

『그리운 날에』

제1부 _ 여수旅愁

제2부 _ 등불 따라 노을 따라

제3부 _ 시詩의 주변

제4부 _ 그리운 사람들

미발표 산문

■ 일러두기

1. 시(詩) 작품의 표기는 원문을 최대한 살리되 시어의 어감을 해치지 않는 범위 내에서 맞춤법에 따라 고쳤다.
2. 한글 표기를 원칙으로 하되, 한자를 쓸 경우에는 한글을 한 급수 작은 글씨로 병기하였다.
   단, 시(詩) 제목의 한자는 그대로 두었다.
3. 외래어 표기법에 맞게 고쳤다.
   단, 어감이 현저히 달라질 경우에는 그 당시의 표기대로 그대로 살렸다.

『1958~1961년 일기문』

7월 22일

녹색 잉크가 사고 싶어 땀 흘리며 명동거리를 헤매었으나 발견치 못하였다.

종로로 다시 나와 <신신> 이층에 가 보았더니 거기 한 병—꼭 한 병 있었다. 값은 1,500환. 1,200환에 깎아 샀지만, 그냥 그 값을 선뜻 내 준 것만 마음이 편치 못했다.

7월 23일

700매의 원고를 써야겠다. 일찍 집에 돌아와 냉욕을 하고, 그동안 수집해 놓은 재료를 다시 살펴보았다.

먼저 목차를 짜야겠다고 생각하였다.

제1부 · 제2부 · 제3부로 나누어 써야 하는 건 알고 있으나, 어떻게 다루어야 좋을지 막연하다.

우선 <책 이름>과 <부제>들을 정해야겠기에 다음과 같은 이름들을 생각해 보았다.

동자상童子像 슬픈 동자상童子像
소년회화첩少年繪畵帖
유년사모幼年思慕—천사天使
자화상自畵像

나의 편력遍歷
나의 낭만浪漫
청춘가도青春街道—청춘지도青春地圖
경편철도輕便鐵道—경편열차輕便列車
유모차乳母車
봄의 항로航路—봄의 항진航進
산국초하山國初夏—산향山鄕—전원가田園歌
모춘서정暮春抒情
해협풍경海峽風景
시인부재詩人不在—반신상半身像
환등幻燈—동판화銅版畵
고독孤獨의 기념탑記念塔

길

≪자유공론自由公論≫ 1月号 게재

<유년幼年>

호무라도 꺽적거리며 걸어가고 싶은 길
저쪽으로
파아란 하늘이 비잉 빙 돌고
소달구지 하나
지나가지 않는 쓸쓸한 풍경 속엔
하이얀 갈꽃이 한들 바람에
파르르 떨고 있었다.

<소년少年>

바다 속 진주로만 보이는
도글도글 예쁘다란 조약돌들이
흐르는 냇물 밑바닥에
그득 깔려 있었다.

고의를 정강이까지 걷어 올린 채
중머리 땅에 떨어뜨리고
소년은 잠시
난처한 표정을 짓는다,
철떡철떡 끌고 온 짚신짝의 처리 때문에.

—버리고 갈까 냇물에?
—버리고 가자 냇물에.

<**청년**青年>

뒤돌아보면
강만큼이나 크고 넓었다.
이끌어 주는 이 없는대로
철벅철벅 철벅거리며
용하게 건넜다, 나 혼자서…….

그것은 덥지도 춥지도 않은
산비둘기 소리
산에 한가로운 날이었다.

—1958년 11월 16일 밤

밤의 해바라기

나는 네모진 창窓 가에 앉아 있었다.
낙하落下의 포옴을 갖추는 것이었다.
새빨간 인왕산仁王山 마루턱에서 햇덩이를 바라보며
문득 <몽마주르의 일몰日沒>을,
반 고흐를 생각한다.

황량荒凉한 들판으로 나가
피스톨 손에 들고
서른여덟 서러운 생애生涯에
그가 종지부終止符를 찍던 것도
필시 이런 석양夕陽이었으리라.
헤이그에서 런던으로
런던에서
파리로

숲에서 숲으로, 늪에서 늪으로
지쳐 자빠지도록
오직 빛과 태양太陽을 찾아 해매던
나는 그의 애욕愛慾과 적막寂寞과 비애悲哀와 분노憤怒를 내 것처럼 느낀다.

<세인트 마리해안海岸>으로, <해안海岸의 초가草家>로

<참나무> 서 있는 고원지대高原地帶로

<창포菖蒲 핀 아르풍경風景> 속으로

<르느강반江畔>으로

불쌍한 매음녀賣淫女 지인네 집으로

아아 몸을, 눈을, 뇌惱를
가냘픈 신경神經을 질질 태우며
<해바라기>를 그리던
미치광이 화가.
-그는 처세處世할 줄 모르는 위인이었다.
-그는 타협할 줄 모르는 위인이었다.
-그는 속일 줄 모르는 위인이었다.

드디어 그는 쓰러지고 말았다. 그의 구멍 뚫린 두개頭蓋에선 새빨간 선지피가 분수噴水처럼 용솟음쳐 흘러나왔다. 그리고 핏줄기 속으로부터 한 마리의 시꺼먼 까마귀가 뛰어나와 아득한 하늘 높이 기어 올라갔다, 처량한 울음을 보리밭 위에 뿌리며……. 그는 까마귀가 되어 먼 나라로 가버린 것이다. 그의 영혼 없는 시체屍体가 누운 허허 벌판엔 어둠이 깃들기 시작하고 바람만이 지나다녔다…….

—1958년 12월 22일

필립 노트PHILIPPE'S NOTE

<우리 할머니는 거지였다. 우리 아버지는 까바치다. 기품 있는 소년이었던 우리 아버지도 어린 시절 호구糊口의 일이 없어 거지 노릇을 한 일이 있었다.>—샤를르 루이 필립프CHARLES LOUIS PHILIPPE

그는 비애悲哀와 고통苦痛의 벗이었다.

<나무 사이를 지나다니는 바람도
푸른 하늘도
밤도
온갖 아름다움조차 그의 고뇌에 박차를 넣었다.>

<그에겐 사랑도 없었다.>

<어제 나는 짐승처럼 울었다.>

<나는 글을 쓸 때는 눈에 그득 눈물을 머금고 쓴다.>

<사내 손을 잡고 걸어가는 여자를 보면 나는 가슴에 단도를 찔린 양 괴로워한다.>

—34세才로 죽은 필립Philippe의 독백獨白

창작創作 노트Note

말렌코프—시장관리인市場管理人, 진달래—그 回裝派

*

▼ 토요일土曜日 밤

"처가 나빠요. 왜 늘 앓고만 있는 겝니까."

"그이가 나빠요. 왜 토요일날 밤이면 나가 들어오지 않는 거예요."

어느 옆집 건너방, 촛불이 한들거리는 밑에서 친구의 부인과 부인의 남편 친구 이 두 사람은 자기네도 모르는 사이에 저지르고 이 결과에 대해 멋없는 대화를 주고받곤 한다. 그러나 이미 일은 저지른 것, 그들은 어떻게 앞으로 해결을 볼 것인가.

*

어둠이 죄던가?

그녀는 그의 남편이 돌아온 줄 알았다. 그러나 어둠 속에서의 감촉은 남편이 아니었다. 왜 벙어리 흉내를 내는가? 그렇지만 남편에게서 일찍이 맛보지 못한 싱싱한 것을 느끼었다. 잠은 어느 덧 다 달아났다.

어둠이 죄던가?

아무것도 모르는 그녀의 남편은 그의 친구가 술을 받으러 갔으리라고

만 믿고, 어서 술이 왔으면 하고 기다리고 있었다. 기다리다 지친 그는 술상머리에 버림받은 사나이처럼 쓰러져 코를 쿨쿨 골며 자고 있었다.

이웃집에서 첫 닭 우는 소리가 길게 들리었다.

*

★

홀라후프

아가는 홀라후프를 가지고 누나 방으로 들어간다. 아가의 손엔 크리스마스 선물로 받은 탱크가 있다. 아가는 최소 열 번은 홀라후프를 돌릴 자신이 있었다. 그렇기 때문에 누나 방에 와 있는 누나 동무 멋쟁이한테 뽐내고 싶었던 것이다.

"예 너 참 잘 하누나."

아가는 빙긋이 웃으며 대만족이었다.

"어디 나도 좀 해볼까?"

누나 동무는 일어나 아가의 홀라후프를 들어 몸에 걸었다.

앗…… 아가는 기절할 지경이었다. 누나 동무는, 누나 동무는 열 번이 아니었다. 단숨에 백번도 더 돌리는 게 아닌가? 아가는 울상이다.

회색灰色의 분위기雰圍氣
서울의 하늘 밑
서울의 지붕 밑
고독孤獨의 기념수記念樹
밤의 해바라기
대낮에 피는 꽃

시詩와 산문散文

나는 이렇게 시詩를 쓴다

잡기첩雜記帖<책冊 · 장정裝幀 · 독서讀書>

내가 사랑하는 거리

패각貝殼의 침실

<패각貝殼의 침실>에서

시작詩作 초보자를 위하여

주변 만평漫評

크리스마스의 노래

젊은 모더니스트에게

초토焦土 위에 서사

위인爲人

저술과 증정

한 편篇의 시詩를 쓰기 위하여(남자男子 된 슬픔)

시인 곤강崑崗의 주검

곤강崑崗과 나

시인詩人 노천명盧天命의 초상

낙엽감상落葉感傷

논마지기

구원久遠의 소녀少女에게

가을밤에 쓴 편지

송도松島로 띄우는 편지片紙

멋대로의 봄
들꽃
삽화揷畵(소설小說)
낙엽감상落葉感傷
편지로 교제 일년
촛불 아래서
아득한 전설의 나라(바다와 명시名詩)
현대시現代詩의 난해성難解性
잠못 이루는 물소리
새빨간 능금처럼
나의 암송시暗誦詩
잊혀지지 않는 동화
길 한 끝에 서서
산골
게
모래벌에서
길(유년幼年 · 소년少年 · 청년靑年)
갈바람과 매음녀賣淫女와
낙엽落葉
고민하는 사나이
애가哀歌
포플라나무 · 고독孤獨 · 본 · 스트리트

고민하는 사나이

방문을 열면 코에 향긋한
애급 담배의 냄새가 풍긴다.
여길 누가 들어왔던가?

더듬더듬 촛불을 켜 봤으나
아무도 없다.
책상과
책장 사이
거기 공간 진 구석에서 누구인가의 신음소리가 들린다.
숨소리가 들린다.

촛불을 들어 책상 뒤를
비쳐 본다, 없다…… 다만 한 권의 먼지 덮인 <말테의 수기>가 떨어져 있을 뿐.

1958년 10월 19일

오전午前 9시 50분
산업은행産業銀行 건너편 제일은행第一銀行 앞
전차표 파는 데가 있는 포도鋪道
꽃가게 앞
무심히 꽃가게 쪽을 바라보며
전차 오길 기다리며 섰노라니까
쓱 지나가다
잠깐 놀랬다가
다시 종종걸음으로
무엇을 체념한 듯
빨리 지나 미도파美都波 쪽으로 가는 여인女人
그것은 분명히 나의 순아
칠년 동안 보지 못했던……
그전대로의 변함없는 그 모습
분홍저고리 흰 치마
손에 든 보자기
그는 나를 뒤로 바라보며
갔다 갔다! 과거는 과거라는 듯이.

국화菊花 · 산냄새 · 들냄새를 풍기며 거리로 넘쳐 들어오는 꽃의 대열隊列. 그러나 내 포켓은 그 한 포기를 살 수 없이 비어 있다.

—1958년 10월 20일

저녁 하늘

하늘도 추상파야
구름의 애브스트랙션(obstraction · 추상追想)!
빌딩 너머 저 뒤로
저녁하늘이 붉은 선을 긋고 있다

—1958년 10월 22일

낙엽초落葉杪

I

일요일 아닌 일요일,
나는 지팡이를 끌고 산에 갔었다.
누구의 권유가 있어서가 아니다.
하오래 못 찾아 갔었기.
나 혼자서…….

산은 지난해보다 더욱 노쇠해 보였다.
거기다 얼마 되지 않는 나무들까지 전에 없이 빛을 잃고
수심에 쌓여 있었다.
산꿩의 청아한 울음소리, 산비둘기 그 보드라운 노랫소리마저 들리지 않는다.
한 마리의 노루새끼, 한 마리 산토끼 안 보이는 적적한 골짜기.
거기엔 많지 않은 산국화들만이 중병 들어 임종을 기다리고 있었다.

—이제 눈이 오리라. 눈이 와 쌓이면 산도 좀 편하리라.
산등을 타고 오며 나는 차라리 어서 눈이 왔으면 좋겠다고 생각하는 것이었다.

II

거리엔 여기저기
등불이 호박꽃으로 피어 있었다.
내가 산에서 내려와 집에 다다랐을 때는
캄캄한 밤이었다.
옆에서 누가 빰을 쳐도 모르게시리
비어 있던 서재에 들어서니
책상 위 낙엽이 한 잎 편지처럼 놓여 있다.

<아직 강을 건너지 않고 있습니다.
멀지 않아 찾아뵙게 되겠지요.>
강 건너까지 와 있는 겨울이 손수 써보낸 것이다.
한데 나는 이 순수한 소식이
어쩐지 나를 협박해 대는 수작으로 밖에 해석되지가 않는다.

III

등불을 밝히고 밤늦도록 나는 원고를 썼다.
책이 몹시 읽고 싶은데
그걸 참고 원고만을 쓰자니 시장끼조차 느낀다.
그러나 나는 이 낙엽처럼 무가치한 원고를

나는 이 밤에도 쓰지 않을 수 없다.
내가 나를 분실한 지 오래 되었음을 내가
누구보다 더 잘 알고 있다.

—11월 1일

▼ 누군가가 나보고 일러준다
—그만 그 거리를 떠나가라고.
거긴 네가 있을 데가 아니라고.

▼ 서울은 용암鎔巖처럼 집집 사이를 흐른다.

*

적어도 문학상을 셋 정도는 탔을 그 어느 고명한 시인이 잘 팔리는 시집이 좋은 책은 아니라 하셨다. 지당한 말씀이다.

그러면 그와는 반대로 잘 안 팔리는 시집은 모두 좋은 책일까? 그렇지는 않다. "안 팔리는 책이 좋은 책은 아니다"라고도 할 수 있을 것이다.

딴 얘기지만, 여기서도 이솝의 우화는 적용된다. <포도와 여우>—높다란 곳에 달린 포도를 여우는 뛰어 따 먹으려 하였다. 그러나 하늪아 아무리 길길이 뛰올라도 따 먹을 도리가 없다.

여우는 하는 수 없이 달아나며 내밷듯 한 마디 던졌다.

"저 포도는 아직 익지가 않아서 맛이 없어."

★

어느 사람이 귀여운 딸을 가지고 있었다. 그러나 늙도록 청혼자가 없다.

그는 자기 혼자 딸을 사랑하며 내 딸처럼 어여쁜 계집은 없을 거라 생각하며 이윽고 세상을 떠나갔다.

★

문학상을 많이 탔다고 훌륭할 수는 없다, 더더구나 굶주리는 이 마당에서는…….

동화童話

가난한 목동의
비좁은 목장 울 안엔
늙은 암소 한 마리와
늙은 암소가 낳은 새끼암소 세 마리와
늙은 암소가 낳은 새끼부룩소 네 마리가 있다.
가난한 목동은 이들 가축으로 인해 더욱 가난해 가고
그 좋아하던 피리조차 잊고 살며
그 이마에 산맥처럼 굵다란 주름살을 그으며
모진 풍설을 머리에 얹고 늙어 들어간다.

—2월 13일

노방인路傍人

I

잠자코 앉았다 잠자코 가오리다.

아무 말도 묻지 말고

잠시 동안 나를 이대로 내버려 둬 주시오

잠자코 앉았다 이윽고 돌아 가오리다.

II

주름이 흐릅니다 달이 흐릅니다,

돌아가는 내 머리 위로, 내 노래 위로.

밤새가 웁니다 수풀이 흐느낍니다,

돌아가는 마음 속에서 내 노래 속에서.

III

똑바로 걸어가리다 올바로 살아가리다

나쁜 짓은 아예 하지 않겠소이다

낯으로 웃고 마음으로 울며

똑바로 걸어가리다 올바로 살아가리다

―1960년 2월 9일 <탑 공원公園에서>

나그네의 밤노래

I

말없이 앉았다 말없이 가오리다
산마루 구름처럼.
나를 이대로 둬 주시오 잠시동안만이라도.

II

구름이 흐릅니다 달이 흐릅니다
내 머리 위로 내 노래 위로.

밤새가 웁니다 나무들이 흐느낍니다
고달픈 마음 속에서 노래 속에서.

III

똑바로 걸어가리다, 올바르게 살으리다, 나쁜 짓 하지 않고.
겉으로 웃음짓고 속으로 울며
이 지루한 해를 내 보내오리다.

—한양대학생漢陽大學生과 함께 낼 시집詩集

포플러 나무

≪현대문학現代文學≫ 게재

하늘 끝까지 닿은 듯 우뚝 솟은 포플러 나무를 흔들며 나는 애걸하였다, 무진히 졸라댔었다, 나를 한번만이라도 안아 올려 달라고. 하건만 포플러 나무는 나의 소리는 들은 척 만 척 안 들리는 양 산 너머 먼 별들만 바라보며 혼자 웃음 짓고 있었다.

고독孤獨

고독을 사랑하는 아낙네의 마음에 들 그런 고독한 시를 한 편만이라도 쓰고 싶다. 고독은 나의 위안이요, 사치인가 보다.

BOND STREET

본 · 스트리트는 바닷가 조그만 고장이다.
낯설은 에트랑제(etranger · 이방인異邦人) 가끔 드나드는 거리.

상점 유리창이며 간판들이 온통 바다빛이어서 아름답다.
여기 BOND STREET를 파는 담뱃가게에서
나는 이 거리에서 바닷빛 눈의 한 소녀를 발견하였다.

바닷빛 눈의 그 소녀는
바다빛깔의 표지를 씌운 시집을 들고 있었다.
그것은 발레리의 『바닷가 무덤』이었다.

바다 소리 속에서 저녁 바람은 나의 마지막 여행을 재촉하고
노을을 등에 지고 돌아 나오는 내 가슴 속엔
바닷빛보다 짙푸른 노스탤지어가 서리었다.
꽃도 낙화지는 본 · 스트리트의 하늘 아래서.

—1960년 2월 21일 밤
기차汽車도 작별을 고하는 것이다.

어머니

나는 어머니보다 내가 먼저 죽었으면 하였다. 그러면 나의 죽음을 슬퍼할 한 사람쯤의 아낙네가 있겠기 때문이었다.

하건만 나도 모르는 사이에 어머니는 훌쩍 저 세상으로 가고 마셨다.

내 마음에 이렇게 큼직한 구멍이 뚫린 건 바로 이때부터이다. 지금도 이 구멍으로 바람처럼 어머니가 들락거리신다, 밤낮없이.

나무의 생리生理

나무를 향해 뭇 산새들이 날아든다
나무에서
나무로.
기어 올라온다, 나무위로.

하나 나무가 진정으로 기다리는 것은
바람이다. 거센 바람을 기다리는 것이다. 나뭇잎새들을 온통 흔들어 떨어뜨리는…… 무섭게 사나운 바람을.

나무는 거추장스러운 잎새들을 모조리 버리고 싶은 것이다.
발가벗고 알몸으로 서 있고 싶은 것.

CHARLES LOUIS PHILIPPE

(1874. 8. 4~1909. 35세才에 장腸 티푸스로 급서急逝)

★ 나의 할머니는 거지였다. 나의 아버지는 까빠치였다. 까빠치였던 아버지도 어려서 살 수가 없어 거지노릇을 한 일이 있었다.

나는 쌍둥이로 태어났다. 두 동생은 시골서 과자집 여편네가 되었다.

<나는 슬픈 때에만 행복하다>

유일한 위안을 눈물의 세계에 구하는 것이었다.

★ 이 애달프고 우울한 기쁨, 이것이 나에게 주어진 최대의 기쁨이다.

★ 나는 불행을 위해 이 세상에 태어난 사나이다.

★ 어제 나는 짐승처럼 울었다. 나는 쾌감에 잠기면서 울었던 것이다.

창작創作노트

선인장仙人掌 = 백년초百年草 · 패왕수覇王樹 꽃빛이 누르다.

①

소나기가 한 보지락 시원스러이 지나가자 햇볕이 눈부시게 비에 젖은 정원을 내리쬐기 시작하였다.

등의자에 말없이 앉아 있는 부부–. 그들은 애가 없다.

정원을 가로 건너가는 젊은 부부와 어린애(계집애–대 여섯 살쯤 나 보이는).

"엄마 어디 가? 집에 가는 거야?"

"아니, 온실 구경해."

"온실이 뭐야?"

"온실은 유리로 지은 집이야. 거기 가면 꽃도 많고 토마토도 있고…… 그리고 별의별거 다 있어. 알았어?"

"아이, 좋아."

애 없는 부부의 고독–.

이윽고 그들도 옷을 갈아입고 온실 구경을 나간다.

②

온실–

여기저기서 일하고 있는 인부들이 유리창 밖으로 보인다. 셔츠바람이다.

유리문을 열고 들어서니 후끈하다. 여기만은 여름이다.

온실 내부—.

유달리 지붕이 널따란 온실— 거기엔 고추를 따고 있는 인부가 있다. 키가 고추나무처럼 짤막한 인부—.

거기서 부인은 선인장을 발견한다. 키가 5~6m나 되는—지금까지 본 적이 없는 큰 것이다.

꽃이 달려 있다. 누런 빛의 꽃이 여기저기—.

부인의 머릿속엔 어린애의 모습이 뜬다.

—저 꽃을 삶아 먹기만 하면—

"여보, 저 선인장 꽃 몇 송이만 살 수 없을까?"

"그건 무엇 하려고?"

"신기해서."

"차라리 다른 꽃을 사지."

"필요한 걸요."

"필요하다니?"

"저걸 삶아 먹으면 애를 낳을 수 있다는 거예요."

"그따위 미신의 소릴 또……."

"아녜요, 정말이래요!"

③

그날 밤—문소리를 듣고 놀래는 남편—밤늦게 목욕을 하고 상기된 얼굴로 돌아오는 아내.

*부부와 인부와의 대화對話

④

*귀경歸京

어느 날 집에서의 부부의 대화.

남편은 신문을 읽고 있고, 아내는 재봉을 하고 있다.

"여보……."

"응?"

"여보 나 좀 봐요."

"왜 그래?"

"암만해도 이상해요."

"뭣이?"

"몸이오."

"몸이라니?"

그제서 엎드려 신문을 쥔 채 아내를 쳐다본다.

"암만해도 애가 됐는가 봐요."

"정말이야?"

"속이 몹시 거북해요."

"그럼 그 선인장을 다려 먹은 효력을 봤는가 보지."

"그런가 봐요."

"그럼 빨리 병원에 가서 의사 선생님한테 진찰을 받아야지."

남편은 후다닥 일어나 양복 장 문을 열고 법석댄다.

⑤

출근하려는 아침—남편은 유심히 아내의 쑥 나온 배를 손으로 탁 치며 농을 건다.

"뭘 먹고 이렇게 배가 불러?"

"아이, 당신은 참……."

"난 잘 먹이지도 못했는데."

"어서 겉옷이나 입으셔요. 회사 늦겠어요."

"저―이 편지 좀 나가시는 길에 부쳐 주셔요. 배가 불러 창피해 거리에 못나가겠어요."

"러브레터인가?"

"아이 당신은 참……."

"러브레터라면 내 기꺼이 부쳐주지."

"그 온실 주임한테 선인장 꽃을 많이 주셔서 덕분에 곧 애를 낳게 되었다는 인사 편지를 썼어요."

"역시 여자란 다르군. 난 깜박 그 생각을 못했어. 오케이, 내 등기로 부쳐주지."

"부탁해요."

편지를 받아 주머니에 넣고 뛰어나가는 남편―그를 전송하는 아내―.

⑥

우체국―

우표를 사서 봉토에 부치는 사나이―순간 남편의 어떠한 호기심―

비봉秘封―편지 내용.

"떠나온 지 어느덧 열 달, 지금은 여름이외다. 연못가에서의 즐겁던 이야기. 남편 이야기. 비밀. …….

1959년 2월 25일

오늘부터 일기라도 써 볼까 생각한다. 그러나 인내력이 약한 나인지라, 며칠이나 계속해 쓸지 의문이다. 고작해야 한 달? 웬 그렇게 오래 쓸 수 있을라고.

그러나 일기를 쓰는 데 나는 나대로 생각하는 바가 있다. 좀 더 내가 꿈꿔 온 그런 생활이라면 그것도 즐거우리라. 하지만 요새와 같은 이 쓰라린, 그리고 외롭다 못해 사뭇 괴로운 현실을 매일 써 두었다가 무엇 할 것인가? 그야 숨김없는 기록이고 보면 괴로운 날도 뒤에 가서 이야깃거리가 될지 모른다. 그렇지만 괴롭던 일, 슬프던 일, 불쾌한 일이라면 차라리 잊고 살려는 나에게 요새와 같은 생활기록이 무슨 소용 있겠는가. 그저 독서하고 나 자신의 반성을 위해 써 본다면 이야기는 근본적으로 다를지 모르지만…….

*

아침 <양지 다방> 3층에서 동아출판사東亞出版社 김사장金社長을 오래간만에 우연히 만났다. 이 친구를 보면 도무지 고개가 들리지 않는다. 그의 정열, 노력, 의지 따위에 눌리는 것이다.

저녁 때 이순복李順福을 만나 리라(里羅·필자의 次女·편집자 주注) 입학入學부탁을 하고 돌아왔다. 나는 애 부탁, 옆에 앉은 임근수林根洙는 취직부탁就職付託. 순복順福도 그쯤 됐던가.

밤에『로랑의 말』을 읽다.

나도 좀 더 열심히 공부가 하고 싶다. 그러나 지금의 처지로서 책이 머릿속에 들어올 것 같지 않다.

릴케의 <말테르> 생각이 자꾸 난다. 밤늦게까지 책상 앞에 앉아 있었다는 말테르…….

꿈

A 초상

대문을 밀고 안마당에 들어서니 흰 옷을 입은 슬픈 표정의 사람들이 모두 나를 바라보는 것이었습니다.

누구 하나 알 사람이 없었습니다. 나를 맞아들이려는 이 한 사람 보이지 않습니다.

그들의 시선은 이렇게 말하고 있었습니다.

"왔다, 왔어……. 바로 저 작자가 이제서 나타났다!"

사실 내 자신도 무슨 슬픈 소설의 주인공 같은 그런 기분이었습니다.

나는 무거운 마음으로 마당을 건너 퇴장에 올라섰습니다. 막 입관이 끝난 모양으로 굵다란 밧줄에 열십자로 얽어매 놓은 하얀 관이 대청 한 가운데 놓여 있었습니다. 그 관속에 그녀가 들어 있는 것입니다.

나는 구두를 벗고 대청으로 올라가 그녀가 누워 있다는 관 앞에 섰습니다. 많은 사람들의 시선을 거듭 온 몸에 간지러이 느끼며…….

그런데 웬 일인지 슬프지가 않았습니다. 마음이 무거울 뿐, 눈물 한 방울 부끄러울 정도로 나지가 않습니다.

그녀가 죽었다고 내가 믿지 않는 까닭인지, 또는 그녀가 죽었다손 치더라도 이어 나도 그 뒤를 따라가리라고—꼭 따라 가리라 결심이 되어 있어서인지, 그것은 잘 모르겠습니다.

하여튼 말없이 그저 나는 관 앞에 장승처럼 오래도록 서 있었습니다…….

B 잔치

동생이 장가를 든다고 한다. 부엌에서 뛰어나오는 여인女人. 뒷마당. 뒷담. 뒷 담문. 문 밖의 오솔길. 구경꾼들.

C 술 잔치

사랑방. 술친구. 눈을 흘겨 나오라는 여인女人. 행주치마. 배가 부르다. 배가 불러 뽐내는가. 나무라는 눈치의 그녀. 성낸 그녀. 입술을 내미는 그녀.

꽃 시집 노트NOTE

<꽃을 따드리는 마음(poetry of the flowers)>

▷ 난초蘭草=난초과(蘭科)에 딸린 다년생 풀. 향기가 높음.

▷ 목화木花=무궁화과에 딸린 일년생 풀. 씨에 붙은 면화棉花는 피륙이나 실의 원료가 되며, 씨에서 기름을 짬. 목면木棉 · 면화棉花.

▷ 민들레=국화과(菊科)에 딸린 다년생 풀. 뿌리와 줄기는 발한發汗, 강장强壯의 약으로 쓰이며, 잎은 먹음. 금잠초.

▷ 도화桃花=복숭아 꽃

▷ 행당 · 때찔레=화선花仙.

▷ 할미꽃=미나리아재비과에 딸린 다년생 풀.

들에 저절로 나며, 줄기는 10~15센티미터쯤 되고, 자줏빛 꽃이 핌. 노고초老姑草.

▷ 들국화=벌판에 저절로 나는 산국화.

▷ 백합百合=나리→ 나리과(百合科)의 참나리 계통系統에 딸린 풀의 통칭. 산에나 들에 저절로 나는데, 관상용觀賞用으로 재배하기도 함. 조선에 저절로 나는 종류에도 여남은 종류가 있음(백합百合, Lillium).

▷ 산국山菊=山菊花→ 국화과에 딸린 다년생 풀. 산과 들에 저절로 나는데, 키는 1m가량이고, 잎은 얇은 초록빛이고, 국화처럼 결각缺刻이 많음. 가을에 누른 꽃이 두상화서頭狀花序로 핌. 씨는 관모冠毛가 없음(산국화 · 산국 · Chrysanthemum Warandulaefolium Makino).

▷ 살구꽃=행화杏花

벚나무과(櫻桃科)에 딸린 낙엽 교목落葉喬木. 중국이 원산으로, 각지에 많이 심는데, 높이는 7m쯤 되고, 잎은 호생互生으로 넓은 타원형, 혹은 난형卵形임. 봄에 불그스름한 혹은 흰 오판화五瓣花가 피고, 과실은 먹으로,

씨는 약으로 쓰임.

▷ 진달래(杜鵑花)=잎이 나오기 전에 이른 봄에 적자색赤紫色의 꽃이 핌. azalea……Temperance 절제節制·중용中庸.

▷ 싸리=산과 들에 저절로 난다. 나비형상의 꽃이 핌.

★ 명성은 새로운 이름의 둘레에 모이는 모든 오해의 「엑기스」(精髓)에 지나지 않는다. -릴케

릴케의 시詩

(릴케(Rilke, Rainer Maria, 1875~1926), 오스트리아 시인 · 편집자 주注)

민요民謠

이처럼 가슴을 흔들어놓는
보헤미아 민요 가락
마음에 살며시 스며 들어
어느덧 마음을 무겁게 한다.

옥수수 밭 김매기에
애들이 입으로 부를 때
그 노래는 깊은 밤
네 꿈에 그대로 울리고 있다.

설사 네가 먼 나라
나그네 길에 있을 때에도
먼 훗날에라도 그 노래는
여전히 되살아 떠올라 온다.

<사랑> 제21가歌

때때로 문득 생각하는 것, 상심傷心과 노고勞苦 뒤에
운명은 그래도 날 축복하려 한다.
명절 기분에 그득 찬 일요일日曜日 아침
웃으며 소녀들이 지나칠 때…….
소녀들 웃음소릴 듣는 건 즐겁다.

한즉 오랫동안 그 웃음은 내 귀에 남아 있다.
결코 잊을 수 없다고까지 나는 생각한다…….
해가 언덕 저 쪽으로 사라질 때
나는 그걸 노래하려 든다…….
헌즉 벌써 머리 위에서 별들이 그걸 노래하고 있다…….

(6~7쪽)

이것이 나의 싸움입니다
그리움에 몸을 바치고
날마다 헤매 돌고 있습니다.
그러면서 강해지고 넓어지고
수없이 많은 뿌리를
삶 속 깊이 내리는 것입니다.
이리하여 괴로움을 통해

삶으로부터 바깥으로 아득히 성숙하는 것입니다.
시간時間으로부터 바깥으로 아득히!

(9~10쪽)

저녁녘 뜰에 두 사람은 나란히 앉아
오래도록 뭣인가에 귀를 기울이고 있다.
"비단 같은 흰 손을 하고 있군……."
"어머나…… 그런 소릴 하시면……."
문득 뭣인가가 뜰로 들어왔다.
싸릿문 소리도 나지 않았는데
눈에 보이지 않는 것을 겁내는 듯
꽃밭의 장미들이 온통 부르르 떨고 있다.

(13쪽)

※

일상日常 속에서 곤란 받고 있는 가난한 말을,
사람 눈에 띄지 않는 말을 나는 퍽 좋아한다.
나의 향연饗宴에서 나는 그들에게 색채色彩를 선물한다,
한즉 그들은 미소지우며 점점 쾌활해진다.
그들이 겁먹고 마음속에 눌러 죽이고 있던 본질이
새로이 다시 나타나 나온다, 누구 눈에나 보일만큼.
그들은 아직 한번도 시詩 속을 걸어본 일이 없다.
지금 부르르 떨며 그들은 내 노래 속을 거닌다.

(15쪽)

산문시散文詩

하늘에서 우박이 쏟아진다 우박이 하늘에서 여지없이 쏟아져내려온다.

진주알을 뿌린 듯 땅이 하얗다.

아아 우박 같은 시를 쓸 수는 없을까?

천진한 애들이 뛰어나와 손으로 움켜 먹으며 좋아 날뛰는 그런 시를.

뒤 안뜰로 부엌에서 뛰어나와 젊은 아낙네들이 싱글벙글 주워 먹으며 어릴 적 꿈을 회상하는 우박을-우박 같은 시를-.

그러냐 하면 내가 미워하는 녀석들의 골통을 마구 두드릴 수 있는-. 두들겨 내동댕이칠 수 있는-

하지만 농부들이 땀 흘리며 가꿔놓은 농작물에 피해를 입힐 정도의

그런 우박의 시를 쓰고 싶진 않다. 다만 너무 욕심 많고 인색한 김첨지 · 박첨지 · 오첨지네 과포밭 과실쯤이야 망쳐놓은들 어떠랴마는.

-1960. 10. 8.

★

밀회하러 찾아오는 아낙네처럼
수통물은 밤늦게만 나를 부른다,
달빛만이 유달리 밝은
남 다 잠든 꼭두삼경三更
뜨락에서 나를 부르는 소리.

★

느티나무 가지에 그네는 길게 혼자 늘어져 심심한 낯을 하고 있었다. 나는 좋아서 뛰어가 그네 위에 올라탔다.

낮에는 한번 얻어 타기가 그처럼 어려웠건만, 그리고 그 많은 애들 앞에서 타기가 부끄러웠건만, 이제 그네에 매달린 애들이라곤 하나도 없다. 내가 의기양양할 밖에—.

"어뚜르머야—."

계집애 같은 목소리로나마 크게 한번 신바람을 내어 내구르니 그네는 중천 높이 밀려 날아 올라갔다 뒤로 기분 좋게 미끄러져 들어오고

뒷산에서는 나와 꼭 같은 소년의 목소리가 메아리쳐 왔다,

"어뚜르머—야—."

길동이 오는 것이 저쪽 골목길에 보였다. 나는 그를 그네 위에서 볼 수 있었다. 그도 나를 보았는지 달음박질로 뛰어온다.

"얘, 그만 내려와!"

나는 그네줄을 느끼며, 그러나 내릴 생각은 하지 않고,

"조금만 더 뛰고……" 하였다.

"얼른 내려. 남들 오기 전에 가자."

"어딜?"

"글쎄 내려와. 내 일러줄게."

시인詩人

≪가정생활家庭生活≫ 게재

나를 소개할 때 시인詩人이라고 하는 것처럼 싫은 건 없다. 차라리 책상수라 불러주었으면 해진다. 시詩를 읽지 않는—읽어도 알지 못하는 그런 속물俗物들한테 시인詩人이라고 했댔자 무슨 소용이 있으랴.

그런 때마다 나는 대개 이렇게 나를 소개한다.

"시시한 시인이올시다. 잘 부탁합니다."

시시한 인간은 나인가? 그인가? 부탁은 또 무슨 부탁, 언제 내가 시 사달라고 한 적이 있었더냐.

시인이라고 하면 으레 술을 잘 하는 줄 안다. 이건 어디서 얻어 들은 지식인지 모르겠다. 당나라 시인 이백李白을 주선酒仙이라고 부르기도 해서 그러는지 모르겠다. 하나 나는 술을 전혀 못한다. 못하니까 못한다고 할 수밖에—. 그러면 또 으레, "시인이 술을 못하다니!" 하고 의아해 하고 못마땅해 하고, 심하면 불쾌해 한다.

이럴 때마다 하는 나의 대답은 천편일률千篇一律로 통속적通俗的이다.

시인이 술을 못하면 이런 꼴로 보게 되는 것이다. 그러므로 모름지기 시를 쓰려는 청년은 시를 공부하기 전에 술 마시는 연습을 열심히 해 둠이 좋을 성도 싶다.

"그러니까 요 꼴이지요. 그저 늘 시시한 시 밖에 못씁니다."

일기초日記抄

모월모일某月某日 한종일 기분이 좋지 않다. 역시 어젯밤 잠을 못잔 탓이리라. 약간 열이 있는 것 같다. 오전 중 시내를 한 바퀴 돌고와 침대 위에서 마냥 잤다. 자고 나도 기분이 여전히 좋지 않다.

모월모일某月某日 H출판사 L씨를 만나다. 오래 못 만난 사이 어언간 천만 환이나 빚을 졌다는 데는 놀랐다. 신경통이 요즈음 더 심하다고 한다. 책이 통 나가지 않는다고도 한다. 형네 애를 셋이나 맡아 기른다고도 한다. 어쩌면 이야기가 모두 이렇게 우울한가. C사에 가 있던 '꽃의 문화사' 되찾아 오다.

모월모일某月某日 거리엔 가을비가 내리고 있다. 비라도 맞으며 거리로 싸다니고 싶지만, 지금 감기를 앓고 있으니 그럴 수도 없다. 테이블 위엔 어젯밤에 써 놓은 편지가 부치지 않은 채 그대로 놓여 있다. 비라도 개면, 내일은 거리에 나가 편지를 부치리라.

모월모일某月某日 그처럼 기분 나쁘던 감기도 웬만해졌다. 오늘은 날씨가 여간만 좋지 않다. 애를 데리고 교외로라도 놀러 가고 싶다. 어디가 좋을까? 그러나 그냥 침대 위에 누워 버렸다.

모월모일某月某日 나이 스물 네다섯 되어 보이는(요즈음 여성들의 나이를 알아맞히기란 어려운 일이다) 한 여성이 전차표 파는 데서 핸드백을 열고 표 사는 것이 눈에 띈다. 이윽고 그 여성은 전차표를 한 손에 쥐고 땅을 내려다보며 뭣인가를 찾고 있다. 거스름돈을 잃어버린 모양이다. 나는 무의식중에 내 발밑을 내려다보았다. 바로 내 발에서 그리 멀지 않은 곳에 빨간빛 오환짜리가 하나 떨어져 있다. 나는 엎드려 그걸 주워 가지고 "여기 있습니다!" 하였다. 그녀는 쌍긋 웃으며 내 손에서 그 구겨진 오환짜리를 받아들고 뭣에 쫓기듯 저쪽 길로 성큼성큼 뛰어간다. 뭘 저러누? 하고 그녀가 부끄러워하는 줄 안 것은 나의 오해였다. 부끄러워 내 곁을 빨리 피해 뛰어간 것이 아니다. 그때 때마침 그녀가 타야 할 동대문행이 막 왔던 것이다.

모월모일某月某日 이웃의 판잣집을 헌다고 애들이 뛰어나가고 야단이다. 지어 주지는 못할망정 제돈 드려 조금이라도 낫게끔 꾸미려는 걸 헐어치우는 당국자의 맘보를 모르겠다. 정부 청사 수리하는 돈으로 백성의 주택이나 지어 주었으면 좋겠다. 백성에게 들 집이 있고서 정부의 청사란 게 필요하게 되는 것이 아닌지! 뭣이 뭔지 모르겠다.

모월모일某月某日 하야시 후미꼬의 『방랑기』를 다시 읽다. 유치한 대로 소재가 소재이니만큼 흥미롭다. 여기저기 시적인 표현이 튀어 나온다. "거리가 하품을 하고 있다"니, 확실히 산문 이전의 것이다. 하여튼 그 경력에 그만한 작품을 쓰기란 여간 노력이 아니었을 것 같다.

모월모일某月某日 밤에 원고 10매를 쓰고, 어제 읽다 둔 『방랑기』를 계속해 읽다. 죽도록 일이 하고 싶은 날이다. 하나 일의 대가를 생각하면 한심스럽기 짝없다. 원고 열 장 써서 쌀 한 말거리나 될까, 못 될까?

모월모일某月某日 아침부터 반갑지 않은 손님만 찾아와 우울하다. 어서 아무도 못 오게 해야겠다. 찾아오는 손님이 귀찮기만 하다.

모월모일某月某日　김남조 씨한테서 엽서 오다. 온양온천에서 띄운 것. 그녀는 지금 학생들 데리고 여행 중에 있다고 한다. 여행? 얼마나 즐거운 기분인가! 밤에 종로를 방황하다. 수학여행이라도 간 것처럼. 하나 별로 흥미롭지도 않고 신통할 것도 없었다.

모월모일某月某日　날이 제법 차다. 다행히 스웨터 염색이 되었다기에 찾아다 입다.

모월모일某月某日　전에 없이 일찍 일어나 책상 앞에 앉다. 막상 붓을 들긴 들었으나, 밤공기가 냉하여 글 쓰기가 싫다. 그래도 오늘은 오전에 15매, 오후에 20매를 썼다. 몹시 피로하다.

모월모일某月某日　평택에 사는 K양으로부터 편지 오다. 뭣이 뭔지 모를 글이다. 이 친구 약간 돌았는가 싶다. 그전처럼 이내 답장을 내지 말고 있다가 눈이나 내리거들랑 크리스마스를 겸해 한 장 내는 것이 좋을 성싶다.

모월모일某月某日　애들 머리를 깎아 주고 목욕을 시키다. 오래간만에 애비 구실을 한 것 같아 마음이 흐뭇하다. 석정夕汀한테서 편지 오다. 내일이나 답장을 내야겠다.

모월모일某月某日　사상계사에 가서는 시 제목 '나체'를 '나부'로 고치다. 돌아오면서 잘 고쳤다고 생각하다. 용호容浩, 준범俊凡이랑 냉면을 먹다. 속이 좋지 않다. 역시 냉면이 좋지 않았는가 보다. 집에 돌아오니 내일 소풍 간다고 꼬마들이 야단이다.

모월모일某月某日　애들 소풍 가는 데 모두들 따라가고 보니, 집에 남은 건 나 하나뿐이다. 이런 기회에 좀 일을 해야겠다 생각하고 하루 종일 책상 앞에 앉다. 덕분에 저녁까지 70매—. 대단한 노동이다. 몸이 그지없이 피로하다. 하건만 잠이 통 오지를 않는다. 너무 피로해 그런가 보다.

모월모일某月某日 저녁때부터 시름시름 또 가을비가 내린다. 머리맡에 놓여 있는 『군상群像』을 집어 들고 읽다. 무로우 사이세이의 글이 역시 좋다. 자기의 생가生家가 그 지방 명소의 하나가 되어 유람 버스가 그 앞에 서게 되고, 버스걸bus girl이 손님들에게 자기 이야기와 함께 자기 시 한 토막을 낭송해 들려준다는 대목에 고소를 금치 못하다. 자기 시비詩碑에 대한 이야기 등 모두 통할 수 있는 소리이다. 무성할 대로 무성한 잡초 속에 잊어버린 듯 놓여 있는 돌—그런 것이어야 좋다는 것이다. 육군대장 모某—그따위는 질색이라는 것이다. 역시 그는 시인이다.

모월모일某月某日 어제부터 내리는 비가 오늘 아침에도 그치지 않고 여전히 내린다. 아침 일찍 일어나 책상 앞으로 가 앉다. C사 원고를 어떤 일이 있든 오늘은 떼어 버릴 생각에서이다. 그러나 종일토록 쓰고 또 써도 원고는 끝이 안 나고 머리만 띵하다. 저녁녘 볼펜이랑 살 겸 종로에 나갔다가 커피를 마시고 돌아오다.

모월모일某月某日 C사 원고를 그대로 갖다 줄 수가 없어 수정을 해보다. 웬만치 문장답게 할 양이면 끝이 없을 것 같고, 그저 마음만 초조하다. 오래간만에 R형을 만나다. 밤에 케벨 박사 수필집을 읽다. 한종일 나무의자에 앉아 명상에 잠기곤 하였다는 괴테의 말이 가슴을 두드린다.

모월모일某月某日 잘 되었든 못 되었든 원고 457매를 넘기고 나니, 큰 빚이라도 갚은 것처럼 한결 마음이 유쾌하다. 오늘만은 원고를 쓰지 않겠다 마음먹고 하루 종일 봉투를 만들다. 봉투를 만드는 동안만은 모든 근심 걱정을 잊을 수가 있으니, 이것도 정신 수양이라 말할 수 있잖을까.

모월모일某月某日 김성환金星煥 유화전油畵展을 보러 국립도서관으로 가다. 회장에 들어서기 전에 최태호崔台鎬 관장에게 경의를 표하고, 그의 안내로 같이 구경을 하다. 전문가 아닌 나로서는 뭐라 말하기 어려우나, 예상 외로 좋은 것이 많은 것 같다. 내가 느낀 것은 북구北歐나 인도印度 같은 나라의 동화를 읽는 것 같았다. 거기에는 꿈이 있고, 고요가 있고, 고독이 있고, 신비가 있었다. 눈으로 보는 시란 이런 것을 두고 하는 말이리라. 무척 고심한 흔적이 역력하였다.

모월모일某月某日 충무로 일본책 가게를 오래간만에 한 바퀴 돌았다. 새로 들어온 것들이 그리 많지는 않았으나, 사고 싶은 책이 적지 않다. 『세계시집』 같은 건 집어다 두어 손해 없을 것 같다. 좀 비싸긴 하지만, 다카무라 고오따로 책이 제일 욕심난다.

모월모일某月某日 오후에 책상 뒷면을 도배하다. 노랑빛 엷은 것을 골라 바르고 보니, 한결 산뜻하다. 내친 김에 딴 데도 몽땅 이 색깔로 발라 버릴까 하는 생각을 하다. 전부 다해 보았댔자 돈 얼마 들지 않을 것 같다. 밤에 사이세이 수필집을 꺼내 읽다. 퍽 오래 전 것이지만, 이 시인의 것은 언제 읽어도 싫증이 안 난다. 나와 생리가 맞는가 보다.

모월모일某月某日 오후 2시부터 PEN클럽 정기총회가 서울대학 교수회관에서 열리다. 오래간만에 친구들 얼굴이나 볼까 하고 갔더니, 의외로 나온 사람이 적어 적이 실망하였다. 지루한 몇 시간이 흐르고 나서 감격 없는 번역문학상 시상식이 시작되고, 그것이 끝나자 곧 칵테일파티로 들어섰지만, 여기서 만난 이로 마해송, 김남조, 박경리, 손소희—이런 분들이 반가웠다.

모월모일某月某日　고바우는 약속보다 한 시간이나 늦게야 나타났다. 별로 만날 일도 없는 것을……. 정양사 윤 선생이랑 냉면을 같이 먹고 당구를 치다. 오늘 승부는 3대 1로 내가 이긴 셈이지만, 별로 기쁘지도 않다. 당구장에서 나와 고바우와 둘이 슬슬 걸어 '상록수'까지 와 차를 나누며 음악을 즐기다.

모월모일某月某日　이 달도 오늘로 마지막 간다. 그리 무의미하게 살지는 않았다는 느낌보다는 용하게 한 달을 살았다는 생각이 앞선다. 이발을 하고 목욕을 하다. 파커 만년필을 하나 새로 사다.

모월모일某月某日　김남조 씨로부터 연하장 오다. 이것 안 되겠다고 다락에 있던 고튼지를 꺼내다 부랴부랴 카드를 만들어 여기저기 띄우다. 주로 평소에 신세진 분들에게.

모월모일某月某日　광화문 우체국까지 가서 연하장을 넣고 나니 세배를 끝낸 듯 마음이 흐뭇하다. 역시 연하장이란 의례적인 것이 아닌 것 같다.

모월모일某月某日　고바우한테서 호랑이를 그린 연하장 오다. 수채화. 틀이라도 만들어 오래 가지고 있고 싶다. 올해가 호랑이 해라서 호랑이를 그려 보낸 것이겠으나, 실은 내가 갑인생인 걸 그가 아는지 궁금하다.

모월모일某月某日　석정夕汀한테서 연하장을 겸한 편지 오다. 오는 18일이 난이의 결혼식날이라고 꼭 내려오라는 것이다. 벌써 둘째 사위를 얻는가 싶어, 그와 그리고 나의 연령을 새삼스러이 계산해 보다.

모월모일某月某日　한종일 애들하고 놀다. 밤에 투르게네프의 『그런 날 밤』을 읽다. 언제 읽으나 좋다. 아마 내가 이 책을 읽는 것이 이번으로 다섯 번째쯤 될 것이다. 끝에 가서가 더욱 애처롭고 좋다.

모월모일某月某日　전주로 결혼 선물을 소포로 부치다. 좀 더 좋은 것을 했으면 싶었으나 잘 되지가 않아 양단저고리 한 감을 떠서 보내다. ≪한국일보≫에서 일요시단에 실릴 원고 청탁 오다.

모월모일某月某日　밤새도록 각봉투를 만들며 혼자 즐기다. 각봉투를 만들며 이런 일 저런 일을 생각하다. 봉투 만들기란 즐거운 일이다. 이도 또한 불안을 잊는 하나의 방법일까? 아니, 어쩌면 보다 아름다운 꿈에서 살려는 마음이리라. 이 각봉투에 넣은 내 편지를 받을 벗들 얼굴을 그리니 저절로 웃음이 난다.

1960년 8월 24일

오후午后 3시時쯤 T서점 주인 내방來訪. <동양> 다방으로 동행同行.

차를 나누고 나서 택시가 닿는 대로 교통부交通部 앞을 지나 하차下車. 부엌으로 들어서면 거기엔 아담한 한 칸 방이 있다.

테이블 · 양복장 · 이부자리 · 화장품 · etc.

과실을 먹고 저녁으로 중국밥을 먹고—.

거기서 내가 전혀 모르는 YANKY와 양갈보들의 생태 · 생활 · etc를 들으며 피란 바람에 받은 그녀의 거센 생존 기록을 들었다. 삭막한 기분이다. 서글픔조차 인다. 이야기는 많으나, 나의 회상은 두고 온 고향과 연령과 그리 아름답지도 않은 연륜으로 꽉 찼다.

1960년 9월 18일

* 미친 자식 까불지 마라
* 오만하게 자빠져서
* 돼지 멱따듯 꽥꽥 소릴 지른다.
* 칼로 찔러 죽인다.

1961년 에세이

영국적英國的인 에세이의 정의定義에 의依하면, 에세이의 맛을 내고 있는 것은 유머와 페이소스(pathos · 감정)요, 동시同時에 위트와 예민한 비평정신批評精神이라고 한다.

유머와 페이소스는 감성感性의 소산所産이요, 위트와 비평정신批評精神은 사고思考의 소산所産이다.

수필과 에세이와의 상위相違는 이 의미意味의 창조성創造性이 있는가 없는가에 달려 있다고 본다. 그저 단순히 가벼운 지껄임이나 마음 무거운 우감적偶感的 독오獨俉의 유類는 에세이라고 부르기 곤란하지만, 그와 동시에 소위 수필隨筆이라고 불리는 것이라도 창조적創造的인 것은 훌륭한 에세이다.

수필隨筆의 창조성創造性엔 많은 특징特徵이 있다. 이지적理智的인 투명성透明性을 갖고 있는 것이 중요重要하다. 새로운 것에 대對하여 적응성適應性을 갖고 있는 것도 중요하다.

* 고백체告白體로 할 것(여주인공女主人公)
* 온천행溫泉行(토요일 야간열차夜間列車)
–객차내客車內에서의 회상回想
–남편男便의 축첩蓄妾(이유理由는 여주인女主人公한테서 애가 없다는 것)

—애를 낳았으면 하는 욕심慾心—절에 가서의 불공佛供 · 삼신기도 · 부적 · 애 있는 집 문 빗장을 훔쳐 온 일.

—첩이 둘이나 있어도 여태껏 애는 없다.

* 온천溫泉호텔—신혼여행新婚旅行의 꿈
* 온실溫室의 선인장仙人掌
* 온실溫室의 기술자技術者—청년青年
* 밤의 남탕男湯—남탕에 들면 애를 낳는다는 전설傳說
* 못가에서의 간통
* 상경上京
* 잉태—남아출생男兒出生

인물人物

남자男子—야채상인野菜商人

그의 아내

온실기술자溫室技術者

식모食母 · 호텔 하녀下女 · 온실인부溫室人夫

반닫이

≪일요신문日曜新聞≫ 게재

아내의 방 윗목엔 느티나무로 만든 커다란 반닫이가 하나 놓여 있다. 이 반닫이 속엔 애들 헌 옷들이 들어 있는 모양인데, 나는 아내 방문을 열고 들어설 때마다 이것에서 오는 어떤 중압 같은 걸 느낀다.

어느 날 나는 이 반닫이의 수륜을 헤어 본 일이 있다. 백하고도 열 몇인가 된다. 그러고 보면 이 나무는 백년도 더 된 나무일 것이다.

이 반닫이는 나의 할머니 때부터 내려오는 것이라고 한다. 나의 할머니는 내가 태어나기 전에 돌아가셨다. 그러고 보면 이 반닫이 나무는 줄잡고도 150년~200년 전 것이리라. 20세기世紀 전前 것이리라.

반닫이는 병 장식과 나비와 박쥐로 장식되어 있다. 이 병 장식이 한 가운데 가로 일곱 개 죽 나란히 놓여 있다. 나는 이 일곱 개의 병 장식을 볼 때마다 우리의 조상들을 생각한다. 증조할아버지와 증조할머니, 할아버지와 할머니, 아버지와 어머니, 그리고 하나 남는 것은 누구일까? 할아버지의 소실이었던 분일까? 그렇게 보면 어쩐지 모두가 점잖으시고 엄하신 얼굴들 같기도 하다.

그 일곱 개의 병 아래는 좌우로 큼직한 날개를 단 박쥐 모양의 장식이 역시 쌍을 지어 있다. 이것은 무엇을 상징하는 것일까? 모르긴 모르되 우리의 먼 선조先祖를 뜻하는 것이리라.

그리고 반닫이 개상사리로 나비떼가 죽 붙어 있다. 우리 집안을 축복하는 뜻이리라.

아침 I

잠자고 있는 하늘을 노크하고 달아와
아침이 웃음짓고 있다, 이슬 속에 살며시 숨어…….

산새들은 약수터로 내려와 물을 마시고
소녀는 벌써 일어나 창을 열어제낀다.

오오 퉁명한 아침이여 젊음이여
오늘 아침 나는 꽃잎 같은 모터 보트라도 타고 놀고 싶다.

아침 II

잠자고 있는 하늘을
흔들어 깨워 놓고
아침은
달아와 웃음 짓고 있다, 이슬 속에 숨어서.

산새들 샘터로 물 마시려 줄지어 내려가고
산장 소녀도 벌써 일어나 창문을 활짝 열어제낀다.

오늘 아침 내 마음은 퉁명하다
호수로 달려가 꽃잎 같은 예쁜 모터보트라도 타고 싶구나.

봄의 급행열차急行列車

≪학원学園≫ 게재

봄이다
급행열차다
남풍이 유리창을
저렇게 흔들고 있잖은가.

외투가 피로처럼 걸려 있는
방, 그 별 지도 위엔
아직도 흰 눈이 쌓여 있건만
앞뜰 나뭇가지 끝
맑다란 햇볕이 뽀얗게 장난친다.

소녀들은 금붕어
도시의 어항 속을 헤엄쳐 다니고
아낙네들 엷은 숄은 시냇물 어깨로 흘러 내린다.

지금쯤 어느 먼 산골짝
물방앗간 물방아도
시름없이 돌아가리라.

오늘 내 가슴 속 어린이들이
기를 흔들고 있다
누구를 향하여?
봄과 급행열차와
좀 더 좋은 일이 있어야 할
우리들이 내일을 향하여—.

—1962. 1. 30.

<톨스토이>

레프 니콜라예비치 톨스토이(Lev Nikolaevich Tolstoi, 1828~1910)<소련 작가>

크로이체르 소나타

<부활復活> = 인물人物잡지 <니바>
핀란드 → 로자리야
비류코프
마샤
루호보르

페테르부르크

* 허명虛名을 좇아 찾아오는 사람들(그의 작품을 전혀 읽고 있지 않다).

서울

≪자유문학自由文學≫ 게재

A

서울은 노망 든 늙은이
남들 다 자는 새벽녘부터 일어나
콜록콜록 기침을 하며 극성을 떤다.
마구 뱉어 놓은 그의 담痰 속엔
붉은 것조차 섞여 있다.
늙은이는 극성스럽게
선량한 시민들만 못살게 들볶는다.

B

바bar의 문을 열고 들어서면
쟈스가 비어beer를 끼얹는다
계집이 썩어 들어가는 과실로만
그렇게만 보이는 밤이다.
그리고 그 계집의 원피스가
과실나무 껍질로 짠 것같이 보인다.
서민들이 담배 연기로 표정을 가리고
배 곯은 짐승 탐욕貪慾을 앓고 있다.
쟈스가 이번엔 그의 목을 조른다.

C

공원 분수噴水가 기침을 하고 있다.

* 나의 뺨엔 눈물이 흐른다,

달빛으로 그득한 눈물이.

* 나의 눈동자와 나의 눈을 애무한다.

* 나의 마음은 통명하다, 오늘 한종일—.

* 베고니아(begonia, 난장초爛腸草, 추해당秋海棠)는 목욕을 하고 있다, 태양 속에서.

* 오오 바람이여 꽃들을 노래시켜라!

* 우울한 시인詩人이 먼 내일來日을 꿈꾸고 있다.

* 나의 눈은 맑다, 아침 이슬방울처럼.

* 당신을 사랑한 나의 손은 너를 이제 못 잡는다.

* 나의 마음은 굳게 닫힌다.

* 지금은 연애하기 좋은 계절, 알맞은 시간.

* 나는 내 슬픔으로 노래를 짓는다.

* 낮으론 웃고 마음으론 울면서 하루해를 보냈다.

* 아침이 풀잎 속 이슬 위에서 웃음 짓고 있다.

* 젊은 아가씨가 문을 살짝 열고 내다본다.

* 찬바람이 몸에 스민다.

* 왜 너는 여기 머물러 있지 않은가?

* 내 눈썹에서 떠는 건 눈물이 아닌가?

* 마음아 너는 왜 한숨짓는가?

* 마음 위에 고뇌의 중량을 느낀다.

* 눈부신 햇볕 아래 이슬은 한 방울도 남아 있지를 못한다.

* 사람은 내 마음의 문이 닫혀 있는 걸 모른다.

* 너는 말이 없다. 너는 대답을 안 한다.

* 산새는 샘터로 내려와 물을 마신다.

* 고요한 물속으로 돌을 던지듯

당신의 회상은 나를 따라 온다.

* 여기는 그 언덕이요 그 잔디밭이올시다.
* 왜 이렇게 말도 없이 울고만 있는가?
* 풍경은 슬프기에 더욱 아름다웠다.
* 나는 아무것도 가진 것이 없다.
* 잠자코 앉았다 잠자코 돌아갈 때
* 머리털이 희다. 아아 눈이 내렸다.
* 달을 은전으로 알고 쫓아다녔지, 밤새야?
* 흐느껴 우는 수풀
* 구름이 흐른다, 나의 머리 위로, 노래 위로
의젓이, 아주 의젓이
* 나는 똑바로 걸어간다. 나는 나쁜 짓은 하지 않으련다.
* 우산의 행렬行列!
* 곁에는 오직 홀로 그녀만이 있으리라
* 모든 계절과 모든 고뇌와
* 내가 내 말을 찾아낸 숲 속
* 나는 느낀다, 내 문전에 늙음이 와 있음을
그리하여 나를 바람 속으로 끌어냄을
* 나는 살아간다, 내 속에 시詩가 살아 있기에
* 나는 푸른 별을 가지고 있다, 푸르디푸른 조그만 별을 가지고 있다.
* 꽃송이처럼 예쁜 모터보트가 노래를 부른다.
* 흐르는 물은 다시 돌아올 것인가?
* 무엇에 감격한 듯 저녁종이 울린다.
* 태양이 하늘을 노크한다.
* 봄이 출생하였다(태어났다)－산마루에.
* 여러분 꽃이 피었습니다.
* 그것은 기적奇蹟이 아닐 수 없습니다.
* 소녀들은 사라졌다. 나는 그걸 슬퍼했다, 그리고 나는 내가 늙었음을

느꼈다.

* 나는 촛불 아래서 자련다, 책상 위에 엎드려.

* 나는 떠내려간다, 물에 빠져 떠내려가는 나뭇잎새처럼.

* 토요일 날 저녁 우울한 청년들은 밤이 깊도록 다방에 앉아 담배를 피우고 있었다.

* 보이는 집들은 어느 것이나 모두 푸른 빛이었다, 담쟁이처럼.

* 나는 알고 있다, 고통이 항상 내 곁에 충실히 붙어 있음을.

* 고독은 좀 더 깊이 내 마음을 파고 들려 한다.

* 나는 지팡이를 끌고 저 길로 해서 찾아가리라.

* 나는 그 허물어진 성벽에서 나의 과거의 내음새를 맡았다.

* 저녁 종소리가 내 마음에 회색灰色 슬픔을 그득 밀어다 채웠다.

* 만일 네가 산비둘기요, 그리고 내가 산토끼라면

* 지금도 그때처럼 파이프를 입에 물고 있다.

* 내 마음은 죽는 날까지 쓸쓸하리라.

* 노들강물은 우리들 사이를 아는 척 하리라

* ≪현대문학現代文學≫도 ≪문학예술文學藝術≫도 나한테는 원고료를 지불하지 않는다.

* 우리의 사랑을 위해서 500환이 모자란다

* 사랑을 찾지 마라 사랑은 없는 걸.

* 너는 느낄 것이다 네가 할머니처럼 늙은 것을.

* 혼자 줄을 늘이는 거미마냥 혼자 살 걸!

* 소파에 몸을 파묻고 나는 생각한다, 내가 걸어온 길을.

난로엔 장작불이 활활 불붙고 있다.

* 너의 샘터엔 물이 없다. 샘물은 말라빠졌다.

* 이 아닌 밤중에 내 문을 두드리는 이가 누구이냐?

그것은 가난이다. 고독이다.

* 우리와 함께 왔던(동행同行이었던) 즐거움.

* 달은 나무 끝에서 하계下界의 것들의 숨소리에 귀를 기울인다.
* 별빛 아래 나는 너무 작다. 너무 외롭다.
* 달은 그 고독의 흰 빛을 뚝뚝 떨어뜨린다.

***

* 제비들은 찾아가리라 서울을 하늘을 거쳐서…….
* 맨발 벗은 어린애들－그들의 이야기 소리가.
* 내가 살았던 야채밭 과포밭 무밭 복숭아밭의 회상回想으로부터 열린다.
* 사랑이기엔 너무나 깊다.
* 풋 종달이 소리가 초각初刻처럼 떨어져 내려온다.
* 오오 꽃이여 진달래여
맑고 푸른 하늘 밑
그 남산 허리에
산山 양지에
바다 기슭에
우리 조상祖上의 모든 흙에
지금이야말로 피어나거라
만발하게 피어나라
* 그리고 나의 이마는
이같이 자유에 불타 뜨겁다
* 아름다운 목소리
뒤로 돌아선 당신의 얼굴이
웃으며 나를 뒤돌아다보는 것은
아아 어느 날일까?
어떤 날일까?
* 나무 수풀과 수풀 사이로

서서히 걸어오는 남쪽에서 북으로 걸어가는
한 덩이의 구름
빛을 머금고 안으로부터 번쩍이는 구름
* 비행기는 가끔
푸른 하늘의 눈길 속으로부터 나타나
그 금속의 목소리로 나를 찾아 부르는 것이었다.
* 새로 맞춰 입은 봄 양복 속에서는
이와 같이 새로운 피가 끓는다
몸뚱어리로 올라가는 이 뜨거운 것은 무엇일까.
* 오늘도 내일來日도 있는 이 샘을 믿자
이들 호젓한 민족애를 믿자
* 이곳 새문안 유치원 어린이들의 노래가 들린다.
<나의 살던 고향은 꽃피는 산골
복숭아꽃 살구꽃 아기 진달래－>
* 수다한 현실이 이동한다,
지금 발달한 능선을 따라
* 바람조차 소리치고
풀잎새들이 일제히 불타오른다.
여기저기 산재散在하는 암소 부룩소
프랑스말도 곧잘 하는 염소－새까만 염소
★ 전원田園은 거칠게 호흡한다.
창백한 서정抒情이랑은 파묻은 지 오래다.
잠시 우리는 아름다운 층층계를 생각한다.
★ 책상 위에 젊디젊은 팔을 얹고
들거라 문명의 소리를, 그리고
마음 떨리게 하는 예감을!

『1961~1968년 일기문』

월출月出

그리고 누가 달을 보았던가, 누가 보지 않았던가.

그녀가 깊은 바다 방으로부터 나타나는 것으로

상기가 돼가지고 장대히, 발가숭인 채 마치 일을 치르고 난 새 신랑이 방으로부터 나오듯이

그녀는 일어서서 행복의 글자를 끄적인다.

드디어 그녀의 온화하게 하는 미美는 모조리 우리에게로 침동沈動하고 퍼져서 지금은 똑바로 보여진다.

우리는 믿는다, 미美는 무덤 저쪽까지 멸하지 않는 것임을.

완전한 빛나는 경험經驗은 결코 무無가 되지 않는 것을.

'때'가 달빛을 어둡게 하는 일이 있을지라도,

이 인생人生 중턱에서 우리가 충분히 다한 것은 흐리거나 꺼지거나 하는 것이 아님을.

애가哀歌

거대巨大한 장밋빛 태양太陽은
기울어 사라지고 만 것 같다.
네가 그 눈을 나에게 향向해 영영 감은 밤에.
그러고 나서는 회색灰色의 날, 창백한 권태倦怠의 아침이 계속된다.
……의 꽃을 피고…….
낮은 허절虛節과 추종追從으로 나를 피곤케 한다.

허지만 말야 너는 나에게 밤을 남기었다.
커다란 어두운 반짝이는 창窓.
거품은 이 공허空虛한 존재를 빛으로 감싼다.

이것 봐, 방대尨大한 동굴洞窟 속을
빙빙 도는 거품에 불어넣는 숨처럼
별그림자를 스치고 내 넋은 날아간다, 제비처럼 그 공간空間을 미끄럼질쳐…….

나는 알아볼 수가 있다.
거품의 밤 막膜을 통하여 네가 있는 곳까지.
그 막膜을 통하여 나는 거의 너를 만질 수가 있다.

—이스트위트에서

무無

열었다가는 닫는 별은
내 열은 가슴 위에 떨어진다,
봇물 위 별과 같이.

포근한 바람은 시원스러이 불어
잔물결 조그만 마루턱을 몇씩
내 가슴에 접어놓고 간다.

그리고 내발 아래 검은 풀은
내 몸 속에서 물장구를 치는 것 같다,
냇물 속 풀잎처럼.
아아 기분 좋다.
이런 것이 되어 갖고
자기 자신인 걸 그만둔다는 것은.

허지만 그런 거야
나는 자기가 싫어졌다!

결별訣別

몹시 지저분하오,
외로워 끄적거린
회색灰色 벽壁의 낙서落書가…….

벗들이여 잊어 주시오,
젊음을 싣고 상여喪輿가
저 고갯길을 넘어가거들랑.

자랑할 것 못되는
오히려 수치 투성이의 체류滯留였소.

미안하오.
미안하오.
미안하오.

—4291년(1958년) 6월 29일 밤

촌부村婦

나는 흙을 밟고 자라난 계집,
흙속엔 어린 내 기억이 묻혀 있고
내 눈물이 스며 있다.

내버려 둬 다오,
누가 날 말리는가.
나는 내멋대로 뛰고 싶다,
흙을 밟고…… 맨발로 흙을 밟고…….

나를 키워준 그 꿈은
흙속에서 아직도 흐르고 있고
사랑마저 그 속에서 탄다.

아 흙을 밟는 흙에서 살다
흙에 묻힐 나는 발가숭이 계집이라
내버려 다오, 나를
나를 힘껏 뛰놀게 하라.

풀잎의 노래

풀잎처럼 조용하였다

행복幸福은 상처처럼 우리들을
평화平和스런 골짜기에서 잠들게 했다.

나는 너의 눈 속에서
조용히 앉아 있고 싶다고 생각해?

구름이 생겨났다 죽어가고
누구도 아무것도 모릅니다
즐거운 일을 하십시오!

누가 저에게 들려주었을까요?
누가 저에게 가르쳐 주었을까요?

나는 언제까지라도 살게 되겠지
너 없이도 나 없이도
노래 부르지 않는 바람 속의 작은 새여!

뱃사공의 마음은 무엇을 보고 있을까요?
창에 기대어 사람의 마음은
무엇을 볼까요?

내가 창窓에 손을 얹고 너를 바라보는 것은
먼 일이었다, 조용한 옛날의 일이었다.

※ 장만영 시인이 그의 일기 초抄에 일본日本의 요절 시인 다치하라 미치조(1914. 7. 30~1939. 3. 29)의 시 「풀잎의 노래」를 번역한 것이다.
<편집자 주>

부룩소의 독백獨白

대가리 이 뿔이 무서워 모두 날 조심하는가 보오.
허나 보시오, 내 눈을.
본디 착한 짐승이오.

한종일 뙤약볕 아래 밭갈이도 하고
밤새껏 별빛 아래 무건 짐을 나르고
군말 않고 숙명의 멍에를 메고 다녔소.

때로는 분한 일도 있어 홧김에 대가리로 받아 넘기려 덤벼든 적도 없지 않으나,
이내 물러서 주저앉음은 남을 해치길 싫어하는 천성에서요.

보다시피 몸이 이렇게 육중하오만,
유달리 외로움을 타오.
캄캄한 외양간 어둠 속에서
남 몰래 여물 아닌 슬픔을 질 씹은 밤도 하루 이틀이 아니었소.

무엇보다 귀찮고 불쾌한 놈은 저 쇠파리떼요.
내가 투욱투욱 꼬리를 쳐 놈들을 쫓으면,
먼 산 구름을 향해 영각을 하는 것은
쇠파리 떼한테 괴롬을 받는 때뿐이오.

—5일 밤 10시 30분

꿈

방송국 앞 여관방이다.

거기에 북으로 간 시인 안서와 고범 이서구가 있다.

김영수가 들어 온다.

방이 캄캄하다.

나는 그가 들어오자 그 부근에 있는 큰 호텔로 들어갔다.

한국식의 근사한 집이다.

거기서 나는 우연히 W를 만났다. W는 계면쩍은 표정을 짓는다.

나보고 자기 방으로 오라는 W이 나는 그가 다시 나타나 나를 안내할 것을 믿고 기다린다, 안온다.

이상하다. 나는 W의 방을 하는 수 없이 찾아갔다.

큼직한 방이다. W는 거기 있었다.

나는 생시와 같이 화풀이를 하였다.

어쩌면 그렇게 사람을 기다리게 하느냐고. W는 연상 생글생글 웃는다.

그때 깔아놓은 이불이 들먹거린다. 이상하다.

"저 속엔 누가 있소?"

W는 대답이 없다.

이불이 이윽고 펼쳐지며 무수한 계집들이 그 속에서 나온다. 흡사 여관집 하녀다.

그럼 W도 하녀생활을 하였던가?

그럴 리가 없다. W는 잠깐 이 방을 자기 방이라고 속인 것이다.

화가 난 나는 묵고 있는 호텔로 가겠다고 W를 보고 말하였다.

여자란 다 그렇구나 속으로 생각하며…….

W는 별로 붙들지는 않고 나를 따라 나선다.

"이십일날 당신이 그랬던 이유를 이제서야 알겠소."

W는 여전히 말이 없다.

여관 밖으로 나와 여기 같이 있는 사람이 누구냐고 물어 보았다.

"이태 전부터의 아는 사이예요."

어딘가 거짓말같이 공허히 들린다.

"난 아무렇지 않소. 결혼할 수 있는 사이면 양보하겠소."

"독신이에요!"

"거 잘됐군. 그럼 잘 사이요."

돌아서며 힐끗 W의 얼굴을 보니 그 얼굴엔 이제껏 본 적이 없는 천한 웃음이 떠돌고 있다. 정이 떨어질 정도의 천한 웃음이었다.

"그처럼 부조화음을 낸 것은 이 때문이었군!"

"……."

고개만 끄덕인다.

별로 붙들지도 않는 W를 뒤에 느끼며 나는 호텔로 돌아갔다.

오라 보니 신발이 없다. 아니, 산라루짝 하나와 덧신으로 각기 짝짝이로 내가 신고 있지 않는가.

나는 신발을 벗어들어 맨발로 뛰는 것이었다.

"왜 소설을 쓰는가?"

"허영 때문에 쓴다." —○○○

예술가藝術家란 악기樂器로서 자기가 울리고 동시에 연주가演奏家로서 자기가 쓰기 때문에 아무래도 이중성격二重性格이 되지 않을 수 없다. —○○○

'발자크'로 톨스토이로 00이지만, 0000한 통속소설通俗小說에 지나지 않는다. —○○○

소설의 존재存在는 ○○하지 않는다. 불안정不安定하기 때문에 ○○이라 ○○○○이 그럴 듯하게 생각되는 것이 아닌가!

비는 또 내릴 것인가, 사랑과 같은.

* 10월 19일 오후 4시 Tea Room에서
—KyuHyang-Chun sill Hong sill-Myung bo Theater-

1958년 8월 21일

비가 내렸다. 언제나 두 사람이 만나는 날은 비가 내렸다. 오늘도 뿌렸다.
우리는 중국 음식점에 있었다.
기쁘고 황홀한 것!
럭키를 두 곽 사주는 그가 어찌 보면 촌년 같다.
풍년 앞에서 헤어졌다.

1958년 8월 22일

그냥 모르는 척 종로 거리로 다녔다. 오는 날의 약속이 즐거웠다.
"에덴의 동쪽"의 프로그램을 구해 놓았다.
'양지'에서 혼자 차를 마셨다. 밤엔 '람바'에서 혼자 차를 마셨다. 귀가 몹시 가려운 날이다. 11시 반이다.

사상思想을 지워주는 고무.
천 년 전부터 서로 알고 있다.
서로 사랑한다는 건, 결국 서로 괴롭히는 것.

입원통조立院通造

누가 저에게 들려주었을까요
누가 저에게 가르쳐 줬을까요

나는 언제까지라도 살게 되겠지
너 없이도 나 없이도
노래 부르지 않는 바람 속의
작은 새여

뱃사공의 마음은 무엇을 보고 있을까요
창窓에 기대어 사람의 마음은
무엇을 볼까요

나는 창窓에 손을 얹고 너를 바라보는 것은
먼 일이었다. 조용한 옛날의
일이었다.

8월 19일

오래간만이었다. 그러나 마음이 전처럼 기쁘지 않다. 그녀도 그랬으리라.

그러나 서로 몹시 기쁜 척, 억지로라도 그런 기분을 가져보려 했다. 우스운 연극이다.

굳이 약속에 대한 책임에서일까? 별로 보고 싶지가 않다. 그건 만난 지 오래지 않아서일까?

아니다. 그전엔 그렇지가 않았다. 결국 내 맘을 이렇게 들어다 놓은 것은 그녀다.

사랑이란 마구 덤비는 것이지, 결코 어떤 선을 쳐놓고 그 줄 위로 가라고 해서는 안 된다. 그녀는 언제나 선을 치길 좋아한다.

시詩엔 장편이 없다. 젊은 서정시抒情詩가 즉 진실眞實한 시詩다. —애드가 앨런포오

9월 2일

삶에의 사랑이 으뜸가는 미덕이다. —로망 로랑

사랑이 없는 결혼은 결혼을 하지 못하는 연애보다 더욱 부도덕하다. —에렌 케이

성욕姓欲과의 싸움은 가장 곤란한 싸움이다. —톨스토이

백년百年을 산다 해도 내가 원願하는 모든 일을 할 시간時間은 없을 것이다. −제임스 딘

살림은 옅게, 생각은 높게 −워즈워스

입제직조

풀잎처럼 조용하였다

행복幸福은 상처처럼 우리들을
평화平和스런 골짜기에서 잠들게 했다

나는 너의 눈속에서
조용히 앉아 있고 싶다고 생각해?

구름이 생겨났다 죽어가고
누구도 아무것도 모릅니다
즐거운 일을 하십시오

9월 24일

앤더슨이 내한來韓한 것은 반가운 일이나, 그녀가 갖는 음악회音樂會가 나를 괴롭힐 줄이야!

10월 20일

서로 인사를 한 날.

세상을 싫어하는 남자 — 죽음만을 생각하는 남자.
삶만을 생각하는 여자. 정력이 강한 여자.

그는 그녀를 온천으로 유혹해 데리고 가서 '은힌빙'이라 속여 잠자는 약을 먹인다.
이튿날 지방 신문 보도는 그들의 정사를 톱기사로…….

세상을 싫어하는 여자—죽음만을 생각하는 여자.
삶만을 생각하는 남자. 음탕한 여자.

그는 그녀를 온천으로 유혹해 데리고 가서 <잠자는 약>이라 속여 '은힌빙'을 먹인다.
그날 밤 죽기는커녕 그녀는 지상 최대의 '쇼'를 연출했다. 그리고 나서부터 그녀의 인생관은 그와 같아졌다.

시인時人의 가족

시인詩人의 집 낡은 기둥시계는 가끔 8시時에 12시時를 친다.

여대생女大生인 그의 장녀長女는 두메산골에서 온 계집애처럼 세탁洗濯을 한다, 수통水桶가에서.

그리고 십구공탄十九孔炭을 집게로 집어 들고 돌아다닌다.

안방 아궁지에서 건넌방 아궁지로,

건넌방 아궁지에서

사랑방 아궁지로.

남처럼 일류학교一流學校에 안다니고 야간중학夜間中學을 다니는 시인詩人의 차남次男.

책 읽기보다 극장劇場 프로그램 들추길 즐기는

그의 얼굴에 여드름이 나기 시작한다, 홍역 마마하는 환자처럼.

똥통학교라는 농대생農大生 그의 장남長男은

토요일土曜日마다 기차汽車를 타고 집에 돌아와

교회敎會만 가 노상 살고 있다, 하느님의 복리福利를 믿으며.

> 半夜燈前十年事(반야등전십년사) 한밤 등불 대하고서, 지나온 십여 년 세월
>
> 一時和雨到心頭(일시화우도심두) 일시에 내리는 비처럼 가슴에 와 닫네.
>
> —두순학杜荀鶴의 여관우우旅館遇雨 중에서

이방인異邦人(釜山)

거리의 쇼윈도 속에 나타난
기린 모양 키가 큰 녀석
나는 고개를 돌리고 눈을 감는다.

사막지대砂漠地帶 아닌 이 거리에
나는 여기를 뭣하러 가려 뛰어들었는가.
여기는 내 고향이 아니다.
마음은 목선木船처럼 흔들리고
나는 어찌 할 바를 몰라한다.

나는 이방인異邦人 아닌 이방인異邦人이다.

등불 따라 노을 따라

어느 날 황혼黃昏
어제와 같이 그 시간에 그녀와 나는
가축 모양 언덕 위에 말없이 앉아 있었다, 언제까지나.
이윽고 우리는 우리가 어느새 작은 물고기가 됐음에 놀랐다.
몸에는 비늘이 돋쳐 있다.
그리고 제법 꽁지까지 생겨 있지 않는가.

나의 눈앞으로 등불이 흘러가고 있었다. 노을이
흘러가고 있었다.
등불이, 노을이, 물 위로 흘렀다.

등불을 따라 노을을 따라 그녀가 흘렀다. 내가 흘렀다.

우리는 새벽을 찾아 가는 것이었다.
웃으며 떠들며 꽁지 치며 흘러가는 것이었다.

새벽을 만나면 우리는
어느 물 푸른 보리밭 고랑으로 찾아 들어가
아름다운 한 쌍의 종달새가 될 수 있다고 믿으며
흐르는 것이었다.
그녀와 나와 등불과 노을이.

—1939년 11월 25일 밤

풀Pool

물빛이 바다보다 겉푸러
뛰어들기 겁이 났다.

창녀처럼 윙크하는 물의 교태嬌態—

다이빙……

나는 따슷한 물의 육체肉體를 느끼며 손들에 안겨 숨차하며
남모르는 섹스를 앓는다.

—1940년 1월 11일 밤

소리의 판타지Fantasy

눈같이 찬 흰 여인女人을 나는 피 묻은
입술로 사랑했다, 눈같이 찬 흰 베드 위에서.

내 가슴 속에 아무도 모르게 살고 있는 한 마리의 새가 있다. 내가
이렇게
피를 토하는 것은 그 새란 놈이 내 가슴을 쪼아내기 때문이다.

다시 가슴의 바다가 출렁댄다. 거센 파도가 인다. 풍랑 소리와 함께
나는 그녀의 부르는 소리가 들린다. 잠이 안 온다.

아득한 곳에서 유랑한 나발 소리가 들린다.
새벽녘 일馹의 병졸兵卒들은 나를 교수대絞首臺로 데리고 가리라.
양지 마른 저 산턱으로.

―1940년 1월 22일 밤

물에서

≪현대문학現代文學≫ 게재

내가 목간통沐間桶을 집은 채 현기증을 느끼며 생각하는 것은 부끄러움이었다, 나체裸體의.

물을 짝 가르는 나의 젊음, 나의 체중體重. 나는 서브머린Submarine처럼
물속으로 돌진突進한다,
그 무엇을 찾아낼 듯이…….

-1940년 1월 11일 밤

BOND STREET

낯선 나그네들이
먼 나라로부터 즐겨 찾아오고
오고 가는 본드 스트리트의 옛 거리는
바다를 끼고 있어 더욱 좋다.

지붕이며 유리창이며
유리창에 내린 커튼이며
간판글씨조차 온통 바다 빛인 곳,
허나 시민들만은 새빨간 입성을 즐겨 입고 나다닌다.

BOND STREET를 파는 담뱃가게에서는
담배 말고 호화판 시집을 팔기도 한다.
나는 바다 빛 눈의 귀여운 소녀한테서
바다 빛깔의 커버를 씌운
엷다란 한 권의 시집을 샀다.
그것은 폴 바레리의 <바닷가 무덤>이었지만…….

꽃도 소리 없이 낙화하는
정든 본드 스트리트의 별 하늘로

나를 태운 쌍두마차의 두 필 말이 앞발을 들고 작별 인사를 소리 높이 외치는 사이 푸른 빛 담요를 무릎에 덮은 나는 차창에 기대 앉아 파이프를 입에서 떼지 않고 있었다.

여수旅愁

≪대한일보≫ 1961. 9. 30 게재

기차의 기적소리는 확실히 처량하다. 잠깐 다니러 왔던 곳이든, 오래 살아 정든 고을이든 하여튼 '떠나기 위해 탄 사람들'을 태운 기차가 외치는 것이어서 그런지는 몰라도, 뭔가 이렇게 가슴 속까지 배어드는 것 같은 애수를 느끼게 한다.

그 소리는 아침이나 대낮보다도 해가 질 무렵이나 깊은 밤에 들을 때 더욱 그렇다. 나는 이 기차의 기적 소리를 좋아하지는 않지만, 그렇다고 싫어하지도 않는다. 다만 기적소리가 주는 애수를 남달리 느낄 따름이다.

내가 시골에 살 때의 일이다. 들녘으로 산보를 나가면 서울로 가는 기차의 기적소리가 강 건너 산기슭으로 돌아 들려오곤 하였다. 이 기차는 산기슭으로 돌아 철교를 건너서 나 사는 고을 정거장에 도착하게 된다. 그랬다가 떠나 서울로 가는 것이다.

나이 스물을 조금 넘은 시절이었다. 감상에서였든 어떻든 나는 기차소리만 들으면 정거장으로 뛰어가지 않을 수 없었으니, 그걸 타고 서울에 가고 싶었던 것이다. 물론 옷도 갈아입지 않았으며, 트렁크도 뭣도 없는, 입은 그대로이다. 주머니 속에 갖고 있던 돈으로 겨우 기차표를 끊고 마치 뭣에 홀린 사람마냥 기차를 잡아타는 것이었다.

밤 아홉시나 되어서 기차는 대개 서울에 도착한다. 오래 못 본 서울의 밤거리를 걸어 내가 찾아가는 곳은 호텔. 거기서 나그네 같은 심정으로 하룻밤을 자는둥 마는둥 새고 나서 그 이튿날 역시 저녁차로 내려오곤 하였다. 시계 같은 걸 전당포에 잡혀 여비로 쓰고…….

번민 많던 이십년 전 일이다. 그러나 요즈음도 나는 가끔 정거장으로 뛰어가곤 한다. 기차를 타러 가는 것이 아니다. 기차를 타러 가는 척할 뿐이다. 그러고는 예나 별다를 것 없는 이등 대합실에가 가서 앉아 기차소리를 듣거나, 때로는 이층 구내식당에 들어가 런치 같은 걸 혼자 먹는다, 먼 길이라도 떠나는 나그네처럼…….

그럴 때마다 내가 이상한 것은 경의선이 있으면서도 기차가 문산 이북으로는 갈 수 없다는 이 엄연한 사실이다. 해방 전엔 평양~신의주~안동~펑텐(奉天)~신징(新京)~하얼빈(哈爾濱)까지도 가지 않았던가. 하던 것이 이젠 못 간다. 따라서 황해도에 있는 내 고향도 못가는 것이다.

유치하다는 것－쉽게 씀은 유치해서인가?

연말年末마다 친구끼리의 교류交流.

도둑이 들어 오히려 폭소하는 사나이.

* 결혼청첩장結婚請牒狀－미납우송 부족금未納郵送 不足金 사십四拾환

<임꺽정林巨正>의 단어單語
동인전집東仁全集을 읽다
집의 설계設計

작가가 작품作品을 쓰는 동기動機

1. 전달傳達하는 것을 목적目的하는 경우
2. 상대방에 대한 인사를 위한 경우
3. 상대방을 찬미하는 경우
4. 교육教育하는 경우
5. 설복시키는 경우
6. 단순히 악기를 만지는 정도에 지나지 않는 경우, 예술 본능이거나 유희 본능이라 생각하는 경우
7. 아리스토텔레스와 같은 모방의 본능
8. 감성의 조절調節을 위해
9. 무음식無音識의 반동행위反動行爲
10. 위생衛生 및 병리학적病理學的인 목적
11. 명예심名譽心
12. 과학적科學的인 이지理智의 요구

13. 인식認識을 위한 것 등을 생각할 수가 있다.
Plot: 해설 · 파란 · <클라이맥스>
해결—네 요소要素로 이루어진다.

아라모드 자학子學(Alamodeliteratar)
아르티상Artisan 장인匠人

인피리오리티 콤플렉스Inferiority complex
열등감劣等感

연애명시집戀愛名詩集

홍정

나는 어느 날 밤, 주먹 속에 돈을 넣어갖고 거리의 모연 속을 거니고 있었다. 나는 여자가 한 사람 길동무로 갖고 싶었다. 주머니 속엔 얼마 안 되는 돈밖에 없었으나, 한 집쯤 바bar에 들어가 오래간만에 술을 먹었다. 세 사람의 여자 중 한 여자는 잠자코 힐끔힐끔 이 손님의 풍채를 바라보고, 손목시계가 비스듬이 글자판에 걸려 반짝이는데 놀랜 눈을 가져갔다. 한 여자는 성냥 개피를 세웠다 눕혔다 하는 것이 이야기하고 싶질 않은 모양이었다. 또 한 여자는 이웃 박스의 탁자 위를 보고 역시 말이 없었다.

나는 연상 술을 주문하고 주스를 주문하고 과일을 주문하여 놓고 나 자신은 너무 취하면 안 되겠기에, 다들 많이 마시고 먹으라고 권하였다.

"뭣인가 팔 것은 없소?"

나는 싱글벙글하며 맨 처음 입을 연 소리가 이 같은 기묘한 말이었다. 그리고 이 말의 뜻이 통했는지 어떤지는 모르나 눈이 번쩍이는 여자가 대답하였다.

"글쎄요. 뭣이 사시고 싶으세요? 아무것도 가진 것이 없는걸요."

그 얼굴빛은 보통 사람에게는 떠오르지 않는, 극히 애매한 소리였다. 즉 그것말이세요 하는 눈치 빠른 그것이었다. 나는 그렇다는 듯이 말하였다.

"당신이 갖고 있는 것을 난 사고 싶어서 왔소."

"굉장히 솔직하시군요. 하지만 퍽 비싸요. 당신이 사실 수 있을지 어떨지, 걱정스럽군요."

"돈은 있소. 소를 사러 갈 돈이긴 하지만."

"그럼 당신은 농사꾼이세요? 소 한 마리 얼마나 하지요? 저는 소 값을 알 수가 없군요."

"글쎄, 30만~40만 환 하오."

"그만큼 갖고 계세요?"

"다는 쓸 수 없지만, 갖고 있긴 그만큼 갖고 있소."

"소 살 돈을 헐면 나중에 소는 못 사게요? 그렇게 되면 농사는 어떻게 지으시려구?"

"즉 여길 나가서 거리를 돌아다니다가 어디 들어앉아서."

"그리고 한 번, 그 뿐이죠. 뒷말 없이."

"그래도 좋고, 또 내일이 있어도 좋지 않소?"

"단 한 번이 좋아요. 나중엔 어디서 만나도 서로 모르는 체하는 것이 제일 좋지 않아요?"

"그게 좋겠군."

"그렇게 하는 게 좋아요."

목장牧場

비좁고 초라한 대로 희망 있는 목장입니다. 이 곳 목장 주인은 오십 가까운 사나인데, 피리를 곧 잘 붑니다. 틈틈이 그가 부는 피리는 마을 사람들의 수고를 덜어주곤 합니다.

이 목장에는 늙은 것을 위시하여 암소가 네 마리 있습니다. 그리고 부룩소가 엊그제 갓난 송아지까지 합쳐 네 마리, 도합 여덟 마리 입니다만, 모두 튼튼합니다.

목장 주인은 피리를 불며 이들과 함께 지금까지 살아왔으며, 앞으로도 떨어지지 않고 살아갈 것입니다.

The Nude

누드는 호화스러운 그림책.
스릴러 화집 같은…….

그것은 먼 우리들의 향토.

거기엔 짙푸른 숲이
거기엔 샘솟는 샘물이
거기엔 널따란 푸른 들판이
거기엔 언덕의 부드러운 기복이
거기엔 굽이쳐 흐르는 여울이
거기엔 산비탈이, 과포밭이
거기엔 피어오르는 우리들의
파―란 꿈이 있습니다.

그윽한 몸내음
분내음 호박꽃같이
마음을 적시는― 아아
나는 고향에 가고 싶습니다.

못 견디게 가고 싶습니다
당신 이마에 드리는 저 달빛의 키스
그것은 이렇게 멀리 떨어져 있어도 당신을
못내 잊어 마음 태우는
나의 안타까움인 줄 알아주시오.

—1961년 9월 29일 서울

나부裸婦

≪사상계思想界≫ 1961 게재

나부는 한 권의 그림책
바라보고 있고 싶고
어루만지고 있고 싶고
꼭 가지고 있고 싶습니다.
나부는 우리의 먼 향토-

거기엔 과포밭이 있습니다.
거기엔 짙푸른 숲이 있습니다.
거기엔 태고적 맑은 샘이 있습니다.
거기엔 부드러운 언덕의 기복이 있습니다.
거기엔 굽이쳐 흐르는 산골짝 여울이 있습니다.
거기엔 양지쪽 말없는 무덤들이 있습니다.
거기엔 막막한 푸른 들이 있습니다.
거기엔 파아란 꿈이 있습니다.
거기엔 노래들이 있습니다.

그윽한 몸내음 분내음
꽃내음-마음속까지 스미는
나는 고향에 가고 싶습니다.
아아 나는 포옹하고 싶습니다.

이마에 드리는 저 달빛의 키스—
그것은 멀리 나와 이렇게 가지 못하고
밤낮없이 그리는 나의 경건한 사모외다.
나는 고향에 가고 싶습니다.

학원學園의 아웃사이더

지난 해 팔자에 없는 초크 생활을 한 일 년 동안 해 본 일이 있다. 이른바 대학의 국문과 강사이다.

처음부터 낯간지럽기 한량없는 노릇임을 억지로 참고 일 년을 채우고 나니 그렇지 않아도 적지 않은 얼굴의 주름살이 부쩍 늘은 것 같았다.

낯이 간지러워지는 원인은 늘상 마음속으로부터의 어른의 꾸지람 같은 소리가 내 고막을 자꾸 울리기 때문이었다. 그 소리는 이렇게 나를 꾸짖어 댔다.

"너마저 등장했느냐. 네가 뭘 안다고 주제넘게시리……."

그 소리를 들을 때마다 나는 고개를 쳐들기 어려웠고, 막상 교단에 올라서서도 입이 말을 듣지 않는 것이었다.

그렇지 않아도 주변머리 없는 위인이다. 방송국 스튜디오에 나 혼자 앉아 써 가지고 간 원고만을 읽는데도 목청이 떨리는 위인이다. 그런 위인이 콩나물 시루마냥 빽빽이 들어선 학생들 앞에 나가 모자라는 성량을 돋아가며 한 바탕 약장수 아닌 강의라는 걸 해야 하니 듣는 학생 측이 가엾을 정도이다. 어릿광대도 이만저만한 어릿광대가 아니다.

결국 교실 문을 닫고 나설 때마다 유쾌치 못한 기분이 와락 가슴 밑바닥으로부터 치밀어 올라오곤 하였다. 모르긴 몰라도 학생들도 어처구니없었으리라.

강의가 끝나면 나는 바로 교실 뒷산으로 기어 올라가곤 하였다. 교수실로 들어가고 싶지도 않거니와, 나 혼자 산기슭에 앉아 화끈거리는 낯과 마음을 식히고 싶어서였다.

그때마다 나는 생각하는 것이었다. '이 같은 직업은 학문이 무진장 깊은 어른이거나 그렇잖으면 다이아먼드 같은 심장의 소유자가 아니고서는 배겨내지 못할 일'이라고.

그야 처음 나는 학생들보고 나한테 그 무엇을 배우고자 기대를 애초에 갖지 말라 당부는 해 놓았지만, 그들은 역시 기대를 가져보는 모양이다. 무리가 아니지만 나로서는 그 '기대를 가져보는 것'이 곤란하였다. 나는 그저 길잡이와 같은 역할을 하면 족하다고 생각했었으니까—.

강의실을 나와 산으로 올라가면 그때마다 나는 현재의 직업에 대하여 회의심을 품게 마련이다.

시장엘 가면 뻔히 가짜인데도 진짜라고 우겨대는 상인이 허다하다. 그것도 어림없는 고가로……. 나는 이들 상인과 교수와의 차이를 구별할 수가 없다.

시장 상인들은 공장에서 생산된 상품을 팔고, 교수는 학문을 싸구려 값에 팔아넘기는 것이 어쩌면 흡사하다.

이와 같은 인상을 받는 것도 무리가 아닌 것이, 학생들까지 그와 같은 대우를 하니 말이다. 이 학교에서 저 학교로 가방을 들고 다닌다고 해서 자기의 스승을 보따리장수니 녹음판이니 하는 따위의 최대 아닌 최하의 경칭敬稱 아닌 경칭敬稱을 쓰는 그들이다. 이것은 누구의 잘못인가? 물론 학생들의 잘못이리라. 하나 교수 된 이들도 역시 반성해 봐야 할 일이다.

내가 받는 인상으로도 이 약방 저 약방, 이 병원 저 병원으로 약 주문을 다니는 세일즈맨과 다를 바 없었다. 거기다 더 우스운 것은 여러 학교를 나가는 것이 굉장히 자기의 학자로서의 가치성이라도 높이는 그 태도야말로 우스워 복통이 터질 노릇이다. 왜냐하면 소위 서로치기가 이 학원처럼 맹렬한 곳도 없다는 것을 잘 알고 있기 때문이다(서로치기란 A가 있는 학교에 B를, B가 있는 학교로 A를 모셔(?)들임을 말한다). 그 뿐인가, 그 아부라니……조금이라도 시간을 더 얻어 보려는 꼴이라니…….

이와 같은 불쾌감은 더욱 나에게 회의심을 조장시켰으며, 그와 같이 하지 못하는 나를 학원의 아웃사이더로 자인하고 있었다.

'아웃사이더'라는 말은 '인사이더'의 반대말. 최근 영국에서 이와 같은 이름의 C. 윌슨이 지은 책이 베스트셀러가 되어 널리 쓰이게 되었다.

상식사회의 울타리 밖에 있는 인간을 두고 쓰는 말이다. 반역 · 허무 · 퇴폐의 사람을 가리키기도 하지만, 여기서는 이방인 정도로 알아두면 좋겠다.

공원公園의 집오리

그녀는 집오리다. 몸집이 그렇고 걸음걸이가 그렇다.

한데 이 집오리는 해가 저물어 땅거미가 끼기 시작하면 그녀의 울에서 이곳 공원으로 나온다. 진짜 집오리가 다들 들어간 뒤에서야 나온다.

내가 두 손을 벌려 길을 막으면 두말 않고 싹 돌아서서 대뚝대뚝 공원 뒷문 밖으로해서 골목길로 들어선다.

나 같은 큰 사나이는 다니기 좀 좁은 골목이다. 한데 요것들은 이리 꼬불, 서리 꼬불 연상 뒤를 돌아다보며 자기 울을 찾아 들어간다.

울은 문자 그대로 집오리나―그것도 혼자 있을 정도로 좁디좁다. 그래도 그녀에게는 객실이요, 침실이다. 집오리의 슈미즈는 더럽다.

집오리는 울 속으로 들어가자 날갯죽지를 발기발기 찢고 알몸이 되어 발딱 드러눕는다. 그리고 나보고 같이 자자고 까르르 까르 울부짖는다.

여러분, 여러분은 옛날에 양이나 개나 염소 같은 동물과 수간을 하였다는 이야기를 들으셨지요? 한데 이십세기 후반기에는 가끔 오리새끼와도 간음을 할 수 있으니 역시 문명이란 좋은 것이라 아니 할 수 없다.

오리한테 키스는 할 수 없다. 차마 기름에 튀겨 먹을 수는 없으나, 그냥 마구 이빨로 뜯어 먹는 것이 좋으리라.

그는 군침이 입 속으로 흐르는 것을 느끼었다.

선인장仙人掌

★ 청년青年－농대원예과農大園藝科를 갓 졸업하였음. 이십오세二十五歲. 소박素朴하다.

온실溫室에서 일한다.

★ 여자女子－애를 못난 유부녀有夫女. 삼십일세三十一歲. 몹시 애를 갖고 싶어한다. 후실後室.

남자男子－50 가까운 실업가實業家.

① 온실溫室을 직장으로 정하고 처음으로 내려와 독신생활을 한다. 적막寂寞(그의 방엔 침대가 있고 스팀이 있다).

② 낮－여자 혼자서 꽃을 사러 온다. 시클라멘을 사갖고 간다(또는 방까지 들어다 준다).

③ 깊은 밤 a. 목욕탕.

b. 여자女子 나타남. 청년 당황해 함.

유리창으로 비치는 달빛에 그는 지금 옷을 벗고 탕으로 들어오는 사람이 남자가 아니고, 여자임을 알고 놀라는 한편, 당황하였다.

그리 크지 않은 키, 풍만한 육체－젖가슴은 풍년이었다. 수증기가 자욱해 신비의 골짝은 보이지 않았으나, 별로 손으로 가리지도 않고 가만가만 목간 쪽으로 타일을 밟고 걸어온다.

조금 거리가 가까워짐에 따라 여자의 모습은 뚜렷해졌다. 그녀는 다름 아닌 그 여자였다. 낮에 온실로 꽃을 사러 왔던…….

청년은 물에 몸을 잠그고 죽은 듯이 앉았다. 화닥닥 일어도 나고 싶었으나, 혹시나 이 밤중 물귀신이라도 나왔는가 싶어 놀라 자빠지는 날은 큰일이다. 그렇다고 헛기침도 할 수 없고…….

여자는 물속으로 가만히 들어오더니 이윽고 사자대가리 위로 기어 올라간다. 기어 올라가다가는 미끄러져 내려오고, 그리고 또 기어 올라간다. 별것 아니다. 개구리가 바위로 올라갔다 떨어졌다 하는 시늉을 하는 것이다.

앞은 보이지 않으나, 그럴 때마다 여자의 희멀건한 엉덩이가 눈을 어지럽게 한다. 청년은 현기증까지 느끼었다. 가슴의 고동은 이미 정지된 지 오래었다.

이윽고 여자는 물에 잠깐 몸을 담그고 창 너머로 보이는 달빛을 바라보며 뭐라고 중얼중얼 주문 같은 걸 외우고는 목욕간 밖으로 나간다.

저쪽이 그를 보았더라면 물귀신으로 알고 놀라 기절을 하였겠지만, 청년으로 보면 역시 여우한테 홀린 것만 같았다.

④ 여자로부터의 전화. 간음.

⑤ 남편과 동부인하여 와서 서인장을 간청한다.

⑥ 그들 부부의 상경

⑦ 봄－서울로부터 온 남편의 편지.

그동안 안녕하십니까.

어느덧 봄이 되었습니다. 그 곳 온실에는 더욱 많은 꽃이 피었겠지요?

감사의 뜻을 표하는 기쁨을 참을 수가 없습니다. 선인장을 그처럼 주시어 그 약효를 입어 저의 처는 지금 임신 5개월이 되었습니다. 앞으로 넉 달만 있으면 기다리던 애가 나올 것이요, 저는 난생 처음으로 아버지 구실을 하게 되었습니다. 모두 염려해 주신 덕분이라 생각합니다. 이제 애를 낳게 되면 그놈을 데리고 이번엔 셋이서 그 곳 온천을 찾아가 크리스마스를 보내고자 합니다…….

동화가 될 수 있는 소재

가난한 한 소년이 너절한 판잣집에 살고 있었다. 그의 희망은 자기도 어떻게 하면 저 건너 산허리에 있는 집과 같은 좋은 집을 짓고 살까 하는 것이었다. 그 집은 아침햇볕에 찬란해 보였다.

그는 어느 날 그 집 구경을 갔다, 가시덤불에 찢겨 가며…….

가 보고 소년은 놀랐다. 왜냐하면 그 집은 자기가 지금 사는 집만도 못하였기 때문이다.

여인숙旅人宿

≪한국일보≫ 게재

길을 잘못 든 모양입니다. 날은 저물어 밤이 저렇게 앞으로 다가옵니다. 나는 무섭습니다. 그처럼 아름답고 즐겁던 밤이건만, 이제 밤은 나에게 무서움만을 줍니다. 어디 내가 하룻밤 쉬어갈 여인숙旅人宿이라도 없을까요?

오늘까지 참 먼 길을 걸어 왔습니다. 길은 왜 또 이렇게 험합니까? 보세요, 이 옷을, 이 발을, 그리고 내 얼굴을. 찢기고 부르트고 터져서 엉망진창입니다. 웬 고개는 그렇게 많으며, 또 가파릅니까? 넘고 넘어도 한이 없는 것 같았습니다. 하나 넘으면 내 앞에 또 하나의 고개가 우뚝 나타나 나를 억눌렀습니다. 그럴 때마다 나는 한숨을 내쉬며 끔찍끔찍한 기분에 몸을 떨었습니다. 어디 조그만 여인숙旅人宿이라도 없을까요?

나는 내일 새벽 동이 트자 떠나야 하는 나그네올시다. 어딜 가냐고 묻지 마세요. 나는 그저 가는 것입니다. 가야 하는 것입니다. 가지 않을 수 없는 것입니다. 기쁨도 즐거움도 다 두고 이 길에 올라선 나올시다. 내일도 모레도 글피도, 그 다음 날도, 또 그 다음 날도…… 나는 한없이 정처 없이 길을 가는 것입니다. 어디 하룻밤만이라도 묵어 갈 여인숙이 없을까요?

매소부

너는 오늘부터 태양 밑을 거닐 수 있으리라.
너는 이제 매소부가 아니리라.
너는 너의 자랑스러운 젖가슴을 더욱 자랑하리라.

너는 뺨을 대자고 속삭인다.
너는 입을 맞추자고 속삭인다.

너는 안아 달라고 속삭인다.
너는 무릎 위에 앉겠다고 한다.

너는 죽고 싶다고 한다.
너는 같이 죽자고 한다.

만일 내가 당신 딸을 달라고 한다면
만일 내가 당신 보고 사라고 한다면
당신은 뭐라 대답할 것입니까?
당신은 어떡하시렵니까?

콩트가 될 수 있는 이야기

사랑의 선물로 받은 그 브로치는 값진 것이었다. 그러나 워낙 브로치를 많이 가지고 있는 그녀는 그것을 단 채 세탁소로 세탁물을 보내고 말았다.

세탁소에서는 그것이 값진 것인 줄도 모르고(누구 것인지도 모르고) 식모애에게 주어버렸다. 식모애도 별로 좋아하지 않고 달고 있었다.

브로치 임자는 없어졌거니 하고 있었다. 한데 그녀의 친구가 찾아 왔다.

"얘, 너 그 자주빛 브로치를 어느 세탁소 식모애가 달고 있더라."

"그래? 그것 내 것일 거야. 난 없어진 줄만 알고 있어서……."

세탁소로 찾아 갔다. 주인은 식모애를 불러 태연스럽게 내주며 말하였다.

"이것 말입니까?"

동화가 될 수 있는 이야기

학교에서 돌아온 꼬마가 큰 일이나 발견한 듯이 말하는 것이었다.

"아버지, 오늘 학교에서 이런 일이 있었어요. 글쎄 오늘 같이 추운 날 맨발로 온 애가 셋이나 있잖아요. 발이 시려서 막 울어 선생님이 그냥 집으로 가라고 했어요."

"넌 양말을 두 켤레나 신고 갔는데 왜 잠자코 있었느냐? 한 켤레 벗어주지 못하고……."

"아버지두. 두 켤레 신고 가긴 갔지만, 두 켤레 다 해진 거예요. 발가락이 쑥 나온 걸 어떻게 다른 애보고 신으라고 해요."

맨발로 학교에 온 애, 발가락이 나온 양말을 신고 다니는 내 아들. 가난의 차이란 대단할 것 없으리라. 내일은 책이라도 팔아 양말을 사주자.

하모니카

벌레소리만 요란스런 뜰을 향하여
달빛을 향하여
가을을 향하여
별을 향하여
밤을 향하여
산을 향하여
나는 하모니카를 냅다 불었다.
밤이 깊어가는 줄도 모르고.

늘 창가에 앉아 하모니카를 불었을 뿐이었다. 한데 그 이튿날 아침 머슴 색시가 이웃집 처녀가 주더라고 쪽지 편지를 들고 와 내 방에 던지고 갔다.

거기엔 이렇게 적혀 있었다.

—밤새껏 잠을 못 잤어요. 몹시 울기도 하였어요. 당신은 나쁜 사람이에요.

시詩가 될 수 있는 것

A. 기둥시계

B. 장롱

C. 엷닫이

D. 제기祭器

E. 병풍

F. 광주리

G. 다듬잇돌

골목길에서

≪예술보藝術報≫ 게재

비바람이 땅을 친다.
담을 친다. 지붕을 친다. 어둠을 친다.
울고 있다. 비바람이 골목길에서
통곡하고 있다.

할머니가 울고 있다, 눈으로
울고 있다. 어깨로 울고 있다. 입으로
울고 있다.

비창의 한없는 시간이 눈물처럼
흐른다. 흘러내린다.

비바람 치는 속 불안의
허연 허깨비가 얼씬거린다, 이 비좁은 골목길에.
나는 모른다, 왜 내가 여길
끌려 왔는지를.

뛰쳐나갈 수 있다면
올리브의 바다가 나를, 섬이 나를, 항구가 나를,
먼 도시의 시민들이 나를 반겨
맞아 줄 것도 같다마는…….

지금 나의 눈이 가려져 있다.
지금 나의 입마저 재갈을 물리었다, 연자간 노새모양.
나는 허덕지덕 맴돌 따름이다,
어둠 속을 공포에 떨며.

—1961년 10월

바위가 된 소년少年

≪한국일보≫ 게재

아무래도 길을 잘못 든 모양이었다. 이미 해는 떨어지고, 소년의 앞을 막으며 다가서는 건 어둠뿐이었다. 갈 길을 찾는 소년의 눈엔 얼어붙은 밤하늘이, 밤하늘 총총한 별빛이 비쳤다.

발기발기 찢긴 그의 피 밴 입성은 그가 걸어 온 지난날의 도정. 자꾸 앞으로 쓰러지려 하는 몸을 소년은 간신히 가누고 서 있었다.

떡갈나무 숲 속에서 맹수의 노린내가 풍기었다. 인가는 없을까? 없으리라, 인가는 이 산 중에 없으리라.

소년은 밤을 새기가 바쁘게 또 떠나야 할 것이 걱정스러웠다. 어딜 무엇하러 가는지조차 모르는 나그네 길이었다. 그는 알고 있다기보다 느끼는 것이었다, 내일도 모레도 글피도 그 글피도…… 그리고 다음 날도 또 다음 날도 가야 한다는 불안을.

밤이 깊어지자 산골짝을 타고 내려 덮치는 바람결이 사나웠다. 사뭇 울상이 되어 서 있던 소년은 바로 머리 위에서 이때 역정 내시는 그의 돌아가신 아버지의 목소리를 들었다, 살아 계셨을 때와 꼭 같은…….

이 녀석아 뭘 우물쭈물하고 있느냐. 얼른 바위가 돼, 바위가!

잠잠한 어둠을 뚫고 내리치는 눈보라는 더욱 심해졌다. 차가운 것이 그칠 줄 모르고 그의 온 몸을 적시었다.

소년은 소스라쳤다, 저도 모르는 새에 어느덧 그의 하반신이 바위로 변해져 있지 않는가. 그는 별안간 산짐승 같은 울음을 터뜨렸다, 눈보라 속에서 언제까지나…….

—1962년 1월 9일

봄의 급행열차

≪학원學園≫ 게재

봄이다
급행열차다
남풍에 유리창들이
저렇게 흔들리고 있잖은가.

때 묻은 외투가 피로와 같이
걸려 있는
밤, 그 벽에 걸린 지도 위엔
아직 흰 눈이 쌓여 있건만
벌써 맑다란 햇볕이
뽀얗게 장난친다, 나뭇가지 끝에서.

소녀들은 금붕어
도시의 어항 속을 헤엄쳐 다니고
엷은 솔은 시냇물
아낙네들 어깨로 흘러 내린다.

지금쯤
어느 먼 산골짝
물방앗간 물방아도 돌아가리라.

오늘 내 가슴 속
어린이들이 기를 내흔들고 있다
누구를 향하여?

봄과
급행열차와
좋은 일이 좀 더 있어야 할
우리의 내일을 향하여ㅡ.

ㅡ1962년 1월 30일

꿈

노오랑 은행잎이 우수수 지는
산골길을 돌아서 올라가면
늙은 밤나무 수풀 속에
사랑의 초가집들이 네다섯 채
버섯처럼 햇볕을 받고 있었다.
그 맨 끝집
부서진 싸리문을 살며시 열고 들어서자
안방 미닫이를 살포시 열며
임은 어여삐 웃었다. 웃으며 뜰로 뛰어 내려 왔다.
뜰에는 낙엽이 무르팍까지 쌓여 있었다.
그녀와 나의 회상처럼.

－1962년 11월

조수潮水가 되리라

가난쯤 슬퍼할 것 없잖은가
가난함으로써 더욱 풍성하잖은가.

어차피 당신과 나
죽어 한 줌 흙이 될 것을
잠깐 알몸을 옷으로 가리고
기만하며 산들 그것이 어떻다는 겐가

차라리 발가숭이로 살자
예쁘다랗게 생긴 아가씨여
거울처럼 발가숭이로 살자!
모체르니의 여인女人처럼 목이 긴 아가씨여
깊은 산 속으로 들어가
거기 거울 같은 호수가 되자.
하늘로 떠가는 구름이 내려와 쉬고
산짐승들 목을 적시는
호수는 얼마나 풍성한가.

이를 패배라 비웃을 것인가
오히려 패배로 우리가 인간이 되는 것이 아닌가.

—1962. 11.

난롯가에서

1963년 KBS 게재

지난겨울부터 서재에다 조그만 구공탄 난로를 하나 놓았다. 방안 찬기라도 좀 가셨으면 하는 생각에서 놓은 것이나 이제는 이것 없이 겨울을 배겨내지 못할 것만 같이 정이 들어버렸다. 그만큼 이제 와서 난로는 나에게 없어서는 안 될 물건이 되고 말았다.

온종일 방안을 훈훈하게 하는데, 구공탄 한두 장이면 족한 난로이고 보면 나에게 결코 사치스러운 것은 아닐 것이다.

남달리 추위를 타는 체질도 아니요, 또 내 서재가 그렇게 외풍 센 방도 아니지만, 무엇을 하기에 앞서 늘 마음부터 오므라지곤 했다. 책이라도 좀 읽으려면 이불을 뒤집어쓰고 읽어야만 한다. 글을 쓸 때는 손이 여간만 시리지 않아 입김으로 손끝을 호호 불어 녹여가며 펜을 재촉질했다. 그런 때이면 생각마저 추위에 동태마냥 꽁꽁 얼어붙는 듯 붓이 맘대로 나가지를 않았다.

난로를 하나 들여다 놓자! 난로를 하나 놓아야지만 되겠다고 이렇게 마음으로만 별러 왔을 뿐, 여러 해째 좀처럼 용기가 나지 않아 뜻을 이루지 못하였다. 난로 값이야 대단할 것 없지만 여기 드는 연료대가 은근히 겁이 났기 때문이다. 그러잖아도 한 해 겨울을 나려면 구공탄을 적어도 2,000장 가까이 써야 하는 내 살림이다. 이런 처지에서 난로 하나를 더 놓는다는 것은 여간한 용기 없이는 안 되는 일이었다.

그러던 것을 지난 해 드디어 놓았다. 내 딴엔 엄청난 용기를 낸 셈이다. 물론 이것을 놓는데는 나는 나대로 계산이 있었다. 그 계산이란 별것이 아니다. 추위에 얼어붙어 일을 못하고 귀중한 시간만을 낭비하고 있느니보다는 훈훈한 방에 들어 앉아 보다 많은 일을 하리라는 것이 그것이다. 일을 많이 하면 구공탄 값쯤이야 어떻게 벌어들이게 되지 않겠나 생각되었다.

다행히도 나의 이 같은 막연한 속셈은 들어맞은 모양으로 나는 난로 없을 때의 몇 갑절의 일을 해 낼 수 있었다. 일도 일이거니와 무엇보다 추위를 모르고 살게 되니 좋고, 좀 더 착실히 책을 읽을 수 있어 좋다. 훈훈한 속에서 책을 읽을 수 있다는 것—이것만으로도 대단한 소득이라고 생각한다.

그 전이라고 싸다닌 것은 아니나 난로를 놓고 나서부터는 더욱 밖에 나가지 않고 집에 들어앉아 있다. 아무데 가도 내 서재만큼 따뜻한 데도 없거니와, 무엇보다 불기 좋은 난로를 그대로 내버려 두고 나가기가 안돼서도 나가지 않게 된다. 꼭 나가야 되는 경우 외엔 언제나 이 난롯가에 앉아 마냥 시간을 보내고 있다.

조용한 오후나 눈 내리는 밤 같은 때에 난롯가에 앉아 저 혼자 공상의 날개를 펴보는 즐거움이란 아는 이만이 아는 것이리라. 이 메마른 세상에서 누가 무력한 나를 이처럼 녹여주고 감싸 줄 것인가. 아무도 없을 것이다.

난로 위에 놓인 주전자에는 늘 더운 물이 설설 끓고 있다. 그 물 끓는 소리를 들으며 책장을 한 장 두 장 들치는 재미란 억만금을 주고도 사지 못할 것 같다. 모르긴 모르되 프랑시스 자므도 저 소리를 들으며 <밤의 노래>를 썼으리라. 지난날의 위대한 예술가나 철학자들의 그 깊은 사상은 저 주전자의 물 끓는 소리를 들으면서 사색의 소산이 아닐까 하는 생각조차 든다.

늘 더운 물이 끓고 있으니 차라도 한 잔 마시고 싶어질 때는 언제든지 차를 마실 수 있는 기쁨도 전에 없던 것의 하나이다. 바깥에 나가 끓여오거나 집안사람의 손을 빌리는 번거로움 없이 나의 욕구를 충족시킬 것이 있다는 것은 여간만 유쾌한 일이 아니다.

겨울이 되자 바깥에 있던 화초분들을 몽땅 서재로 들여놨다. 난로를 놓은 데에 화초분마저 들여다 놓고 보니 갑자기 방이 비좁아진 것 같아 덜 좋다. 나는 서가에 책들을 끄집어내어 다른 데로 옮기고 거기다 화초분을 들어 놓았다. 그러고 보니 내가 흡사 꽃장수 같기도 하다.

시인 김동명의 「파초」에 이런 한 구절이 있다.

이제 밤이 차다
나는 또 너를 내 머리맡에 있게 하마

나는 즐겨 너를 위해 종이 되리니
너의 그 드리운 치맛자락으로 우리의 겨울을 가리우자

난롯가에 앉아 이런 싯귀를 입 속으로 읊어보며 시를 쓰느니 꽃이나 기르며 한세상 살아 볼까 하는 생각을 가끔 해 보기도 한다.

난로를 놓고 나서 아내는 아내대로 덩달아 좋아한다. 낮에 널었던 언 빨래들을 밤저녁 서재로 가져다 널 수 있기 때문이다. 꺾으면 그냥 뚝 부러질 것 같은 빨래들이 하룻밤만 여기서 자고 나면 거뜬히 말라버리니 살림하는 아낙네로서 이처럼 고마울 데가 어디 있겠는가. 덕분에 요 한 이태 겨울에 빨래 말릴 걱정을 덜었으며, 헌 옷이나마 애들 입성이 새것 못지않게 깨끗해 너무나 잘 됐다고 생각한다.

—1963년 2월 8일

독 백

—답답해 못 견디겠네
—피차 마찬가질세.
—소나기라도 좀 왔으면!
—이 따뜻한 봄날에.
—소나기 같은 시원스런 일 말야.
—그걸 모를라구.
—신문을 보면 위만 아파.
—아아 나도 그래.
—어떻게 된다는 게지?
—내가 묻고 싶은 말이야.
—자네 얼굴이 좋지 않네 그려!
—자네두.
—참 답답하군!
—아아 답답해.

오늘에 부쳐

속아 사는 동안에
위장마저 상할 대로 상했다.

공화국 모래 벌에 환멸만이 흩어져 있다.
멀리 물결에 쓸려 떠나가는 저 배 조각은
누구의 것인가.

굴욕에 더러워진 의상이랑 훨훨 애써 벗어던지자.
내일은 또 어떤 짐승이 나타나려는가.
희망을 목 비틀어야 할 이유는 없는 것이다.
내일은 또 어떤 짐승이 나타나려는가.

새로운 세대란 준엄한 것,
주어진 자리를 떠나서는 안 된다.

—1963. 4. 23.

칠월七月이 좋아

≪학원學園≫ 게재

새파람 바람에 풀내음이
찝질한 바다 내음의 미역 내음이
코를 찌른다, 푹 찌릅니다.

오늘은 거기다 일요일
멀리 종소리 은은한 속을
학두루미 한 마리 아침부터
하늘에 동그라미를 그리며 놀고 있습니다.
집오리새끼는
수양버들 아래서 편지를 쓰고 있습니다,
머나먼 고향의 어머니에게.

뭣인가 철철철 넘쳐 흐르는
샘입니다, 항아리입니다, 부푼 가슴입니다.
왜 웃는다더냐 나도 모르겠습니다.
스스로의 씨앗이
자꾸 터지는 걸 느낄 따름이올시다.

구두나 닦읍시다.
구두는 닦아 뭣합니까.

차라리 맨발이 좋아 맨발이 좋습니다.
까까머리가 좋아, 까까머리가 좋습니다.
태양마저 미역 감으러
호수에 내려와 첨벙거리는 계절이다.
나는 냇가를 좋아합니다,
나는 바다를 좋아합니다,
나는 들을 좋아합니다, 숲을 좋아합니다.
칠월이 좋아, 칠월이 좋습니다.

—1963. 5. 30.

시詩

69가 79로 89로 99로
샘물이 시내로 강으로 바다로
여드름 구멍이 곰보 구멍으로
고양이가 호랑이로
멧새가 꿩으로 독수리로
꼬마가 어른으로 악인으로
사병이 장교로 장성으로
하루살이가 잠자리로 헬리콥터로
숲 속의 뱀이 구렁이로
아아 그 소녀가 그 부인으로 그 미망인으로.

보따리장수

젊은 친구들은 그들을
보따리장수라고 비웃는다
그도 그럴 것이 보따리 속엔
곰팡이 쓴 지식이거나
아직 뚜껑도 채 뜯지 않은
밀수입 해 들여온
뭔지 모르는 것들이 들어 있으니.
그러나 보따리장수는 고달퍼
시간마다 바가지로 물을 퍼먹고
시간마다 무슨 약인지를 꺼내 먹고
시간마다 점잖은 목소리 점잖은 제스처를 부려야 하니.
하지만 내가 보기엔
그들은 정거장 앞에 늘어선 지게꾼.
혹시 짐이나 없나 해서 두리번거리는
지게꾼은 오늘도 부지런히 싸다닌다.

—1963. 7. 8.

갈바람

갈바람이 달빛을 타고 들어온다.
들어와 책을 읽고 있다.
가끔 고개를 갸우뚱거린다.
가끔 킬킬 웃는다.
가끔 생각에 잠긴다.
그러다가 방 임자가 저 바로 있는 걸 보고
기급을 해 달아난다.

—1963. 8. 4.

정거장 점경點景

저기 빈 들판을 기차가 황소처럼 느릿느릿 걸어온다.

기차래야 <어린이 왕국>에서나 보는 그런 장난감 같은 조그만 것이다.

들을 가로 질러 무쇠다리를 건너 기차가 산기슭을 막 돌아 나올 무렵, 시그널이 새빨간 능금을 툭 떨어뜨린다. 그러면 건널목 차단기가 스르르 내려오고 이윽고 뗑그렁 뗑그렁 종이 운다. 종이 울린다.

기차가 가까운 거리에서 제법 큰 소리로 한바탕 영각을 한다.
컹컹 내짖는 삽살개들.
선룻가에서 놀다 달아나는 도야지. 도야지 새끼.
꼬꼬댁 소리치며 종종걸음을 치는 하얀 닭들.
뗑그렁 뗑그렁 종이 우는 속을
그제서야 기차는 정거장을 찾아 들어간다, 울을 찾아 가는 가축모양.
기차는 발걸음을 멈추고 서서 시근거린다.
땀을 줄줄 흘린다.
손님을 토해낸다.
자동차들이 정거장으로 손님을 맞으러 줄달음친다.
마차가 그 뒤를 따른다.
인력거가 쫓아간다.

―모두 물탕을 하러 오셨군요?
―여기서 봄과 만나기로 약속했소.

—아직 봄은 안왔는뎁쇼.
—물탕이나 하며 여기서 기다려 보겠소.

여관집 포터들은 아르젠티나의 경찰관.
"여관으로 가십시오."
"가방 이리 줍쇼."
"저의 집이 조용하고 좋습니다."
"내탕 있는 저의 집으로 가시죠."
벌떼처럼 달려드는, 달려들어 매달리는 포터 떼.
여행객들이 어리둥절할 지경이다.
슬금슬금 꽁무니를 빼는 손님도 있다.
앗, 점잖은 신사가 아르젠티나의 경찰관을 기왓장으로 후려갈긴다.
벨이 플랫폼을 요란스러이 흔들자,
물 먹으러 갔던 기관차가 그제서야 돌아와 다시 거닐기 시작한다.
이번에 가서는 봄을 싣고 오려는지…….
그처럼 법석거리던 대합실 안이 쥐죽은 듯 조용해진다.

—1946. 2. 28.

갈바람

갈바람이
달빛을 타고
밤에 들어와 책을 읽는다.
가끔 고개를 갸웃거린다
가끔 킬킬 웃는다
가끔 생각에 잠기기도 한다
그러다가 문득
주인이 한 구석에 누워 있는 걸 보고
기급을 해 창을 넘어 달아난다,
책은 책상 위에 펼쳐 놓은 채—.

오색구름

내가 걸어가는
길은 하늘에 닿은 것 같았다.
그때 하늘에는 찬란한
오색구름이 그 빛을
반짝이고 있었다
거리의 자동차들이
줄지어 기어 올라가고 있었다.
그 뒤를 사람들이
말없이 따라가는 것 같았다.
이윽고 오색구름은 꺼졌다
구름이 꺼지자 노을이 비꼈다.
군악대의 행진곡이
먼데서 어렴풋이 들려왔다
밤이었다
나는 정처 없이 발걸음을 거닐고 있었다

—1963. 9. 2.

역설逆說 · Paradox

<문학춘추文学春秋> 1966. 2월호号에 게재

시詩는 그녀를 좋아한다. 그녀를 귀찮게시리 따라 다닌다. 하건만 그녀는 시를 좋아하지 않는다. 제발 저리 가라고 짜증을 낸다.

향수鄕愁

≪현대문학現代文學≫ 게재

하늘은 맑고 푸르기만 하다
오늘 맑고 드높기만 하다

그 하늘로 노래가 흐른다
그 하늘로 국화 내음이 흐른다
그 하늘로 새 한 마리 멀리 날아간다
나는 어디론지 여행하고 싶다

산으로 올라갔다
검은 바위와 검은 바위 틈바귀
들국화가 한 송이 햇볕을 쪼이고 있었다
나는 고향 생각을 했다.

고향을 그리는 심정은
고향을 잃은 사람만이 알 것이다
고향을 그리는 심정
이건 말로 다 할 수 없는 기막힌 심정이다
나는 산등 넘어 사라진
그 산의 그림자를 찾는 척하고
손으로 눈가에 가져다대며 먼 하늘을 바라보았다

—1963. 9. 29.

산등성이에 올라

≪현대문학現代文學≫ 게재

새 새끼 한 마리 포르르 포르르 한없이 깊어 보이는 하늘의 푸르름 속으로 날아갔다. 나는 그 검은 한 점을 응시하며 나도 저 새 새끼처럼 멀리 어디론지 가버리고 싶다 생각하는 것이었다.

사람 없고 산새도 울지 않고 몇 포기 갈꽃만이 바람에 파르르 떠는 조용한 산등이었다. 나는 무엇이 일어날지 모르는 경험하지 않은 나의 미래를 그때 생각하고 있었다.

햇볕 따사로운 대낮이건만 상상하는 시간의 둘레는 그지없이 어둡기만 하고, 그 어둠 속에서 먼 바다에 떠 고기잡이하는 등불처럼 켜졌다 꺼졌다 하는 것은 내가 태어난 포근한 한 마을이었다.

아아 고향 땅 가을빛은 지금도 변함없는가? 푸른 향수란 미칠 것 같은 기막힌 것이다. 사상도 감정도 말라버린 가락처럼 바삭거리기만 하는 나는 목이 타는 것 같았다.

나는 산등에 올라 한 손을 눈가에 가져다 대고 푸르름 속으로 사라진 아까 그 새 새끼의 행방을 찾는 체하고－.

－1963. 11. 3.

침묵沈默의 시간

마차가 나를 치고 달아난다
나는 길가에 쓰러진 채이다
나를 치고 멀리 달아나는 마차
그 속에서의 광적인 노랫소리가 들려온다
왜 마차는 나를 피하지 않는가
나를 치고도 왜 서지 않는가
말 한마디 없는가
하늘에는 별들이 코스모스처럼 피어 있었다
나는
길에 쓰러져 아득한 그 별들을 쳐다본다
마차 소리가 사라진 뒤까지도
그 노랫소리는 그대로 들려온다
노랫소리는 언제까지나 내 귀에 남아 있다
아아 나는 다시 일어나야 하는가?
아니다 이대로 여기 있자 총맞은 새 새끼처럼.
바람이 차다
바람이 찬들 어떠랴 지긋이 참자
나는 결코 죽지는 않으리라
이 위대한 침묵 속에 이대로 누워 있으리라
이 시간이 이제 얼마나 필요한가 소중한가.

—1963. 12. 14.

밤 I

1964. 3. ≪현대문학現代文学≫ 게재

난로 위 주전자의 물이 설설 끓고 있다. 섣달이라는데도 눈은 내리지 않고 달빛만 유달리 영롱하도다. 나는 찻잔에 더운 물을 따라 설탕을 넣어 저으며 프랑시스 잠이 태어난 것도, 그리고 그가 눈 감은 것도 필시 이런 밤이었으리라 생각해 본다.

밤 II

1964. 3. ≪현대문학現代文学≫ 게재

난롯가에 앉아 조는 나른한 즐거움이여 주전자의 끓는 물소리가 가까워졌다 멀어졌다 그쳤다 한다. 나는 담요를 무릎에 걸치고 멀리 길 떠난 그리운 이들을 그리워하다가 그들을 꿈 속에서 만나기도 한다. 그들은 그전 날의 그 모습 그대로이다. 나는 그들과 더불어 슬프지 않았다. 그만 눈을 떠야겠다고, 뜨고 얼마 안남은 원고를 마저 써야겠다고 생각하면서 언제까지나 졸고 있었다. 그리운 그들과 헤어지기가 서운해서……이다.

난롯가에 앉아 조는 나른한 즐거움이여 겨울밤은 이렇게 깊어가고 나의 겨울은 호젓한 속에서 계속된다.

밤 III

역시 겨울은 밤이 좋고 난롯가가 좋고 등불 밑이 좋다. <만년의 릴케>는 펼쳐 놓은 채 먼지에 덮여가고 나는 마냥 담배만 피운다. 이와 같은 조용한 밤에는 골연보다는 골통담배 맛이 월등히 좋다. 커피는 아침에나 먹을 것, 밤에는 커피보다 그저 설탕 탄 뜨끈한 물이 좋다. 그놈을 마시면 마음까지 훈훈해지는 것 같다.

『1961~1968 일기문』 185

밤 Ⅳ

눈이 내린다. 그러나 나는 난롯가를 떠나기가 싫다. 이렇게 의자에 앉아 골통담배를 피우며 저만큼 놓여 있는 양란을 보는 정도로 무척 즐겁고 행복하다. 술이라도 마실 줄 알았더라면 그것을 먹으며 창밖의 눈 소리를 들었으면 싶다만…… 아니지 이 이상을 바라서는 죄 받을 것 같다.

밤 V

벽에 붙은 낡은 세계 지도를 바라보면 시선은 자꾸 시베리아 쪽으로 간다. 거기는 박달나무가 많고, 눈이 많이 내리고 불쌍한 사람들이 많이 살고 있는 고장이다. 나는 젊은 시절에 읽은 러시아의 소설을, 그리고 도스토예프스키를 회상한다. 그의 부인 안나 그리고리에브나 스니트키나를 생각한다.

—1963. 12. 28.

그림자 없는 벗들이여

≪서울신문≫ 1964. 4. 19 게재

그림자 없는 나의 벗들이여
그리운 젊은이들이여 슬기로운 넋들이여
당신들을 위해 내 무엇을 노래하랴
나에게는 노래를 장식할 아무런 말도 없다.
스쳐가는 세월 앞에서
그저 울고 싶어 할 따름이다

바람에 지는 꽃잎처럼
당신들 훨훨 먼 나라로 가버린 뒤
우리는 전보다 의로워졌는가?
한 걸음 전진했는가?
피를 토할 듯이 그처럼 울부짖던
우리의 민주주의는?

올해도 어김없이 봄은 찾아 왔다.
당신들 해일인 양 밀며 달리던
그 거리, 그 광장, 두메산골에까지
나뭇잎 돋아나고 꽃은 만발했다.
그러나 향기로운 저 꽃들을 다발로 엮어다가
당신들 무덤을 덮은들
내 마음의 이 서러움이 풀일까 보냐.

아아 귀에 쟁쟁한 분노에 찬 그 아우성 소리,
하건만 우리는 말이 없다.
왜 말이 없는가? 아니다 아니다
언제까지나 침묵과 맞서고만 있을 우리가 아니다
우리는 이룩할 것이다, 짙푸른 내일을,
당신들이 갈망하던 빛나는
우리 조국을!

—1964. 4. 18.

봄을 여나르는 아주머니들

≪대한일보≫ 게재

저기 저 아침 산길로
저마다 광주리 이고 내려오는
시골 아주머니들.
어디서 올까?
어딜 갈까?

오오, 알았다, 알았어.
산 너머 저쪽
머나 먼 시골서 서울로
봄을 여나르는 아주머니들이구나.

노오란 빛깔의 꽃이 개나리다.
연분홍이 복사꽃이겠지.
아니면, 살구꽃일까?

야아! 저 진달래꽃 좀 봐,
벌써 새빨갛게 피었어.

사람 붐비는 서울 거리로
춤추듯이 너흘너흘

오늘도 봄을 여나르기에 바쁜
시골 아주머니들.

전차가 달리고
냅다 버스가 내닫고
자동차가 줄달음치는
거리는 지금
사람이 한창 붐비는 시간이다.
한데, 그 붐비는 속을

앗, 안 보인다.
어디로들 갔을까?
저, 저기 간다!
모습은 안 보이나 저만치
사람들 머리 위로
배처럼 동실동실 떠 가잖아,
봄 담은 광주리들이.

—1964년 4월 21일 밤

분수噴水

≪사상계思想界≫ 게재

태양은 분수에게 광선을 씌운다
광선을 쓴 분수는 좋아서
솟구친다 솟구쳤다
내려온다 내려온다

분수는 광선을 쓰고
풀밭에서 노래한다 풀밭에서
시시덕거린다
그러다가 나에게 조용히 인사한다
때로는 은근히 속삭이기도 한다

분수는 여기
있고 싶어 하지 않는다
구름의 왕국에라도 갔으면 한다
양치는 목동이 되었으면 한다
도심지대가 몹시 피로하다는 말도 한다
머리에 쓴 광선을
그만 벗겨 달라고 부탁한 적도 있다

구름의 왕국에 갈 수 없을 양이면
잠시나마 여기를 벗어나
어느 나무 그늘에라도
숨어 좀 쉬고 싶다고 토로한다

—1965년 2월

갈대 송頌

≪신동아新東亞≫ 게재

아까부터 노을을 바라보고 있다
그 여자의 얼굴빛 같은 노을.
이렇게 창가에 앉아 노을을 바라보는 것이
나의 즐거움의 전부이다.

앞에 놓인 탁자에는
과실 한 접시, 홍차 한 잔 없다.
낡은 담배 쌈지와
나와 같이 늙어가는 파이프가 놓여 있을 뿐.

생각하면 나는 언덕에 누워 하늘을,
하늘에 뜬 흰 구름만을 바라보며 살아왔다.
거기에는 현실이 없고 언제나 미소지며 눈짓하는 진주빛 미래가 있었다.
그러나 그렇게 있는 사이에
긴 세월이 흘렀다. 무척 빠른 속도로.
어느덧 나이는 나를 갈처럼 둘러싸 버렸다.

이제 나는 여기서 헤어나갈 수 없게 되었다.
그렇다고 몸부림치고 싶지는 않다.
후회되지도 않는다.
아무런 회한도 없다. 그저 있는 그대로의 자세로
상여처럼 조용히 내 앞을 지나가는
시간을 바라 줄 따름이다.

갈에는 갈꽃이,
내 머리에는 갈꽃 같은 흰 것들이 만발했다.
기쁠 것도 없거니와 서러울 것도 없는 풍경 속에서
이것들을 바람에 날리며
그래도 나는 생각한다, 생각하는 갈대가 되고 싶다고—.

—1965. 5. 30.

세비이야의 투우장

암소가 세비이야 투우장 안으로
발들여 놓을 때
아직 태양은 눈부시고
사람들은 열광하고
고요한 하늘 아래서
소리높이 떠들어댄다.
캄캄한 속에서 암실을 나와
다시 빛을 본 동물은
그를 위해
구와달큐비르Guadalquivir의 큰 강이
언제나 푸르게 만든 들판의 초원草原을 찾는다.

그러나 석양의 청색을 향하여
풀내음 없는 오직 한 줄 입김 밖에
떠오르지 않는다,
그의 죽음의 무대로
쓰이는 땅에서는
열熱은 발구르는 모래 속에서 뜨거운 기운은
그가 바라보는 인간의 입김 속에서 온다,
뭣인가 붙들 수 없는 것이

둘레를 빙빙 돈다.
그는 상처 입는다.

지금까지
친절하다 생각되었던
인간의 손에.

피는 흐르고
고함 소리 아름다운 수자繻子의 하늘을 찢는다.
이 피투성이 운명의 반짝임을 조금이라도 약하게 하고자
하늘은 군중 위에 차차 흐려져 왔다.

동물은 죽음에 즈음할 때, 임종에 고민을 감춘다.
−오직 홀로 부끄럽지 않게 녹색 갈대 속에 죽는다−

너의 죽음은 흔해빠진 한 의식과는 달라
크게 뜬 눈 깊숙한 곳에
정복된 가엾은 네 몸을 정신없이 쫓는다.
이들 모든 눈동자에
죽음을 선고받은
암소여

빨리 죽는다……

그러나

세비이야의 투우장 속에

너를 보지 않으려

감은 두 눈이 있다는 것을 알라.

종려棕閭의 정원

나는 종려나무를 심은 어느 정원에서 당신을 만났다.
무엇 하나 나무들을 흔드는 것은 없었다, 미풍은 너무 조용했고
당신 자신도 잠자코 지나갔다,
마침 당신 마음이 현실을 넘어

그림자들이 오가는 나라에 살고라도 있는 듯이.

나는 당신을 쫓아갔다, 태양에서 편념片唸까지,
마침내는 정원에서 가람나무 수풀 입구까지,
그리고 은은히 당신은 살아 있는 것일까 하고 생각했다.

당신의 이마는 상심한 모습을 하고
당신의 눈은 제5원元으로 보는 그 눈초리로
근처 매혹에 끌리지 않았으니까.
"같이 있다는 행복으로!" 하고 슬프게 나는 말했다.

정말 돌아오는 일은 없을까?
당신은 지금 저기 있다, 그리고 슬프게도
조금도 나를 알아보지 못했을까?
조금 앞으로 가자 당신은 나에게 느끼게 했다,

바로 근처의 다른 종려나무 밑에서,
아직 잠자코 있지 않으면 안 될 만큼
그렇게 넓고 아득한 신비神秘의 증인證人이라는 것을……
그리고 양해하지 못했던 나를 위로하기 위하여

몸을 구부리자 나에게 미소 지었다.

현대 프랑스 규수시선閨秀詩選

릴케의 죽음

> 나는 목숨의 옥좌玉座에 쓰러진다…… 나는 피를 흘린다…….
>
> —쉘리

> 자기다운 방법으로 자기답게 죽고 싶다.
>
> —릴케

그는 죽은 것이다, 장미 가시에 찔려.
그러나 그 이전에도 그는 상처를 입고 있은 것이 아닌가?
아무도 그것을 모르고 있은 것이 아닌가
그의 마음과 옛 성의 하늘 높이 우뚝 솟은 저 큰 바위들,
저 바레의 고원高原을 불며 지나가는 바람 이외에?
알프스에 꽃피는 장미의
신비스런 가시에 찔리기에 앞서
이미 상처입고 있은 것이 아닌가.

말 않는 외투 속에 감추고 있지 않았던가
밤이 낮으로 덮는 시각이 되면
(수목들에겐 인간의 아픈 데가 보이므로)
그의 과수원 나무들이 겁내어 벌벌 떨던 많은 상처를?

이 사람은 꽃을 사랑했다
그리고 행복하게 생각하고 있었다
묘소로 이끄는 마지막 고통이
사랑하는 자연으로부터 직접 주어지고 받는 사실을.

다만 그는 벌써 괴로워하잖은가,
보다 무거운 상처를 몇 번인가?
결백한 하나의 영혼을 죽이는 데
상처의 크기를 필요로 하지는 않는다.

장미가 이 세상에서 그가 가장 사랑하는 것이요
죽음이 거기서 저절로 생겨날 경우,
한 그루의 장미 때문에서 목숨을 다하는 것은 아름답다
(장미라고 부르지만 뜨거운 불 모양 지독한 것도 있으니까)

그대여 들으라 떠오르는 태양을 향하여 외치는
알프스 높은 봉우리의 바람의 큰 음성
"-그는 죽은 것이다, 장미 가시에 찔려……
시인이란 달리는 딴 일로는 죽지 않는 것."

릴케의 무덤을 찾아가서

—라로오뉴

오늘 우리는 현세現世가 우리에게 맡기는 가장 아침다운 것을
당신을 위해 가지고 왔습니다.
노래 끝내고 지금, 당신이 쉬고 계시는
당신 자신이 선택하신 이 언덕 위를 부는 미풍 속에서
여름 꽃들인 양 바치는 우리들의
이 침묵을 받아 주시오.
시인이여 우리는 자기를 여자의 심장은 타인의 고통을 보다 빠르게 느낀다고 밖에
뭐라 말해야 좋을지 모른답니다.
이것은 결코 당신에게 즐거운 꽃다발은 아니겠지요.
다만 당신은 이 십자가 아래 누으실 때까지
인생의 많은 근심 걱정을 맛보신 분이기에
당신을 추도하려 올라온 이 언덕 위에서
당신에게 바치는 상쾌한 키스에
당신과 관계없는 추억이 설사 섞이더라도
놀라지는 않겠지요.
어쩌면 당신이 다시 한 번 소생하여
우리들 잠자는 사람들을 데리고 갈지도 모른다고 걱정한 나머지
우리들 영혼은 마침내 시를 지어 냅니다…….

용서하세요. 땅에 꿇은 우리들 무릎을 보세요.
멀리 흐르는 저 대하大河의 푸르름의 번득임을 받아주세요.
그리고 우리들의 가장 젊은 한 사람이 찾아내 온
그녀와 꼭 같이 신선한 이 월계수 가지를
일찍이 당신의 발이 밟은 여기 남기는 것을 용서하세요.

일어선 채 죽는다

좋은 길이다, 그 막다른 곳에 죽음이 있고.

—벨레느

걸으라 조금 남았다 내 고통이여 조금 남았다
부탁이다 세 발자국이면 좋다 걸어다오.
나는 너를 따라 간다. 너와 단 둘이 두 사람뿐이다
저 산 꼭대기에 다다를 때까지 쓰러져서는 안 된다…….
사나운 길이나 똑바르라.
어떡하든 그 막다른 곳까지 다다르지 않으면 안 된다
저 십자가 있는 데에 다다를 때까지는 너는 죽어서는 안 되는 것이다.

왜라니? 십자가 위라면 일어선 채 죽을 수 있으니까…….

편지는 그만

편지는 이젠 그만 주십시오, 태양이 흩트리고 바람이 따고
가을이 당신 손 속에 흔들어 떨어뜨리는 나뭇잎만으로 보내 주셔요.
그것은 이튿날 내 손에 들어오지는 않겠지요.
하지만 나는 오랫동안 기다리는 데는 익숙해졌고
거기다 내 마음도 계속 지켜보고 있으면 상냥해질지도 모릅니다.
허기는 당신은 나뭇잎 편지에는 아무 것도 쓰지 않으시지만
나는 읽을 겁니다, 당신이 마음속에
쓰신 말씀들을 알고 있기나 한 것처럼
그처럼 당신의 몽상은 나에게 불처럼 밝은 겁니다.
그날그날의 천기에 따라 나뭇잎새 색깔을 골라 주셔요.
하늘이 흐려 있는 날에는 신선한 잎새를
하늘이 너무 푸른 것 같으시거들랑 녹색 짙은 잎새를,
여름이 다 갈 무렵에는 귀여운 소년의 이마의 햇볕에 걸은 것처럼
브론드의 저나무 잎새를,
그리고 또 동짓달이 오거들랑 이 달이 매장하고 또 생각해 내는 것을 비쳐
부디 나를 위해 단풍잎을 한 잎 따 주셔요.
(하기는 그것이 참나무 잎새이든 가얌나무 잎새이든 또는 올리브 잎새이든

당신이 살아 계셔 주시기만 한다면 결국 아무 잎새든 좋은 셈이지요!)

그리고 만일 언제고 신이 만일 당신에게 행복을 내려 주시거든
그것을 저에게 알리려
부디 보내 주셔요, 장미나무 잎새 한 잎을.

약속

even while the heart may break.

—Shelley

und wenn das Herz auch bricht.

—Heine

나는 약속을 했습니다, 그리고 그것을 지켰습니다.
그것은 잠자코 계속 거니는 약속이었습니다.
한데 누구인가 등 뒤에서
내 영혼을 창 끝으로 찔렀습니다.

나는 굳은 맹세를 했습니다. 성스러운 은혜의 죽음이 오는 최후까지
쉬지 않고 계속 거닐겠다고.
신비스런 바람이 일고, 들입다 나를 쓰러뜨리려 했습니다.
이 폭풍 앞에 서면 내 힘은 빠졌습니다.
한즉 폭풍은 별안간 사람 모습으로 변했습니다.
때마침 시계의 글자판은 겨울 시각을 알렸습니다.
이것을 마지막으로 바깥 경치는 내 눈에서 꺼졌습니다.
내 눈에 보이는 것이라고는
그 어느 이마 아래서 나오는 그 어느 눈초리뿐이었습니다.

그 먼저의 폭풍의 출처를 알자
나에게는 저 창의 출처마저도 알 수 있었습니다.
다만 나는 밝히지 않겠다고 맹세한 몸이었습니다.

천사를, 구원을, 내 심장은 발가숭이외다!
나를 잊은 팔이 휘두르는 창 끝에 계속 찔리는 내 심장이외다

묵묵히 계속 거니는 나외다.

모든 것은 가난하지만

모든 것은 가난하지만 모든 것은 금빛이외다.
이카스티야의 마을에 있어서는
보리 베는 무렵에는 누구 한 사람도 자지 않는다,
자정 전에는. 처녀들까지도.

태양이 번쩍거리는 마타드오르의 나들이 옷처럼 빛을 내는
들판 일에 지치든가
꿈에까지 이삭의 삼태기에서 떨어져 빛나는 것을 본다고 한다.

모든 것은 가난하지만 모든 것은 금빛이외다.
이 카스티야의 마을에 있어서는
그것도 그럴 것이, 일체가 잠자는 때조차
사람들은 꿈에 보리알이 반짝이는 것을 본다고 하니까.

생자生者들

사자死者들은 사자死者들, 생자生者들은 부상자들.
다만 그러나 인간 속에 버림받아 한 사람의 생자生者란 것이
어떤 상처의 피를 흘리고, 그리고 또 정신 차리고 있는 체 보이고
무참無慙이나 생자의 한 사람이 수의를 펴고 있는 앞에서
이를 갈고 있기는 하지만
어떤 깊은 상처를 입고 있는가 만일 남이 안다면
사람들은 말할지도 모른다 "생자生者들이야말로 사자死者들이다"

또 "사자死者들도 생자生者만큼 버림받고 있지는 않다"고.

오므스크 나라의 전설傳說

옛 나라로부터 찾아온 그네를 만났었다…….

—쉘리

오므스크 나라로부터 온 사내가 이 부근을 지나갔다.
모피 외투에 몸으로 감싸고 엽호獵虎(해달海獺 · 라꼬) 모자를 쓰고
들어서자 그는 내 곁에 걸터앉았다.
어떻게 문을 열었는지 아무도 모른다.

열쇠를 가지고 있을 턱도 없고, 얼핏 보기 손가락 끝에 연앵초 잎새를 한 가지 쥐고 있을 뿐. 때마침 바깥은 밤이었다.
침착한 나그네는 꿈꾸는 듯한 눈초리로
흰 파이프를 입술에 천천히 가져가며 의자에 기대었다

이윽고 입을 열어 말하기 시작했다,
"나는 멀리서 왔다.
어제는 카스피 해를 바라보았지만 그 지방은 더웠다. 한데 오늘 밤은 추운 것이다."
"나그네여 이 목도리라도 하셔요, 이것은 내 것이니까."
빙그레 웃으면서 받아들자, 그는 이야기를 계속한다.

"어렸을 제, 나는 이래봬도 왕이었다, 러시아보다 먼 저쪽 왕국의
그것은 이상한 왕국이다, 나라는 넓고 멋지다
전란의 소리란 것이 큰 웃음소리라,
일요일 아침, 백성은 천사가 있다고 믿고 있었다……."

그는 파이프를 만지작거리고 있었다, 꿈꾸는 사람처럼.
깊은 밤 하늘의 달빛이, 벽을 뒤로 한 튤립은
아침의 환한 빛조차 미치지 못할 정도로
상냥스럽게 보였다.
그는 묻지는 않았다, "그리고 당신도 옛 나라 여왕님은 아니신지요?"
묻는다면, 나는, "네 그래요!" 하고 말했을 것을…….
내가 여왕이었던 그 나라는
썰매 끄는 토나카이(tonakai · 사슴)을 비롯해 늘어진 순록馴鹿 머리칼 털끝까지

눈송이 엉킨 삼색三色의 이마까지
뭣이고 모두 순백색. 그렇건만
그는 아무 것도 묻지 않았다, 그리고 갑자기 일어나
꼬치를 뚫고 모험으로 날아가는 나비처럼
내 몸을 싸는 담요를 찢었다.

"나그네여 더우신가요?"

"몸이 녹았소, 감사하오."

그는 아무 것도 묻지 않았다. 달을 향해 미소 짓자, 다만 그 뿐, 지금까지 걸터앉아 있던 의자가 비어 있었다.

튤립이 모두 시들었다. 하나하나.

"익으라, 나무처럼"

—릴케

오루나무와 늙은 소나무와 플라타너스 나무와 느릅나무가 내 가슴 속을 알고

내 번뇌를 알고 나에게 말하는 것이었다.

"참는 게 제일이야, 익으라, 나무처럼.

돌 같은 표정을 얼굴에 나타내지 마라.

네 심장만을 태양으로 향하라.

그리고 남모르게 마침내 새빨갛게 해주는 것이다."

느릅나무와 늙은 소나무와 오루나무와 플라타너스 나무가 나에게 말하는 것이었다.

"사막에서 부는 열풍熱風도, 알프스 폭풍의 한풍寒風도

세월의 지루함도 밤마다의 오뇌도

번뇌가 깃드는 쓸쓸한 가지가지 유령도

또 유황硫黃의 하늘에 나타나는 대시화大時化도 아무 것도 무서울 것은 없다.

우리들을 봐야 한다, 그리고 가만히 있어 참고 있어야 한다. 그리고 괴로워한다.

—익으라, 나무처럼. —릴케

어느 시인詩人이

어느 시인이 노래했습니다
바레 산주의 바람은 푸르다고.
나는 노래합니다, 비 오는 밤에
농사꾼 집 문 앞에서 휘파람 부는 검은 바람을.

그 바람은 눈에는 안 보입니다
그 까닭은 언제나 으레 밤이 깊어
목동들이 잠든 무렵에 와서
아무에게도 잠자리를 얻지 못하고 새벽녘 가버리기 때문입니다.

하는 수 없이 그 바람은 암석岩石 속 심장 한복판에 잘 곳을 찾습니다.
부딪쳐라, 좀 더 좀 더 부딪쳐라 성난 바람이여!
바람은 부딪친다, 그리고 그때마다 상처 입고
쓰러졌다 다시 일어나, 그리고 다시 뒤로 밀린다

만일이라도 어느 비오는 밤에 댁 앞에서
이 검은 바람 소리가 들리거들랑
불쌍하다고 생각하시고 들여보내주시지 않으시렵니까?

그러면 이튿날 그것은 푸른 바람이 될 것이니까.

새가 된 사나이

문들레니 솔 순만을 먹고 두어서너 달 산 사내. 나중에는 마음눈이 어두워져 해만 떨어지면 눈이 안 보였다. 나중에는 새 같다고 자꾸 생각하는 동안에 새처럼 지저귀어 보고 싶은 충동마저 느끼었고, 그 후 돈이 생겨 고기를 먹으려 물고기 집에 들어갔으나 습관이란 무서워 고기가 목으로 넘어가지를 않았다.

"새가 먹는 모이 같은 건 없소?" 하고 얼마동안 그는 식당에서 고함을 쳤다.

A

바다로 가리라. 바다는 요란스런 웃음소리로 내 마음을 후련히 풀어 주리라. 산으로 가리라. 산은 말 없는 그 침묵으로 나를 얼싸안아 주리라. 그리하여 나는 자연이 주는 누구보다 따뜻한 접대를 즐기리라.

그러나 내가 가지고 갈 수 있는 선물은 무엇인가. 그저 납덩어리만큼 무거운 내 마음 하나밖에 없다. 이것을 줄 수야 있겠는가. 그렇다면 나는 둘도 없는 에고이스트이다.

오냐, 나는 발가숭이 마음과 자연을 사랑하는 끝없는 이 정열만을 들고 가리라. 그리고 그들에게 말 하리라. 나는 병들었다고–.

B

뻐꾹새소리 들으면
고향 그립다
어린 시절이 그립다, 그 옛날
치악산 기슭을 홀로 헤매고 다니며
저 뻐꾹새소리를 들었노라
그때 나는 어렸었다
그때 나는 줄곧 혼자였다
그때 나는 꿈과 눈물이 많았었다
하건만 내 이제 삶에 지쳐
고향 아닌 이 도시에 나와
저 뻐꾹새소리를 듣는다
주름 잡힌 낯을 찌푸리며
나 홀로
서글픈 마음에서 듣는다
뻐꾹새소리는 전과 다름없건만.

−1964년 6월 10일

1.

≪문학춘추文学春秋≫ 1966년 2月号 게재

가난은 곧잘 부부 싸움을 붙인다.
오늘 아침에 나는 아내와 다투었다.
나는 차라리 아내가 죽었으면 싶었다.
아내는 나더러 꺼지라고 한다.
한강에라도 가서 죽어버리라고 한다.
이쯤 되면 두 사람은 이 세상에서 이미 끝장을 보았다고 생각해야 옳을 것이다.

2.

나는 마실 줄 모르는 술상 머리에 앉아 집에 있는 애들을 생각하고 있었다.
여기서는 돈이 없어도 있어 보이고
우습지 않아도 우스운 체하는 곳이다.
이 같은 자리에 뛰어든 걸 후회하지 않지 않으나
후회하면서도 앉아 있어야 하는 게 술상머리다.
사회이다. 인생이다.

3.

『선시집選詩集』을 내고는
다시 시는 쓰지 않으려 마음먹었다.
쓰기 싫다느니 하는 게 아니다
쓰면 쓸수록 가난해지기 때문이다.
한데 자신이 없다.
가난하느니 않느니가 문제가 아니라
이걸 쓰지 않고는 도저히 살아갈 자신이 없으니 말이다.
그러니까 또 이렇게 붓을 들고 끄적거리고 있다,
이 추운 밤에도.

4.

해방이 되자, 그 노인은 나에게 등의자를 하나 선물하고 제 나라로 가버렸다. 나는 그 의자에 앉을 때마다 그 노인이 아직도 살아 있을까 어떨까 하고 생각하곤 했다.

나는 그 노인의 고향을 모른다. 안들 별 수 없는 일이지만, 고향쯤 물어둘 것을 하고 후회하는 때도 없지 않다.

이십二十년이 지났다.

전쟁통에 없어지지를 않아 나는 그 등의자를 아직도 그대로 쓰고 있다.

그러나 이런 물건에도 수명은 있어 앞으로 얼마 가지 못할 것 같다. 양옆의 받침하는 대가 거의 못쓰게 돼 버렸다. 특히 뒷면이 그렇다. 그걸 나는 전화줄로 챙챙 감아 억지로 쓰고 있다. 좋은 것을 새로 구할 때까지만 참아 달라는 마음에서이다.

책이나 신문 잡지 등을 대개 여기 드러누워 읽는다. 여름철엔 곧잘 침대 대용으로 쓰기도 한다. 낮잠을 자는 것이다.

이것을 나에게 선물한 노인은 일본 사람이다. 우리 고향에 와서 별장을 짓고 늘 독신으로 살았었다. 꽃나무를 좋아한다는 것, 낚시를 좋아한다는 것 외엔 아는 것이 없다. 먹을 만한 재산은 있었던 모양이다.

이 노인이 제 나라로 갈 때 왜 이 등의자를 나에게 주고 갔는지 그 까닭을 나는 모른다. 어쩌면 내가 그에게 좋은 등나무 한 그루를 선물한 것에 대한 감사에서였는지 모른다.

오늘 나는 이 의자에 앉아 광복절에 부치는 시를 썼다. 이 시는 ○○일보에 실릴 것이지만, 철저히 항일적인 내용의 것이다.

벌써 죽었으리라고 믿지만, 만일 등의자를 준 그 노인이 나의 시를 읽고 그것이 자기가 선물한 의자에서 구상된 것을 안다면 고소를 금치 못할 것이다. 아니, 어쩌면 헐었어도 좋으니 도로 돌려보내달라고 호통을 칠지도 모르겠다. 요새는 배편도 좋아졌다니 말이다.

—1965년 8월 4일 밤

5.

졸린 눈을 부비며 책상 앞에 앉아 있다. 몹시 졸립다.

창밖엔 여전히 빗소리…… 간간이 낙숫물 소리.
이대로 책상에 엎드려 자고 싶다,
중학시절 그때의 나처럼―.
그때가 어제련만 어느덧 50고개를 넘었다.
할 일이 있어 이렇게 앉아 있는 게 아니다. 그저 이렇게 버텨 볼 따름이다.
몸에 해로운 것도 잘 알고 있다.
그러나 진정 병이 나 쓰러질 때까지는 견디어 보겠다는 심산이다.
지난 일 생각이 자꾸 나는 것은 나이 탓이리라. 현실을 잊으려 함도 역시 나이 탓인가. 모르겠다, 그저 밤을 전송하고 싶다.

―1965년 8월 4일

> 불길 같은 사랑도 있고, 녹 쓴 쇠처럼 좀먹는 사랑도 있다. 그러나 가장 날카롭고 깨끗한 사랑은 번뇌다.
>
> ―플레밍(Fleming, 파울・독일시인)의 <골드핑거>에서

중(스님)

다방 안에는 가끔 조계사 중들이 나와 모닝커피를 마신다. 우리는 보통 커피를 청하지만 그들은 계란을 넣은 모닝커피란 걸 마신다. 마신다기보다 먹는다.

도대체 커피에 계란을 풀어먹는 것은 어느 나라 풍속인가. 모르긴 모르되 우리나라에만 있는 것인가 싶다. 한때 메추리알을 넣어 마시던 기억이 난다. 영양을 섭취한다고 해서일 것이나, 우스운 일이 아닐 수 없다.

이 중들은 글쎄 계란을 먹어서인지는 모르겠으나, 얼굴이 이들이들하다. 영양 부족으로 보기보다는 과잉으로 보아 마땅할 것이다.

옷은 쥐색 중다운 옷이나, 손에는 금시계를 차고 아무리 보아도 중 같은 인상은 없다. 이들은 커피를 마시고 나서 밖으로 나가서는 손을 번쩍 들어 새나라 택시를 잡아타고 어디론가 사라진다.

처음부터 이미지가 맞지 않는다.

지팡이 짚고 산길을 가는 중만을 생각하고 있던 내 머리로서는 상상조차 할 수가 없다.

이들은 이제도 종파싸움을 한다. 비구승과 대처승의 끈덕진 싸움. 이십二十세기 후반기 중이란 이런 것일까?

원고原稿

원고란 짧을수록 쓰기가 어렵고 따라서 시간이 걸린다. 그러면서도 들어올 고료는 적다.

원고는 쓰기 싫은 원고일수록 쓰기가 힘들다. 그러면서도 그 꺼림칙한 기분은 오래도록 가시지 않고 가슴 한 구석에 남는다.

서재풍경書齋風景

▲ 책상－데스크 · 자개상
▲ 의자－고호의 의자.
▲ 그림－항아리부인 · 구루몽
▲ 책장－유리창 안에
▲ 형광등－H형兄의 선물
▲ 난로 · 전기곤로 · 커피잔
▲ 시계(대리석大理石) · 볼펜 · 커튼
▲ 캘린더 비닐장판 · 도배지 · 창
▲ 파이프 · 벨벳velvet
▲ 책들－루바이야트의 유래由來
▲ 방석

수필隨筆 테마

영판은 나를 글씨 써먹고 살 거라 했다. 어머니는 대서업代書業을 생각했다.

이제 나는 글을 팔아 산다. 고된 일이다. 그러나 이것도 짊어진 십자가十字架가 아닐까.

*

10분간 이야기의 준비에는 10일이나 필요하지만, 한 1시간의 이야기에는 1일이면 된다.

*

방송放送원고 → 1분짜리 = 300자字 내외.

*

인민이란 권력에 눈이 뒤집힌 지도자에게 맘대로, 싫도록 피와 돈을 공급하기 위한 존재인 것이다.

지도자가 지배하기 위해서는 그 고용병의 야만적인 힘이 필요한 것이다.

인민의 기분은 마치 설설 물이 끓는 큰 가마솥 같다.

황금은 아름다움만 못한 것인가?

—<클레오파트라>에서

아침 로터리에서

≪문학사文学社≫ 게재

이래도 괜찮을까?
붐비는 자동차의 물결을 헤치며
달려오는 노란빛 스쿨버스
그 번지르한 꼴을 서서 바라보며
나는 생각했었다. 괜찮을까? 하고

그 버스 안에는
노란 모자 노란 셔츠 노란 바지의
온통 노란 빛깔에 싸인 애들이
그득 타고 있었다,
창살에 갇힌 산토끼.

애들은 창밖을 내다보고 있었다,
밝은 웃음, 기쁜 노래
즐거운 얘기마저 잊어버린 듯싶은 얼굴로.

나는 이 꼬마들이
서커스로 끌려가는 것만 같았다.
단장 되는 몹시 비게진 사나이의
사나운 모습이

자꾸 눈에 어른거리고
눈을 부라려 뜨고 휘두르는
무자비한 채찍소리가 어디선가 들려 왔다.
노란 불이 켜지자
로터리를 빙그레 돌아
쏜살같이 달아나는 스쿨버스의
그 뒤에 붙은 자가용 넘버를 지켜보는
내 가슴은 몹시 아팠다. 아아 이래도 괜찮을까?

—1966년 5월 29일 밤

산문시散文詩

≪현대시학現代詩學≫ 12月号 게재

나는 오래된 지금에서도 그 난쟁이를 잊을 수 없다. 그 난쟁이는 대갈통마저 남의 배나 되었다.

그것은 환도還都 직후의 일이다. 거리에는 다니는 사람도 그리 많지가 않았다.

그것은 저녁녘이었다. 덕수궁 드높은 담 위에 저녁 어스름이 끼기 시작하고, 이 골목길에는 사람 하나 다니지 않았다.

그때 나는 그를 지옥에서처럼 만났다. 그는 담 속에서라도 나온 것처럼 나타나 정동교회 쪽으로 걸어가고 있었다. 어깨를 좌우로 흔들며. 약간 으스대는 걸음걸이였다.

헌 미군 작업복에 낡아 떨어진 큼직한 군화를 신은 그는, 몸은 어린애만하지만, 머리만은 어른의 곱절이나 될 것같이 커 보였다.

앙증맞은 난쟁이를 보고 나는 놀랐다. 그러나 다음 순간 나는 서글퍼졌다. 어쩌면 그가 우리의 역사와 같고, 현실과 같기도 했다. 그러냐 하면 누구누구와 같아도 보였다. 나는 내 앞을 지나서 으스대며 걸어가는 그를 언제까지나 바라다보고 있었다.

그는 웃지도 않고 울지도 않았다. 무엇엔가 화가 난 사람 같았다. 그러나 나는 울고 싶은 마음이었다.

인왕산 먼 노을을 향하여 뚜벅뚜벅 걸어 나가던 대갈장군 난쟁이, 나는 그 후 그를 통 보지 못했다. 어쩌면 그는 그냥 이 세상에서 꺼져버렸는지도 모른다.

이 세상에서 꺼져 난쟁이 나라 '지로루'로 가버렸는지도 모른다.

1964년 1~8월 <일기日記>

1월 1일

해마다 새해 아침이면 올해는 좀 좋은 일이 있었으면 하고 바라왔건만 그렇지가 못했으니 수태 가만히 있는 것이 나으려는지 모른다. 이 일기 역시 늘 시작했으나 오래 계속되지는 못했다. 의지가 약한 것일까, 그럴지도 모른다. 허나 일기 쓸 만한 일이 별로 없을 만큼 생활이 단조하고 해서도 쓰기 싫었노라는 것이 진실에 가까울지 모르겠다.

날이 전에 없이 따뜻하다. 눈 없는 설이라고나 할까. 마치 해토 때 같은 날씨다.

그냥 넘어가기가 서운해서 애들에게 세배돈을 들려주었다. 때때옷은커녕 속셔츠 하나 못 사입힌 것이 마음에 걸린다.

오냐, 내년엔 꼭 좋은 설, 기쁜 설이 되게 해 주마 하고 다시 다짐해보다.

광훈이 포천 산소에 가다. 부모 생각이 나서 내가 보낸 것이다. 밤에 전주全州 에레나 오다.

1월 2일

첫새벽에 석훈이가 들어선다. 진해로 출장 왔다가 올라왔다고 한다.

≪가정생활≫의 <유행의 오솔길> 35매 다 끝마치다. 이걸로써 첫 회분은 그럭저럭 된 셈이다. 허나 몹시 힘 드는 원고였다.

오늘은 제주도 간 애라(필자의 장녀 · 편집자 주注)가 떠나오는 날이다. 준비는 다 되었는가? 몹시 궁금해 하는 속에 저녁녘에 떠났다는 장거리 전화가 그 애 친구로부터 걸려오다. 내일 저녁이면 서울에 도착하리라. 제발 풍랑이나 없었으면 싶다.

오후에 방송국 광임군光林君이 놀러오다. 커피를 곱빼기로 먹으며 이런 이야기 저런 이야기 하다.

밤— 모두 TV 보러 저 방에 가 있고 나 혼자 <만년晩年의 릴케>를 읽다. 난로가에 앉아서 애라는 어디쯤 지금 오고 있을까? 이런 생각 저런 생각에 잠도 오지 않는다.

1월 5일

북 클럽 회원모집문을 초해놓다.

이익이 없어도 한번 해보고 싶은 욕심이 난다. 우선 2백 명 정도 모아보리라. 그 정도는 무난할 것 같기도 하다. 우리나라에서 이것이 될까? 되기만 한다면 나로서는 큰일을 하나 만드는 것이 되련만. 우선 천원이 필요하다. 어떻게? (밤에)

1월 6일

오늘부터 오래 보던 조간신문을 끊었다. 현재의 나로서는 도저히 신문을 둘씩 보기가 어렵다. 뿐만 아니라 아침부터 신문을 읽는 것은 생활에 좋지 않다. 시원섭섭하다는 건 이 같은 기분을 두고 하는 말이리라. (아침)

북 클럽을 위한 여러 가지 메모를 하고 그림 · 컷 등을 추리다.

밤에 ≪자유부인自由夫人≫을 읽다. ≪가정생활≫에 쓰는 글을 위한 노트를 할 생각으로서이다. 그런 시절이 있었지 하는 정도일 뿐으로 노트할 만한 대목이 아직까지는 나오지 않는다.

일찍 자다. 잠만이 나에게는 귀중한 것 같이 생각된다. 자고 또 자리라.

1월 10일

아아 몸과 마음이 그지없이 고달프다. 어젯밤 꼬박 뜬눈으로 새웠기 때문만은 아니리라. 아침 일찍 나가 「KBC」의 진체구좌를 트리라 했으나 준비된 돈이 없어 단념하다. 허나 단념하기란 그리 마음 편한 일이 아니다. 어서 일을 시작해야 될 것이 아닌가.

문원사文苑社 윤尹의 전화를 받고 '회심會心다방'에 나갔다가 다시 인사동仁寺洞으로 가서 노서아 스프란 걸 먹다. 엉터리다.

오는 길에 도장포에 들러 도장을 맡기고 광화문 우체국 앞을 괴로운 마음으로 지나 집에 오다. 집에 오니 아내는 시장에 가고 없다. 아니나 다를까 꼬마 스웨터를 사들고 얼마 후에 돌아온다.

나한테 그 돈이 있었더라면 구좌口座를 텄으련만……. 아내의 생각과 내 생각은 이처럼 다른가 보다. (저녁)

1월 15일

아침 일찍 일어나 머리를 감다. 머리를 감으면 이처럼 개운한 것을 그대로 둔 것은 내가 게을러서인가. 만사 귀찮아서인가? 면도를 하고 스킨마저 바르니 명랑하기 비길 데 없다.

아내와 커피를 한잔씩 타서 먹으며 오늘도 좀 더 잘 살아야겠다는 이야기를 하다. (아침에)

6시 30분까지는 시간이 멀다. 학원사學園社로 해서 충무로 일본책 가게를 한 바퀴 돌고 나도 시간이 15분쯤 있다. 하는 수 없이 들어가 기다리다.

30분이 좀 지나서야 모두들 나타난다. 초면 인사를 한 사람은 나와 비석飛石 정도이다. 모두 어느 틈에 제주도濟州道를 갔다들 온 모양이다. 김지사金知事는 무척 소탈한 사람 같았고, 부인夫人 역시 까다롭지 않았다. 밤 열시 반쯤 몇 사람과 더불어 먼저 나왔다. (밤)

1월 16일

양지 3층이라는 말도 옛말. 지금은 흡사 동대문시장이다. 왜 이 지경이 됐는가. 뭣 하러 이렇게 모여드는가. 이후는 다니지 말아야겠다. 그럼 어딜 갈 것인가.

검인정회사 문 앞까지 갔다 돌아서 오는 길에 최崔를 만나다. 말 두어마디 나누고 그냥 헤어져 돌아서다. 집에 오니 떡이 되어 있다. 헌데 설탕이 없다. (밤)

1월 17일

이렇게 일기 쓸 만한 일도 없을진대 차라리 소설이라도 쓰기 시작할까. 언젠가는 몇 편쯤은 써놓아야 할 것이 아닌가. 지금이 바로 그때가 아닐

까. 나이도 50을 넘었으니……. (아침)

1월 18일

아침 일찍 아내와 커피를 끓여 먹다. 어제 새로 사온 탓인가 유달리 맛이 있다. 요즈음의 낙이라면 모닝커피 한 잔뿐.

좀 더 부지런히 일해야겠다는 생각을 오늘도 가져보다. 허나 대체 무슨 일을 어떻게 부지런히 해야 할 것인지를 모르겠다. 이 문제는 미적분학보다 더욱 어려운 문제이다. 오직 해야 된다는 것만을 알고 있을 따름이다.

1월 22일

서울 저금보험관리국에서 구좌번호 오다.

「서울882」이다. 팔고 또 팔아 이익을 보는 번호라고 했더니 아내랑 웃고 야단이다.

아무튼 스타트하다. (아침에)

<사랑의 쓰라림>을 온종일 들어앉아 옮기다. 하루 50매는 무난할 줄 알았는데 그렇지도 않다. 아무튼 오늘까지 60매 나갔다. 전체의 4분의 1 나간 셈이다. 되도록 빨리 하다.

1월 26일

내 일만을 했다. 이렇게 하고도 못산다는 것에 납득이 가지 않으나 일감이 있다는 것만을 기뻐하다. 일요일이라도 전화 하나 안 온다.

그까짓 건 와서는 뭘 하지? 그저 매 두고 나 필요할 때만 쓰면 되는 것.

밤을 꼬박 새다. 일도 일이려니와 잠이 오지 않기 때문이다. 몸은 그지없이 피로하건만 잠이 안 온다. 어떻게 사누 하는 걱정은 산 같고…….

1월 30일

종일 들어 앉아 원고를 수정하다.

월말이라 여러 가지 지불관계 걱정 안되는 게 아니나 걱정한들 무엇 하랴 싶어 일을 하다.

밖에는 눈이 내리고 있다. 봄이라 할 것인가.

동원사 갔다 오는 길에 반지를 찾아오다. 백금은 5천 원 한다고. 나에게는 이조차 그림의 떡이다. 허나 이제 만들어 아내 손에 끼어 줄 날도 있거니 믿고 사리라.

2월 13일

떡국을 먹으니 명절인가? 늦게 일어나 커피를 혼자 만들어 먹다. 무슨 새로운 희망도 없다. ≪현대문학≫ 원고 쓸 생각을 갖다. 무엇 때문에 이런 타이틀을 내세우는 것일까? <평론가에 내가 부탁하고 싶은 것>—내가 부탁한다고 그들이 들어 줄 것이냐 말이다. (오전)

자문 밖에서 처제 와서 자다.

2월 27일

이상호 씨와 만나 차를 마시며 출판할 이야기를 하다. 오는 길에 탁상용 만년필을 30원에 사다. 이 일기도 그걸로 쓰는 것이지만, 약간 초라한 감

이 없지 않다. 좀 좋았으면 싶다. (오후)

≪문학춘추文學春秋≫ 원고 청탁 오다. 시詩 1편.

3월 8일

내일 읽을 자작시를 종이에 적어 놓다. 신통한 것이 없는 대로 ≪학원≫에 실렸던 것을 약간 손질해 쓰기로 하다.

일요일이라 집안이 떠들썩하다. 거리에 나왔다가 로단이랑 차를 마시며 놀다. 그도 내일부터 바빠지는 모양. 그것이 좋을지도 모르겠다.

3월 9일

오후에 정음사正音社로 해서 KBS에 가다. 거기서 장덕조 · 방기환 · 이서구 등을 만나다.

이원방송二元放送 녹음이 시원치 않아 두 시간이나 애먹다. 오는 길에 양지에 들렀더니 병화炳華가 앉아 있다. 거기서 비로소 ≪동광東光≫에 난 시詩 <봄이 오는 아침에>를 읽다.

공연히 한종일 바삐 지낸 것 같다.

3월 12일~4월 30일

여기서부터 쉬고 있다. 좋지 않은 일이다. 그동안 머리가 몹시 복잡했었으나, 그렇다고 쉰다는 것은 지금 와서 생각해도 역시 좋지 않다.

사월四月에는—

기억나는 대로 적으면, 최영해崔暎海의 출판문화수상出版文化受賞을 축하하는 모임이 「향원香苑」에서 있었고, 문학춘추사에서 와서 사진을 찍어갔고, 방송국에 나가 석정夕汀·광균光均 두 시인詩人의 시를 해설했고, 아내가 꼬마 데리고 全州 내려간 일들이 모두 인상에 남는다.

이밖에도 정음사正音社에 원고 넘긴 일, 애라 친구 부친 이수성씨가 돌아가신 일, 그런가 하면 김창집 씨 아들 결혼식에 갔던 일, 신협新協으로 오셀로 연습하는 것을 보러 갔던 일들이 있고, 임근수林根洙의 말에 의해 잡지를 낸 일들이 있으나, 이 정도가 아닐까?

5월 1일

비가 아침부터 내리다. 향학사鄕學社 사장社長이랑 아침에 커피를 마시다. ≪대한일보≫에서 보냈다는 원고료는 오늘도 안 온다. 집에는 돈 한 푼 없다. 어제도 담배를 굶게 되어 책을 팔아 샀거니와 오늘도 굶어야 하는 모양이다. 골통대를 소제하다. 이런 때는 내 담배욕을 그런대로 채워주는 건 이것밖에 없다.

한심스러운 일이다.

5월 16일

또 한 보름 일기를 못 썼다. 바빴던 것이 아니다. 쓰기가 싫었던 것이다. 그만큼 내 둘레가 따분하고 숨 막힐 정도였다. 그동안 그야 KBS에 가서 방송을 한 일도 있었다. 홍이섭洪以燮을 거기서 만나 커피를 마신 일도 있었다. 그러나 이런 일들이 나에게는 즐겁지가 않다. 너무나 모자라는 생활이다. 서울시 공보실의 위촉을 받아 책자를 하나 만들어 주려고 한 일도 있었다. 그러나 그것도 집어치우고 말았다. 책임만 무거운 일이었기 때문이다.

공연히 소설이 쓰고 싶어진다. 정말 나는 한 편의 소설도 못 쓰고 말 것일까? 그럴지도 모르겠다. 그러나 쓰면 쓸 것 같기도 하다. 테마나 소재가 있고 쓰지 못하는 것은 역시 기술 탓이리라.

5월 17일

어젯밤이 불유쾌했듯이 오늘이 또한 유쾌치 않다. 먹고는 자고, 자고는 먹고, 그리고 또 자고…… 이게 이 팔자 좋아서이냐. 그저 답답해 위만 쑤신다.

붓글씨를 몇 자 써보나 역시 내 마음같이 추잡하다. 그러나 잡념을 잊기 위해서라도 이후는 가끔 끄적거려보자.

6 · 25때도 내 숨어 붓글씨를 썼거니—. 아아.

5월 18일

가는 곳마다 만나야 할 사람이 없다. 하는 수 없이 학원사에 들르다. 기증본 받다. 원고청탁장을 들고 와 <7월에 부치는 노래>를 쓰다.

내일은 방송국 가야 할 날. 아폴리네르의 약력을 읽어두다.

밤에 잠이 오지 않는다. 오늘에 국한된 일이 아니지만, 따분하고 답답하다. 한 시 지나 자다.

5월 19일

아침 명동에서 책 팔아 가지고 KBS 가서 녹음하다. 도무지 마땅치 않으나, 이것도 오늘로써 끝이거니 생각하고 참다. 홍이섭洪以燮 만나다.

내일은 리라(필자의 차녀次女 · 편집자 주注)가 여행 떠나는 날, 돈이 아직 되지 않았으나 배짱을 부리다. 어떻게 되겠지 하는 생각을 하면서 이 일기를 적다.

날씨가 흐리는 것이 비가 올 것 같다.

5월 21일

약속 시간에 갔으나 본인이 나타나 있지 않기에 너무나 다행타 싶어 정음사正音社로 바로 가서 편집에 대한 것을 의논하다.

주머니에 돈은 없고—오다가 기증받은 ≪유머 전집≫ 한 권을 팔아 쌀을 사다.

5월 22일

학원사와 방송국에서 돈을 받아 대강 썼으나, 도무지 유쾌치 못하고 미안하다. 아니, 수치스럽다고 말하고 싶다. 어떡하면 이런 수치스러운 생활을 면할 수 있을까? 그것은 퍽 어려운 일 같다. 체면을 차리며 산다는 것, 그 자체가 모순인 줄 알면서 역시 체면을 차리려 하는 것은 소시민적인 근성이다. 그리고 그것은 버리고 싶고, 또 버려야 하는 것이기도 하다.

5월 26일

아침 머리를 깎고 양지에서 차 한 잔 마시고 돌아오다.

점심으로 집에서 콩나물죽을 먹고 꼬마 데리고 인왕산을 올라가다. 방에서 속 태우고 있느니보다 나으리라 싶어서였다. 역시 기분 좋다. 꼬마 사진을 16장 정도 찍어 가지고 돌아오다.

몹시 피곤하다. 어서 저녁이 되면 먹고 자야겠다.

5월 31일

푸른 오월도 이날로 마지막이다. 나에게는 푸르다기보다 회색의 달이었다. 롯디의 『아프리카 기병騎兵』을 읽다. 테마 · 소재가 다 좋으나 퍽 유치한 것 같다. 특히 그 표현이 따분하기 짝이 없다.

덕수궁으로 한 바퀴 돌아와 방 구조를 조금 변동시켜 보다. 이렇게 함으로써 기분전환을 해 보자는 것이다, 공연한 것인지는 모르나…….

6월 2일

어제 저녁에야 책상의 위치를 바꾸어 보았다. 역시 일을 해 보겠다는 하나의 몸부림 같은 것이다. 그러나 과연 그 위치가 바뀌었다고 내가 책상 앞에 붙어 앉게 될 것인지……. 제발 그랬으면 좋겠다.

오후부터 비가 내린다. 아내는 중앙고녀中央高女에 간다고 애들 데리고 나갔다. 나는 커피를 끓여 먹으며 차를 마셨다. 겉으로는 무척 한가로운 모습.

6월 5일

한종일 나가지 않고 책을 읽다. 좋아서 읽는가, 필요해서 읽는가? 둘 다 아니다. 가만히 우두커니 있을 수가 없어 읽을 따름이다.

따분한 날씨, 따분한 기분, 따분한 세상.

7월 1일

비가 내리고 있다. 때마침 잘 온다. 그렇지 않아도 먼 시골서는 물이 모자라 대판을 해야 할 판이었는데…….

올해가 정말로 풍년이 들어야겠다.

딸애가 학교에서 오더니 시립 어린이 합창단에 입단하는 시험을 치르겠다고 한다. 곤란한 일이다. 제 어미가 어제 승낙한 모양이다. 그건 아무것도 모르는 여자의 생각 없는 승낙이다. 나는 그 애가 음악적 소질이 없다고는 생각하지 않는다. 다만 내가 겁나는 것은 자모들의 그 허영이다. 얼마나 자기 아들을 내세우려 법석대겠는가. 그것이 옳고 그르건 여기 말하지 않더라도, 그 틈바구니에 끼여 요 조그만 것의 가슴이 아프리라 생각하면 아무런 용기도 나지 않는다.

7월 2일

종일토록 비가 내린다. 장마비인 모양. 축대가 있고 유리창 깨진 데로 비가 들이치고 하니 전과 같이 마음이 가라앉지는 않는다. 그전 생각이 난다. 시골에 있을 때에 나는 얼마나 이 같은 날을 좋아했는가. 집에 가만히 들앉아 책을 읽는 재미라니……. 그러나 어른이 된 오늘에서는 그런 기분이 안 난다. 기분전환을 하는 것도 나쁘지 않을 것 같아 동그란 테이블이랑을 방으로 들여다 놓고 커피를 끓여 마시다. 그리고 책을 읽다. 『소설小說의 연구研究』. 이제서 뭐 이따위를, 하는 생각이 없는 것은 아니나 좀 더 알고 싶어서이다. 나도 50을 넘었으니 이제는 소설 한두 편 써야 하잖겠는가. 밤에는 독일의 시인 츠바이크가 쓴 『도스토예프스키 연구研究』를 읽다.

7월 14일

밤에서 낮에 걸쳐 굉장한 비다. 비에 갇혀 옴쭉할 수가 없다. 방송국에서 <생각하는 마음> 4장을 쓰라고 한다.

<돌을 쪼는 사람들>이라는 제목만 머리에 떠오른다. 어떻게 이 제목으로 되잖을까? 사색적인 것이라야 한다.

8월 2일

전부터 즐겨 읽던 문인들의 에피소드를 엮다. 이것이 책이 될 수 있는 것인지는 알 수 없으나 이것은 이것대로 흥미롭고 유익하지 않을까 하는 생각이 든다. 가만히 있느니보다 이것이라도 하고 있는 것이 더위를 잊는 방법일 것 같기도 하다.

8월 15일

광복절. 거리거리에 태극기가 나부낀다. 해방−얼마나 기쁜 일이었느냐……. 그러나 지금은? 물러갔던 일인들이 현해탄을 이번에는 비행기로 건너 자꾸 밀려오고 있다.

1965년 10월 <일기日記>

10월 22일

어느덧 늦가을이다. 올해는 예년보다 빨리 난로를 방에 들여다 놓았다. 추워서가 아니라 준비할 것을 미리 준비해 놓자는 것이다.

오랫동안 이 「일기」인지 뭔지 모를 글을 쓰지 못하고 지냈다. 누구의 요청을 받고 쓴 글이 아니라서 별로 신바람도 안 난다. 그저 끄적거릴 따름이다.

그러나 오늘부터는 좀 부지런히 써볼 생각이다. 뭣인가 공부가 될 것 같기도 하다. 공부는 안되어도 값없이 하루를 보내기가 맨숭맨숭하지 않아서도 좋으리라.

아침 4시에 일어나 노트를 뒤져 보다. 좀 정리해야겠다는 생각이 든다. 좀 정리하자. 그리고 나의 생활, 나의 마음, 나의 친구들까지도 말이다.

10월 26일

일기를 다시 쓰기 시작한 지 나흘이 지났다. 그 나흘 동안을 나는 쓰지를 않고 있다. 나는 게으른가. 그렇다. 확실히 게으르다. 쓸면 쓸 수도 있지 않았겠는가.

주머니가 비면 머리는 덩달아 빈다. 아무 기력도 없다. 기진맥진한 상태에서 무엇이 되겠는가. 오늘도 그냥 넘어갈 수 없어 몇 자 끄적일 뿐이다.

<이상 『문학사상』 1980년 10월호 게재>

1966년 8~9월 <일기日記>

몇 자 되지 않더라도 매일 잊지 말고 써 놓자. 제발 그렇게 되도록 바쁘지 않았으면 싶다. 일기를 쓰는 데는 무엇보다 마음의 안정이 필요하다. 이것 없이는 아무것도 쓸 도리가 없다.

8월 1일

장마가 개고 나니 갑자기 더워졌다. 거리에 나가봤자 별 재미가 있는 것도 아니고 온종일 집에서 낮잠을 자다. 그동안 근 한 달 가까이 앓던 몸이 차차 회복되는가 싶어 기쁘다.

자는 동안에 아내가 기와쟁이를 옆집에서 데려다가 기와를 고쳐 놓았다. 200원. 싸게 친 셈이다. 제발 새지 말았으면—.

8월 2일

김포 간 꼬마가 오지 않나 기다렸으나 밤이 되도록 돌아오지 않는다. 별일이야 없겠지만, 곁에 있는 것만 못하다. 어서 왔으면 좋겠다.

밤늦게, 참으로 오래간만 수돗물이 나온다. 보름만인가 보다. 새벽 네 시까지 물을 받으며 마당에서 냉욕冷浴을 했다. 새벽에라도 물이 나오니 고맙다.

8월 3일

이젠 커피 먹지 말고 옷이라도 사 입자고 아내는 말한다. 그러나 아침 · 저녁 이 늙어가는 아내와 커피 한 잔 끓여 먹는 낙조차 없어서야 어떻게 살겠는가.

종일 독서하다. 아내가 지어준 베 바지가 산뜻해 좋다. 20년도 더 가지고 있었던 감이라고 한다. 왜 진작 좀 더 빨리 지어줄 생각을 못했을까?

8월 4일

새벽까지 수돗물을 받고 나니 아침에 몹시 피곤하다. 연령에서 오는 것일까?

날은 덥고, 나가기 싫은 것을 집에 쌀이 떨어졌기에 종로 쪽으로 나갔다 오다. 결국 돈 마련이 되지는 않았지만…….

애라(필자 장녀長女 · 편집자 주注) 오다. 꼬마(필자 4남 성훈 · 작고 · 편집자 주注) 오다. 갑자기 집이 좁아진 것 같고……. 몹시 무덥다. 비라도 오려는가?

8월 5일

어젯밤에는 물이 나오지 않다. 물이 안 나오니 아쉬움을 앞서 공연히 뜬 눈으로 밤을 새웠나보다 싶은 생각이 든다. 오늘이나 나오려는지 모르겠다. 도무지 믿음이 안 간다.

덥기도 하려니와 마음이 울적해 오늘은 밖에 나가지 않았다. 온종일 낮잠만을 잤다. 이런 것도 생활이라 할 수 있을까?

애들이 너무 속 태워 살 맛이 안 난다.

8월 6일

'헤세'건作 거의 익어가나 아직 결정적은 아니다. 어서 결정하여 일이라도 했으면 싶다.

병화炳華(조병화 시인 · 편집자 주注) 미국 갔다 왔다고 넥타이를 사다놓고 갔다. 잊지 않았다는 것만 고마운 일이다.

정음사正音社에서 돈 2천千 원 가져다 쌀을 두 말 팔아오다. 한심한 노릇이다.

일찍 자다. 몸이 피곤하다.

8월 7일

승범勝範 전주全州에서 올라오다. 곧 일본日本 가게 된다고 한다.

아침에 무서운 소낙비.

한종일 집에서 책을 보며 놀다. 스크랩북을 새로 만들다.

오늘의 날씨는 어제보다 좀 덜 덥다. 이젠 어서 그만 더웠으면 좋겠다.

오늘 밤에나 물이 나오려는지? 나오지 않았다가는 큰일이다.

8월 8일

밤새워 물을 받고 나니 흡사 딴 세상을 다녀 온 것 같다. 한종일 피로와 더위에 지쳐 개처럼 잠을 자다.

주머니가 바싹 마르다 보니 살 맛조차 없다. 이래도 살아야 하는가.

부안扶安에서 편지 오다.

샤르론느의 『로마네스크』를 읽다. 이 소설이 이처럼 섬세한 것인 줄은 알지 못하였다.

8월 9일

오래간만에 양문사陽文社에 들렀다.

군대에 가 있는 애한테 보낸 돈 또 돌아오다. 두 번째이다.

밤에 유성流星에 나갔다가 김종문金宗文을 만나 월남 갔던 이야기를 밤늦게까지 듣다. 월남은 살기 좋다고 하지만, 글쎄 어떨지.

먹지 못하는 술이라 몹시 복갰다. 집에 돌아와 복숭아화채 한 그릇 만들어 먹고 곧 자다.

8월 10일

오늘도 '헤세' 관계자는 말이 없다. 답답한 노릇이다. 하든 안하든 가부나 빨리 결정되었으면 싶다.

집에 돈 떨어지고 쌀 떨어지고 정말 야단이다. 빚을 얻어 쓰는 길 밖에 없겠는데, 누가 빚을 주겠는가. 답답한 대로 돌아가는 꼴을 바라보고 있을 수밖에 없다. 쌀값이 4천 원 이상 뛰었다니 그저 멍멍할 따름이다.

8월 11일

아침에 건설建設에 가서 돈 3천 원을 얻어다 쌀을 팔다. 쌀값은 여전히 4천 원. 하는 수 없다.

내일 면회를 간다지만 돈이 모자란다. 하는 수 없이 오후에 다시 또 나가 이상오 씨에게 천 원을 얻어오다. 거지행각이라고는 할 수 없게 아무튼 떳떳치 못한 일.

중앙서적공사中央書籍公社에 경의를 표하러 들르다.

8월 12일

밤늦게까지 음식 만드느라고 야단법석을 떨던 아내는 내가 자고 있는 동안에 딸애를 데리고 양평으로 월남 가는 애를 만나러 가 버렸다. 어미란 다 이런 것일까.

한종일 집에서 꼬마하고 집을 보다. 날씨는 제법 더위가 가시어서 덥지 않으나, 애 만나러 가느라 간 아내는 여간 고생이 아닐 거라 생각했다.

8월 13일

아침에 박문사博文社에 들르다. 종로를 한 바퀴 돌아 집으로 온 것은 11시쯤.

로빈 무어의 『그린 베레』를 읽다가 점심도 먹지 않고 그냥 낮잠을 자다. 몹시 몸이 고달프다. 역시 나이 탓일까?

딸애에게 싫은 소리를 하고 나니 뒷맛이 쓰다. 잠을 이루지 못한 채 두 시까지 뒤치락거리다.

8월 14일

나가도 별로 갈 데도 없고 해서 집에서 종일토록 원고를 정리하다.

그전에 시집詩集원고 베껴 두었던 것을 다시 원고지에 옮겨 쓰다. 48편이 있다. 이걸 어디다 말해 내었으면 싶다.

일을 하니 그다지 덥지가 않다. 역시 사람은 일하며 살아야 하는가 보다. 그러나 몹시 고달프다.

8월 15일

집에 있다. 오늘이 광복절이라고 TV는 연방 중계방송까지 하며 야단이다. 그러나 이제 왜놈이 이렇게 밀려든 판국에 광복절이란 좀 난센스 같기만 하다. 더욱이 그것을 주관하는 사람들 얼굴을 볼 때 더욱 그런 생각이 든다.

밤에는 또 불꽃놀이다. 그 소리가 시끄럽기만 하다. 누굴 위한 불꽃놀이냐. 낭비의 낭비 외에 없다.

8월 16일

정재표 형이 만나고자 한다는 말에 경운다방에 가다. 만나 보니 좀 난처하다. 결국 건설에 가서 골동품을 좀 흥정해 달라는 이야기. 그의 사정이 딱하게 된 것을 모르는 바 아니나, 나 역시 지금 그런 일을 하고 다닐 수는 없으니 말이다.

답답하다. 한종일 담배조차 굶으며 살았다.

8월 17일

미스터 윤을 만나 춘조사春潮社 얘기를 하다. 그도 그러니와 여기서 어떤 책이 기획화되어 나오기를 바란다는 것은 있을 수 없는 일 같기만 하다. 결국 헤세 전집全集 이야기는 또 파장을 보았다고 하지 않을 수 없다.

전화신청電話申請(백색白色전화를 말한다.－편집자 주注)하고 싶은 마음 간절하다. 그러나 어떻게? 될 듯도 하다만 누가 나를 믿고 돈을 돌려주랴.

8월 18일

양문사에 가서 『언터처블의 활약活躍』 일본어판日本語版과, 전에 내가 빌려 주었던 『20세기의 프로필』을 가져오다.

오늘따라 유달리 위胃가 아프다. 밤늦도록 복개다.

이발하다.

≪문학文學≫ 9월호号가 와 있기에 그걸 읽다. 소설小說 · 시詩보다는 수필隨筆들이 더욱 흥미롭다.

8월 19일

감기와 위장병은 여전하다. 마음만은 푹 누워 쉬고 싶으나 그럴 수도 없고, 10시쯤 부랴부랴 집을 뛰쳐나왔다. 어디로 갈 것인가? 갈 곳도 마땅치 않은대로 종로에 나가 차 한 잔 먹고 다시 집으로 오다. 답답한 일이다.

날씨가 제법 싸늘해지고, 밤에는 비조차 뿌린다. 연탄도 다 떨어졌다. 내일을 어떻게 살 것인가?

8월 20일

아침부터 비가 내리고 있다. 그렇지 않아도 우울한데, 비마저 오니 더욱 우울하다. 한종일 자리도 개지 않고 누웠다 일어났다 하며 살았다.

밤에 TV로 일본 선수와의 권투시합을 구경하다. 신통치 않다.

『오분간五分間의 사색思索』을 읽다. 인생론적人生論的인 글보다는 기행문이 마음에 든다. 꼬마를 끼고 자다.

8월 21일

커피맛이 날 때건만 별 맛이 없다. 혼자 끓여 혼자 마시다. 책 정리를 하고 책상 앞에 앉아 오늘부터는 일을 좀 해야겠다는 생각을 하다(오전午前).

소설 『지옥地獄』을 읽다 보니 새벽 3시. 이 소설은 여러 가지 인생문제를 생각케 한다. 여기저기 언더라인을 중학생처럼 쳐가며 열심히 읽고 또 읽었다.

8월 22일

돈이 내리 뀐다. 하는 수 없이 춘조사春潮社에서 또 천 원을 얻어오다.

검인정에 들러 점심 대접을 받고 오다가 학생사學生社 손사장과 출판 이야기를 하다. 내일 또 만나게 되었지만, 제발 싸구려 원고료라도 좀 벌었으면 싶다.

오늘은 몹시 몸이 피곤하다. 이 일기나 써 놓고 일찍 잘까 한다. 잠만이 나에게 필요하다.

8월 23일

학생사學生社에서 책들을 받고 점심 대접을 받다. 신동욱申東旭 교수教授와 첫 인사를 하다.

유성流星에 들러 광림光林을 만나다. 그도 몹시 꾀는 모양.

집에 오니 아내가 달러변을 얻어다 놓다. 야단났다 싶다. 아무튼 살아야겠다는 생각.

홍이섭洪以燮(前 연세대 역사학 교수로 필자와 절친한 사이셨다—편집자 주注)이 다녀갔다는 얘기. 몹시 안 되고 섭섭하다.

8월 24일

홍형洪兄과 약속을 하고 아침 10시 리리에서 만나다. 오래간만이다. 정음사正音社 최崔(최영해 사장 · 편집자 주注)가 거기 나타나 셋이 차를 마시다.

오늘은 공연히 종로에서 하루 해를 보내고 말았다. 장기까지 다 두었다.

<금화>에 들러 로단을 만나다.

병화炳華(조병화 시인 · 편집자 주注) 집에 다녀갔다는 소식.

8월 25일

탐구당探求堂에서 돈 24원을 얻어오다.

아내는 여의도로 광훈이 면회를 갔다 오다. 도무지 정신이 없다.

남의 돈을 빌려쓰기란 죽기보다 싫은 일. 내 것을 팔아서라도 떳떳이 살고 싶다. 온종일 마음이 우울하다. 월남으로 가는 애도 애려니와, 나 자신 맘 둘 곳 몸 둘 곳 없어 더욱 쓸쓸타.

8월 26일

아내는 아침 일찍부터 서둘러 리라랑 을라를 데리고 여의도로 면회를 가다. 하 주문이 많아 도무지 어쩔 도리가 없다. 군모와 슬리퍼를 사가지고 가다.

갔다 와서는 또 뭣이고 사가야 한다니!

엽이란 년 전주全州 간다고 왔으나, 광훈(필자의 차남次男으로 월남에 파병됨—편집자 주注)이에게 손수건 하나 사갖고 오지 않은 것이 괘씸하다.

8월 27일

백마부대白馬部隊의 시가행진市街行進이 있는 날. 나는 집에서 TV를 보고, 아내는 또 서울 운동장으로 애를 만나러 가다. 날씨는 32도. 갔다 와서의 이야기로는 더위에 병사들이 자빠져 나가더라고. 누굴 위한 행진인지 모르겠다.

집에 와서는 또 언짢은 소리. 아아 이러다가는 내가 먼저 미칠 것만 같다.

8월 28일

아내는 또 아침 일찍 면회를 가다. 오늘은 떠나는 날. 어미 된 그녀의 마음 모를 바 아니나, 참말 큰 일이다.

*

저녁녘 용산으로 전송을 갔던 아내는 마침내 면회하기가 어려워지자, 서울역으로 되돌아와 기차로 용산역 폼에 내려 겨우 만났다고 한다. 참말 큰일이 아닐 수 없다.

8월 29일

떠날 애가 떠나고 보니 집안이 빈 것 같아지고 말았다. 아내도 지쳐 자빠졌다. 이제는 모든 것이 그쳤다는 감이 없지 않다.

오랜만에 종로에 나가 차를 마시다. 마음은 여전히 허전하다.

『세계世界의 문학文學』 이야기를 나누었으나 조련히 일감이 나올 것 같지 않다. 내리 돈에 쪼들이다. 빚이라도 실컷 얻어 썼으면 싶다.

8월 30일

월말이 다가왔다. 그러나 전연 지불계획이 서지 않는다. 이렇게 막막할 수야 있을까! 내일이나 하고 기대를 가져 보나 그도 암담하다.

임근수林根洙 형兄 만나 차와 점심을 얻어먹다.

오등자吳燈子 씨와 『바다의 침묵沈黙』 건件으로 만나다.
일찍 자다.

8월 31일

이부자리도 안 깔고 맨바닥에서 자고 깨니 몸이 찌뿌드드하고 마음이 서글프다. 이대로 쓰러져 자도 아무도 나를 가엾다 하지도 않을 것 같다.
혹시나 하고 한종일 종로에 나가 돌아다녔으나 들고 돌아온 것은 오직 피로뿐. 참말로 허망한 세상이로다. 쓰디쓴 군침을 삼키며 자리에 들다.

9월 1일

학생사學生社에서 돈 2,000원 가불假拂하다. 그러나 이것으로 뭣이 되겠는가! 전기 값 내고 쌀 한 말 팔고 나니 똑 떨어지다. 이쯤 되고 보니 아무 의욕도 나지 않고, 돈 가지고 있다는 친구들이 공연히 밉기만 해진다. 일본놈 말마따나 분하면 커지는 수밖에 없지 않겠는가. 그러나 때가 너무 늦은 감이 없지 않다.

9월 2일

종일토록 비가 온다. 나가기도 싫고 나가지 않을 수도 없는 형편. 그러나 누가 내가 필요한 돈을 가져다 줄 것인가. 아무도 없을 것이다.

공연히 집에 들어앉아 글 한 줄 쓰지 못하고 뒹굴었다. 그러면서도 어서 작자가 나타나 집이라도 전세 나갔으면 하고 바라고 지냈다.

9월 3일

집 사정이 딱해 오래간만에 용산龍山 대동大東에 나가다. 한데 '가는 날이 장날'이라고 시내 들어가고 없다. 책 가지고 간 것이나 좀 팔아볼까 하고 장시간 기다렸으나 허탕치고 말았다. 하는 수 없이 전차를 타고 집으로 돌아오니 그저 우울하기만 하다. 일찌감치 저녁도 안 먹고 자리에 누웠다.

9월 4일

학생사學生社에 들러 『소월시집素月詩集』 교정校正 받아오다. 240컷이나 된다. 오늘 밤은 이걸로 밤을 새워야 하는가 보다. 그러나 주머니가 허전하니 일하고 싶은 생각도 안 난다. 그렇다고 가만히 있을 수도 없고……. 공연히 어제가 주말인데 올라오지 않은 딸만 원망하였다. 그 애나 왔더라면 이렇게 꾀지도 않을 텐데 하고…….

9월 5일

교정校正 가져다주다. 덕분에 밤을 꼬박 새고 말았다. 몹시 피로하다.

성훈이 열을 내고 몹시 앓는다. 비가 오는 속을 아내는 약방으로 밤중에 뛰어가고 야단이다. 외상이라도 얻어 온다는 것이다. 참말로 딱한 일이다. 이렇게라도 살아야 하는가 생각하면 서글프기 그지없다.

9월 6일

아침에 애 병이 웬만해 다행이다. 비도 오고 학교를 쉬라고 했다.

비는 여전히 퍼붓는다. 비 오는 속을 조반도 굶고 나갔다. 혹시나 하는 생각에서이다. 그러나 결과적으로 아무 소용없었다.

아내가 화나서 야단이다. 그도 그러리라. 그러나 난들 어떡하랴!

≪재무≫에서 원고 청탁 오다.

9월 7일

≪재무≫에 원고 써 보내다. 그냥 있으면 숙제 같아서 마음 무겁기에—.

학생사學生社에서 책 가지고 오다.

정음사正音社 정형이랑 만나다.

일지사一志社에서 돈 천千 원 얻어다가 쌀 한 말 팔다.

박영사博英社 다녀가다. 전화했더니 내일來日 만나자고 한다. 제발 일감이라도 좀 주었으면 싶다.

『1969년 일기문』

1969년 6월 4일

오늘부터 여기다 뭣인가 끄적거리려 한다. 그것이 시詩가 되었든 안 되었든……. 엘리어트(토머스 스턴스 · 영국시인)의 충고를 받아 들여 하루 몇 편이고 시 쓰는 연습을 하리라. 그와 같은 훈련을 나는 저 운동선수들에게서 배우고 싶다. 시를 쓰는 데도 역시 훈련은 절대로 필요하다.

화가들은 어딜 가나 스케치북을 들고 다닌다. 카메라맨이 카메라를 줄창 갖고 다니듯이. 그리고 그들은 남과 이야기를 하면서도 뭣인가 스케치한다.

하건만 시인은 노트를 가지고 다니는 일은 별로 없다. 그야 릴케(Rilke, 라이너 마리아 · 독일시인)니 일본의 몇몇 시인은 늘 노트를 포켓 속에 넣고 다녔다고 하지만…….

나는 시인도 노트를 준비해야 된다고 생각하는 사람이다. 그런지라 이런 노트를 마련한 것이다.

★ 해는 그 빛을 너무나 낭비하고 있는 것 같다. 그러나 어느 사나드륨에서 환자들은 이 햇볕을 무척 고맙게 생각하고 있을 것이다.

시인은 그 언어를 너무 낭비하고 있는지 모른다. 읽지도 않는 시를 쓰고 있으니까. 그러나 어느 창가에서 몇몇 소녀들이 그것을 열심히 읽을 것이다.

★ 광선은 만물을 키운다. 그러나 그것은 음식을 썩히기도 한다. 시詩는?

★ 비대한 중역－그는 고용된 개다. 그에게는 자유가 없다.

배고픈 늑대와 개의 이야기－『라판누 우화』.

★ 어른은 숫자數字를 좋아한다. 천만 원짜리 집, 10억億 원짜리 다이아.

★ 친구를 파는 상점은 없다. 그러기에 우리는 친구만은 살 수가 없다.

★ 석수가 돌을 쪼아 비석을 만들 듯이, 할머니가 장롱을 닦고 닦아 윤나게 하듯이, 우리가 문장을 쓴다면 좋다. 먼지 하나 묻지 않게 정성 드려 글을 써야 할 것이다.

★ 할머니 안녕하세요?
달이 할머니를 이처럼 늙게 하였습니다.

★ 닭이 인왕산 꼭대기에서 웁니다.
새벽이 아니라 밤이었습니다.

★ 밤은 나의 손아귀 속에 있다.
나는 밤을 쥐고
따뜻한 것을 느낀다.

★ 나에게는 밤이 필요하다.
등불이 필요하다.
나는 닭이 아니다.

★ 백의白衣는 어둠 속에서 뚜렷이 보인다. 검둥이는 보이지 않는다.

★ 나팔꽃이
커다란 귀로
아침의 걸어오는 소리를 듣고 있다.

★ 비망록備忘錄

★ 가지고 온 선물이라곤 저 하늘의 달 밖에 없습니다. 저걸 드리지요.

★ 콩트(시詩 제목으로)
어휘語彙(시詩 제목으로)

★ 풍선風船처럼 올라간다. 시는 자유이다. 오직 올라간다. 올라가며 비웃는다.

어떤 시詩

봄 ★ 마차의 행렬 ★ 여자들의 절 순례 ★ 진달래 ★ 소월은 죽은 지 오래다 ★ 죽은 것은 소월만은 아니다 ★ 육사(陸士 · 이육사)도 동주(東柱 · 윤동주 시인)도 ★모두 감옥에서 죽었다 ★감옥이 없으면 범인도 없다 ★ 낡은 필름의 자막 ★ 우미관 뒷골목에 비가 내린다.

★ 멋쟁이 여자女子는 가짜를 좋아한다. 가짜 보석, 가짜 사랑, 가짜 애인, 가짜 웃음, 가짜 돈. etc(기타).

★ 버스나 합승이나 전차의 운전수들이 노래를 부르며 자기 직무를 다할 수 있다면……. 그리고 손님들이 그들의 노래에 합창할 수 있다면……. (가상假想)

★ 시골의 신경神經이 아쉽다.

★ 올해는 보리도 풍년, 벼도 풍년, 과실도 풍년, 야채도 풍년, 심지어 거리의 여자들 유망마다 풍년이다. 흉년 진 것은 정치와 문화일 뿐(1964년 6월 26일 밤).

★ 걸어가며 졸아야 하는 인생人生.

★ 낮잠(오수午睡 또는 수면睡眠)은 우리의 피난처.

★ 아편阿片 속으로 도망쳤다—콕토.

★ 담뱃불의 재가 양복에라도 떨어지면 그는 자기 손가락이라도 떨어진 듯이 놀란다.

★ 집안 식구를 골려주기 위해 그는 미치광이 흉내를 내었다. 벽에 붙은 파리 앞에 가서 "나비야 나비야 이리 날아 오너라" 하고 유치원에서 배운 동요를 부르기도 했다.

부모들은 깜짝 놀랐다.

그는 정신병원에 들어가게 되었다. 그리고 거기서 정신병자 아닌 많은 동무들을 알게 되었다.

콩트가 될 수 있지 않을까 생각한다. 세상에는 미친 사람이 미치지 않은 정상적인 사람 대우를 받고 정상적인 사람이 미친 사람대우를 받고 있으니 말이다.

★ 내가 늙는 것을 슬퍼하는 것이 아니라, 나의 예술이 늙는 것이로다.

★ 가난한 것이 슬픈 것이 아니라, 정신적으로 가난해질까 그것이 두렵다.

★ 어린 시절 나는 숲길에서 시詩와 놀고 있었다(접촉하고 있었다).

(어린 시절 나는 숲길에서 시詩를 만났다)

★ 청춘青春이 호흡呼吸하고 있었다.

★ 수레와 같이 꺼지리라.

표현表現의 한 형식形式

좋아 좋아…… 그래 그리로 가세 그리로…… 뭐? 내가 너무 취했다고?…… 아냐, 취한 게 아냐. 내가 꿈을 꾸고 있는 거야…… 그리로 가세. 가기만 하면…… 멋진 일이 있을 거야…… 빨리, 자 빨리…….

심야총서深夜叢書

★ 빈 집의 전화벨소리

★ 풍경風景을 손질한다.

★ 풍경風景을 내 손에 넣고 돌아왔다.

★ 겨울이 뛈박질해 온다.

★ 봄의 창문을 노크한다.

★ 미소微笑 짓자(타이틀 · 제목)

★ 한문漢文은 중국中國의 문자文字－사천년四千年 전前.

★ 상형문자象形文字－황하黃河유역의 한민족漢民族의 손으로 작성作成되었다.

한자漢字의 구성構成 → 지사문자指事文字 · 형성문자形聲文字 · 상형문자象形文字 · 헌활문자軒活文字 · 가차문자假借文字＝한자漢字의 육서六書.

한자漢字는 모두 점占과 선線으로 이루어져 있다.

한자음漢字音 → 한음漢音 · 오음吳音 · 당음唐音.

아내여 단념하자,
단념하자 단념하자,
우리 처지로 도저히 될 수 없는 일이라면.

지금 나의 태양은 구름 속에 들어가 있다. 우리 집 뜰에는 햇볕이 안 든다. 낮이 밤 같고 날은 죽음 같다.

우리는 그 속에서

물에 휩쓸려 떠내려가는 쪽배처럼
흐른다 흘러가고 있다.
나를 괴롭히지 말라
염통마저 정지할 것 같다
당신도 괴롭겠지만,
괴롭히지 말라 무능한 나를.

고관들이 골프를 즐기는 한 우리가 화투쯤 가지고 논다고 나무랄 수는 없을 것이다.

1

전쟁이라는 아귀에 의해 무리하게 파괴된 현실에 전통의 미美는 없다.

모두 빌려 온 것이요, 겉치레요 허위이다. 전쟁의 조건인 가혹성은 사람 마음까지 물질 마찬가지로 황폐화시켜버렸다.

아미엘 일기日記

아미엘(Amiel, Henri Frederic, 1821~1881 · 스위스 문학가)

★ 내가 지금도 싸우고 있는 악惡은 낡은 일부인日付印이 찍힌 것이다.
★ 너로서 가장 고통스러운 건 자신의 호기심을 버리는 일이다.
★ 균형均衡 · 조화調和. 안다, 사랑한다.
사상思想 · 미美 · 애愛.
★ 너 자신과 운명과 의좋게 지낸다.

mass communication 대중전달大衆傳達

동시에, 어떤 일에 대해, 많은 사람에게, 알리는 수단이다.

한 나라의 혁명을 달성하는 데에 이제는 군대가 필요 없다. 라디오와 신문을 잡으면 족하다.

인간人間의 지각知覺에는 하나의 한도限度가 있다.
News eye
사회社會의 목탁木鐸 → 사회社會의 해석자解釋者 시대時代로, 또는 소재素材의 제공자.
5W1H= Who, What, When, Where, Why, How.
라디오의 말 → 일방적一方的

A

≪사회社會≫ 게재

산과 산 사이에
논이 있고 밭이 있고
밭과 논 사이에 실낱같은 여울이 있다.
그것은 고향의 어느 풍경과 같다.
어쩌면 나는 지금
고향으로 돌아가는 길인지도 모르겠다.
버스는 아까부터
언덕길을 올라만 가고 있다.
내려갈 줄을 모른다.
아니 나는 지금
고향으로 가는 것이 아니라
늘 그리던 천국을 향하여 가는지도 몰라,
천사들이 있는.
하기는 거기가 바로 내 고향이야.
왜라니 원래 나는 이 속세에
잘못 내려온 사람이니까.

—1965년 8월 5일

B

≪한양漢陽≫ 게재

개왓골에서 떨어지는 빗물은 박연폭포.
발가숭이 소년은 부끄러운 줄 모르고
폭포를 향해 뛰어든다.
아낙네들이 마구 웃어댄다.
소년은 더욱 용감해진다.
안마당에 폭포가 생겼으니!

※ 이것은 소년시절의 나의 경험이다, 무척 그리운. 그러나 나이 들면 그것이 안 된다.

장마가 심하던 어느 날 밤이었다. 깊은 밤이다. 모두들 자고 있고, 나만은 잠을 이루지 못해 책을 읽고 있었다.

이때 나는 나의 소년 때 일이 생각났다. 나는 안뜰로 나갔다. 마침 부엌 앞의 채양이 부엌에서 나오는 구공탄 개스 바람에 구멍이 크게 나 있었다. 그리로 안채의 개왓골 물이 집중적으로 쏟아져 내렸다. 확실히 폭포이다.

나는 얼싸 좋구나 하고 옷을 벗어던지고 뛰어들었다. 그리 차갑지도 않았다.

다들 자고 있다. 비 퍼붓는 속에서 소년이 된 나는 유쾌했다. 소년 그대로였으니까…….

—1965년 8월 5일

C

장모가 와서 이웃집 얘기를 한다.
중학교 밖에 못 다닌 처녀이나
목욕탕에 가서 때 밀어 주는 직업을 가지고 있다고 했다.
남부럽지 않게 산다고도 했다.
처녀니까 여탕에서 여자들 때를
밀어주는 줄로 알고 있다.
나는 아무 말하지 않고 듣고만 있었다.

D

≪현대시학現代詩學≫ 게재

석유등을 켜고 앉으면
내가 먼 곳에라도 와 있는가 싶어진다.
서울이 그리 멀지도 않은데.
밤이면 으레 마을 총각이 한두 명
그 여인숙 주인 여자를 찾아왔다.
자고 가지는 않았다.
잠깐 잠깐 다녀갈 뿐이다.
총각들은 아주머니라 불렀다.
주인색시는 조카 왔느냐고 했다.
그들은 석유등마저 없는
저쪽 방으로 들어가 놀다 갔다
어둠 속에서.
나는 이 주인색시를 성녀와 같이
우러러 보았다
아침 우물가에서.
얼굴이 희고 예쁘다랗게 생긴 여자였다.
매일 밤 찾아오는 총각이 달랐다.
어쩌다 총각끼리 마주치는 일이 있어도
그들은 싸우지 않았다.
먼저 들어선 친구가 제일이다.
나중 온 친구는 밖으로 나갔다.

알고 보니 이 주인색시는 과부라고 했다.
그녀의 얼굴은 어질고
박꽃처럼 순결하였다.
나는 그녀가 죽으면
필시 보살이 되리라 싶었다.
이윽고 죽어 보살님이 되는 날
총각들과 총각들의 아내는
철철이 불공을 드리러 갈 것만 같았다,
어린 것의 손을 이끌고.
왜냐하면 그 주인아주머니는
이렇게 해서 마을 총각들의
순결을 보호해 주었으니 말이다.
이 마을에서 얼마 안가면
군대가 주둔해 있다.
거기는 술집도 있고, 계집들도 득실거린다.
고개 하나 넘어가면 바로 거기다.
한데 총각들은 그 고개를 볼일 외에는 넘지 않는다고 한다.
여인숙 아주머니가 있기 때문이다.

E

≪문학춘추文學春秋≫ 1966년 2월호 게재

깊은 산 속으로 들어가
산을 보고 책을 보고
꽃을 보고 물을 보며 살고 싶다.
아무도 모르게 살고 싶다.

－이렇게 살다 늙어지고 싶다.

* 내가 시詩를 만난 것은 어린 시절이었다.
나는 그와 어깨동무하고 숲길에서 놀고 있었다.
그때 나는 즐겁고 인생은 아름답기만 했다.
그러나 지금 그는 나에게 짐이 되었다.
나는 이 짐을 여태껏 짊어지고
끙끙거린다. 땀을 흘린다. 피를 토한다.

산도화山挑花 柳致環
첫 나들인가요?
봄길 저만치 누구인지 부르는 기척에
방싯 돌아다보는
산도화山挑花의 깜찍스런 얼굴!

콩트conte 집集

배꽃색시

주막집에는 낮과는 달리 밤은 늘 조용했다. 찾아드는 손님이라곤 거의 없었다.

호롱불을 켜고 앉으면 흡사 먼 두메산골에라도 와있는가 싶어졌다.

들리느니 물소리와 숲에는 우는 부엉새 소리뿐이었다.

처음 이 주막집에 들었을 때는 알지 못했으나, 며칠 있는 동안에 그는 하나의 기이한 사실을 알게 되었다. 그것은 밤이 이슥해지면 으레 마을 총각이 한두 명 찾아와 놀다간다는 것이었다.

그들은 자고 새벽에 가는 일은 없었다. 잠깐 잠깐 다녀갈 뿐이었다.

그들은 이 주막집 색시를 아주머니라 불렀다. 그리고 그녀는 그들을 조카라 했다.

"아주머니, 계슈?", "조카요?" 또는 "조카님 오셨수!" 이런 식이었다.

그들은 호롱불마저 마련되어 있지 않고 구석진 방으로 가서 놀다 갔다. 그 방은 바로 그가 들어있는 옆방이었다.

그는 그들 모습을 한 번도 본 일이 없었다. 다만 그 말소리로 그들이 아직 젊다는 것을 짐작할 따름이었다.

아침에 우물가에서 주인 색시를 만나면, 그는 왜 그런지 그녀에게 몹시 민망스러운 생각이 들었다. 그녀의 밤마다의 행실을 알고 있기 때문이다.

그러나 그녀는 언제나 새침하였다. 그 태도는 그가 오히려 무색할 정도였다.

얼굴이 희고 예쁘장하게 생긴 여자였다. 나이는 서른다섯쯤 되었을까?

밤마다 찾아오는 그 청년들이 달랐다. 한 사람이 아니었다. 그는 그것을 그들의 음성으로 알아낼 수가 있었다.

어쩌다 청년끼리 마주치는 일이 있어도 그들은 다투지 않았다. 먼저 온 사람이 제일인가 싶었다.

거기에는 먼저 무슨 약속이라도 되어 있는지 모를 일이다. 아무튼 나중 온 친구는 군말 없이 그냥 돌아갔다.

이 주막집 색시는 과부라고 하는데 어딘가 어진 면이 있었다. 그러냐 하면 박꽃을 연상시키는 순결한 면도 있다.

그는 나 혼자 그녀를 박꽃색시라 불렀다. 주막집 색시라느니보다는 그 편이 더 적절할 것 같아서이다.

그는 그녀가 죽으면 박꽃으로 피어나 청년들이 사는 집집의 지붕 위에서 미소를 던지리라 생각하였다.

그는 그녀를 이렇게 번갈아 찾아오는 청년들의 얼굴을 모를뿐더러, 직업이니 연령이니 처지 같은 것도 알지 못한다. 모르긴 모르되 요 근방 농장이나 과수원에서 일꾼이거나 남의 집 머슴들이 아닌가 싶었다.

어쩌면 여기서 그리 멀지 않는 곳일지도 모른다.

여기서 그의 공상은 한 번 더 날개를 편다. 석수중 손재주 있는 친구가 있어 그녀의 그 박꽃 같은 얼굴을 돌에 새겨내면 얼마나 멋질까 하고…….
그리하여 과포밭 울타리 가에 그것을 가져다 세워놓았으면 근사할 것 같았다.

왜냐하면 주막집 그 여인은 이렇다 할 보수도 요구하지 않고 그 숱한 청년들의 욕구를 충당해 주었을 뿐만 아니라, 그들의 순결을 보호해 주었으니 말이다.

이 마을에서 얼마 안가면 미군부대가 있다. 거기에는 술집도 있고 갈보들도 많다. 고개 하나만 넘어서면 바로 거기다.

한데 마을 청년들은 그 고개를 넘지 않았다. 주막집의 박꽃 같은 '아주머니'가 그들을 골고루 사랑해 주었기 때문이다.

밤이 되었다. 주막집은 다시 조용해졌다. 물소리, 부엉새 소리만이 어제와 다름없이 들려온다.

아직 오늘 밤의 차례인 청년은 나타나지 않았다. ─ 이제 나타나리라.

그는 호롱불마저 끄고 누워 내일쯤은 그만 떠나야겠다는 생각을 하며 바깥 소리에 귀를 모으고 있었다.

─ 1969년 8월 3일

1969년 8월 29일

이 글은 지루한 시간을 보내기 위해 끄적거린 글이다. 때로 시간을 보내는 데 글을 쓰는 것도 효과가 있다.

오늘은 박재륜朴載崙의 시집 『메마른 언어言語』의 출판기념회가 있는 날이다. 출판기념회라기보다 그저 옛 친구들이 한 자리에 모여 앉아 담소하며 저녁을 먹을 따름이다.

곳은 아서원雅叙園, 시간은 7시, 한턱내는 사람은 金光均이다. 아직 시간까지는 세 시간이 남아 있다.

나는 오늘 아침 정음사正音社로 달려가 약간의 인세 가불을 해 가지고 왔다. 그것으로 사진 앨범을 하나 샀다. 사진도 붙이고 거기다 사인도 해두면 좋으리라 싶어서이다.

그러고도 마음이 놓이지 않아 나가다가 <신신>에 들러 스케치북하고 사인펜을 하나 더 마련할 참이다. 앨범을 사인펜으로 쓴 일이 지금까지 없었기 때문이다.

나는 왜 이리도 이 모임에 신경을 쓰는가. 그것은 어쩌면 내 성격의 소치이리라.

그렇다. 확실히 그렇다.

처음 건설建設에서의 호출呼出을 받고 만나러 가서 이 얘기가 나왔을 때에도 "이크, 이것 야단났군!" 하는 생각을 했다. 이런 것의 주선이 몹시 번거로운 일임을 알기 때문이다.

사실 번거로웠다. 초청할 사람들에게 일일이 전화를 걸었고, 전화로 못 만나면 몇 번이고, 또 걸어야 했다.

그 뿐인가, 전화가 없는 鳳九에게는 편지를 내야 했다. 그 편지가 되돌아오니 또 딴 주소로 내야 하고…….

사진도 ≪주부생활≫에 부탁해 놓고, 그러면서도 그가 그 시간에 꼭 나올지 어떨지를 걱정해야 한다.

나는 이 친구의 시집을 내 손으로 내줄 때도 그랬거니와 이번에도 무엇 때문에? 하는 회의는 내 머리 속에서 떠나질 않는다. 무엇 때문에 이렇게 애써야 하는가?

모를 일이다. 모르는 대로 아무튼 치러야 할 일종의 홍역 같은 것이다.

아직도 시간은 멀다. 나는 꼬마하고 장기나 두며 시간을, 이 처리할 수 없는 시간을 보내야겠다.

1969년 9월 6일

꿈에 북에 가 있는 소순小順이가 나타났다, 그런 그 얼굴로 눈웃음을 치며…….

애는 어떡하고 왔느냐 물으니 그저 생글생글 웃기만 한다. 문득 기둥시계를 쳐다보니 통금 십분 전.

아, 이 친구 자고 가려는가 보다 생각하며 어머니를 불렀다.

그러다가 깨니 시계는 새벽 1시 35분. 멍청이 누워 옛일을 생각하다가 전기를 켜고 일어나 앉아 담배를 피어 물었다. 그리고 대청으로 나가 커피를 끓였다.

애라(저자의 장녀 · 편집자 주注) 생각이 난다. 책상에 앉아 그 애에게 편지를 썼다. 몹시 외롭다. 마음마저 언짢아진다.

포천에도 편지를 썼다. 그리고 어제 찾아온 어머니 사진 복사한 것을 넣었다. 내일은 모두 띄우리라.

*

사진 얘기가 났으니 말이지, 요새 돌아가신 부모님들의 사진을 다시 복사해 확대시켰다. 나도 남처럼 사진틀에 끼어 방에 걸고 싶어서이다.

사진틀을 만들어 안방이니 내 방이니 걸어놓으니 마음이 흐뭇하다. 나도 효자가 되었다 싶은 생각마저 든다.

사진을 방에 걸던 날, 아내는 사진 앞에서 눈물을 흘렸다. 이 꼴을 보고 막둥이가 "엄마 울었지?" 하고 묻는다.

나도 그녀의 마음을 충분히 알 것 같다. 눈물까지는 안 흘렸어도 나 역시 마음속으로 흐느끼지 않았던가…….

어머니 사진은 책상머리에 걸었다. 이렇게 걸어놓으니 줄창 어머니가 내 앞에 계신 것 같고, 그러면서 마음속으로는 몹시 죄송스러워진다.

얼마나 나 때문에 고생하셨고 또 속을 태우셨던가. 그걸 생각하면 정면으로 대할 수가 없을 지경이다. 아내의 말마따나 내가 늙어서 비로소 철이 드는가.

자꾸 헤세(Herman Hesse · 독일시인) 생각이 든다. 그가 어머니를 두고 쓴 시가 입가에 떠오른다.

사진을 앞에 놓고 나를 더욱 깊이 생각하리라.

—새벽 4시 40분

1969년 10월 3일

아내는 전라도 가고 집에 없다. 언니의 회갑잔치에 간 것이다. 라느니보다 이 기회에 늙으신 어머니를 찾아뵙고 싶다 해서이다.

착한 마음씨다. 그것을 나무랄 아무런 이유도 없다. 다만 돈이 집에 없어 애먹었다. 결국 남의 돈을 꾸어가지고 가지 않을 수 없는 형편이었다.

—이제 내 갚아 주리라.

떠나면서 내 손에 바르라고 컴비션 연고와 커피와 통 담배를 사놓고 갔다. 사놓은 것이 아니라 외상 얻어 놓고 간 것이다.

—이것도 이제 내 갚아 주리라.

오늘이 회갑 날이다. 날씨가 전에 없이 맑고 좋다. 거기다 오늘은 개천절이 아닌가.

복 많이 받으라 빌고 싶은 마음이다. 초년에 얼마나 많은 고생을 한 여인인가. 이제 늙어 다소의 행복을 누린들 그 누가 그녀를 시샘할 것인가.

잔치하는 모습이 눈에 선하다. 아내의 웃어제끼며 떠드는 소리가 여기까지 들려오는 것 같다.

잠시나마 살림 걱정 잊고 유쾌히 놀다 오라. 우리의 살림살이에서는 웃음보다 짜증과 걱정만이 잦았거니…….

밖에 나갈 수도 없거니와 나가기도 싫어 온종일 집에서 통 담배만 빨며 지내다.

사람이 찾아오면 쓸데없는 말만이 많고, 나가면 남의 일만 방해한다고 말한 바쇼오(芭蕉 · 일본 에도시대의 가인歌人 · 편집자 주注)의 말을 다시 되새겨 본다.

『새벽 종으로부터
저녁 종까지(1898년)』

불쌍한 교장선생님

더럽고 점잖으신 불쌍한 교장선생님이
나에게 이렇게 말씀하셨다.
"나는 두 눈이 나쁘다.
그리고 바른 손이 움직이지 않는다"고.
본시 이 불쌍한 인간에게는 친절하게 가난과 고통을 위로하여 줄
만한
그런 어머니가 있을 턱도 없다.

그는 학교 교장노릇을 하며 지내고 있다.
그리고 때때로 땀 묻은 손바닥으로 차다란 앞이마를 어루만진다.
두 팔을 의자 위에 방석 대신 깔고 어린애처럼 끄덕거린다.
졸음 온다.

흰 베개 대신의 두터운 라사로 만든 조끼 위에
비듬 투성이의 윤기 없는 텁뿌리 수염이 퍼진다.

그는 병을 치료하기 위하여 돈을 절약하고 있다.
그는 일년 내내 앓는다.
그러나 집에서 물치료를 하기 위해서는 굉장히 정성을 쓴다.

하는 수 없이 그는 더러워진 헝겊을 가지고 큰 원숭이 같은
가엾은 몸뚱아리를 온통 칭칭 감고 있다.

더럽고 점잖고 불쌍한 교장선생님이 나에게 이렇게 말씀하셨다,
"나는 두 눈이 나쁘다.
그리고 바른 손이 움직이질 않는다"고.

저는 저의 길을 가렵니다,
어린이들한테 놀림을 받으며
고개 숙이고 지나가는 노새처럼.
그랬다가 당신 좋으신 때에
저는 당신의 마음대로의 장소로 가렵니다.

절에서의 종소리가 들립니다.

서사序詞

주여
당신은 저를 사람 세계로 불러 내셨습니다.
그래서 저는 왔습니다.
저는 괴로워하며 저는 사랑합니다.
당신이 주신 말로 저는 얘기했습니다.
당신이 저의 부모에게
가르치신 글자로 저는 썼습니다.

결별가訣別歌

몹시 지저분하오,
외로워 끄적거린
회색灰色 벽壁의 낙서洛書가…….

벗들이여 잊어 주시오.
젊음을 딛고 상여喪輿가
저 고갯길을 넘어가거들랑.

자랑할 것 못되는
오히려 수치 투성이의 체류滯留였소.

미안하오.
미안하오.
미안하오.

—1958년 9월 29일 밤

돌아라 돌아돌아

나는 흙을 밟고 자라난 계집,
흙 속엔 어린 내 기억이 묻혀 있고
내 눈물이 스며 있다.

내버려 둬다오,
누가 날 말리는가.
나는 내 멋대로 뛰고 싶다,
맨발로 흙을 밟고…….

나를 키워준 그 꿈
아직도 흙 속에 흐르고 거기엔 사랑마저 타고 있다.

아 흙을 밟고
흙에서 살다 흙에 묻힐
나는 발가숭이 계집애다!
내버려 둬 다오, 나를.
나를 힘껏 뛰놀게 하라.

부룩소

대가리 이 뿔이 무서워 모두 날
조심하는가 보오. 허나 보시오, 내 눈을.
본디 착한 짐승이라오.

한종일 뙤약볕 아래 밭갈이하고,
밤새껏 별빛 아래 무거운 짐도 나르고…… 군말 않고 숙명의 멍에를 메고 다니오.

때로는 분한 일도 있어 홧김에 대가리로 받아 넘기려 덤벼 든 적도 없지 않지만, 이내 물러서 주저앉음은 남을 해치길 싫어하는 천성에서요.

보다시피 몸이 이렇게 육중하오만, 유달리 고독을 타오. 캄캄한 외양간 어둠 속에서 남 몰래 여물 아닌 슬픔을 곱씹는 밤도 하루 이틀이 아니라오.

무엇보다 귀찮고 불쾌한 놈은 저 쇠파리 떼. 내가 투욱 툭 꼬리를 쳐 놈들을 쫓으며 먼 산 구름을 향해 영각하는 건 쇠파리 떼한테 괴롬을 받기 때뿐이오.

길

<**유년**幼年>

호무라도 꺽적거리며 걸어가고 싶은
길 저쪽으로
파아란 하늘이 비잉 빙 돌고 소달구지 하나 지나가지 않는 쓸쓸한 풍경 속엔
하이얀 갈꽃이 한들 바람에 파르르 떨고 있었다.

<**소년**少年>

바다 속 진주로만 보이는 도글도글 예쁘다란 조약돌이
흐르는 냇물 밑바닥에 그득 깔려 있었다.
고의를 정강이까지 걷어 올린 채
중머리 땅에 떨어뜨리고
소년은 잠시 난처한 표정을 짓는다,
철떡철떡 끌고 온 짚신짝의 처리 때문에.
—버리고 갈까, 냇물에?
—버리고 가자, 냇물에.

<청년青年>

뒤돌아보면 강만큼이나 크고 넓었다.
이끌어 주는 이 없는 대로
철벅철벅 철벅거리며
그러나 용하게 건넜다. 혼자서 건넜던 것이다.

그것은 덥지도 춥지도 않은
산비둘기 소리 산에 한가로운 날이었다.

—1958. 11. 16. 밤

돌아라 돌아돌아

돌아라 돌아돌아
돌아라 돌아

땅이 비잉 빙 흔들리고
산이 비잉 빙 흔들리고
하늘이 비잉 비잉 흔들려도
겁 안 난다. 겁 안 난다.

나는 흙에서 태어나
흙에서 자란
산골사나이,
흙을 밟고 맨발로 뛰놀다
이윽고 쓰러지리라
화살 맞은 산비둘기처럼.

나는 안다, 알고 있다,
흉악스런 이 몸뚱이 커다란 이 발이 나의 어머니— 땅에 붙어 있음을.

그렇기에 왕팽이처럼 이렇게
쉴 틈 없이 윙윙거리며 돌 수 있다.

—1958년 10월

봄과 소녀少女

—꽃이 질 무렵

시냇가에 홀로 앉아
하염 없는 생각에 잠겨봅니다.

봄볕에 반짝이는 여울 물 속엔 꼬리치며 몰려다니는
작은 물고기 떼의 즐거움이 있습니다.

어느덧 먼 숲엔 어린 빼꾹새가 나와 웁니다.
따듯한 햇빛 속으로
꽃잎은 바람도 없는데 떨어집니다.

시냇물을 따라 누가 부르는 듯 떨어진 꽃잎은 아래로 아래로 떠내려 갑니다.

—아아 나의 젊음도 희망도 그리움도
이윽고 저렇게 가고 말 것일까?

소녀는 왜 그런지 자꾸 울고 싶어집니다.
고개를 가슴에 파묻고 어깨를 들먹입니다.

복사꽃 · 능금꽃 · 배꽃이 한창인 먼 산비탈 과포밭 머리에서 그 때 암소란 놈이 긴 울음을 내뿜습니다,

그 마음을 안다는 듯이…….

길 한 끝에 서서

이 길은 어디로 가는 길인가? 이정표里程標 하나 없이
그저 뻗어만 나간 이 길은
대체 어디로 가는 길인가?

북구北歐의 하늘같이
어둡고 음산하기만 한 지평선地平線너머로
길은 좌우편左右便
잎도 떨어진 가로수街路樹를 이끌고 어디까지 가는 것일까?

오가는 길 손 하나 보이지 않는 길,
매서운 바람만이 휘몰려 다니는 길,
넓은 광야曠野 한복판을 뚫고 나간 이 길은
고창孤猖한 사람들이 산다는
바로 그 나라로 가는 길인가?

지난날의 내 정열情熱처럼
새빨간 해가 기울 듯 기울 듯
기울지 않고
서西쪽 하늘에 머물러 내려다보고 있는 길,
나는 그 길 한 끝에 서서

나의 과거過去와 현재現在와 미래未來와 내 마음과
그리고 나 자신을 생각하고 있다.

아침이 되면
무덤 문門을 열고 나서는
유달리 눈이 커 보이는 사람들.

옛날을 못 잊어 불면증不眠症을 앓는 뼈만 앙상한 환자患者들.

외롭고 슬픈 이들만 사는 이 고을엔
뻐꾹새도 울지 않고
소쩍새도 울지 않고
물도 꽃도 풀도 없이
그저 회상回想만이 대숲처럼 무성타.

산골

뻐꾹새가 울고 있다. 어린 뻐꾹새가 울고 있다. 엄마 없는 뻐꾹새가 엄마를 찾아 울고 있다, 밤이 깊도록…….

아낙네가 울고 있다. 젊은 아낙네가 울고 있다. 아가 잃은 아낙네가 아가를 찾아 울고 있다, 밤이 깊도록…….

엄마 없는 뻐꾹새와 아가 없는 아낙네가
울며불며 의좋게
살고 있는 이 산골엔
낮이면 영 넘어 구름이 왔다 갈 뿐, 저녁엔 잠깐 잠깐 초생달이 다녀갈 뿐.

갈바람과 매음녀賣淫女와

갈바람이 매음녀처럼 웃음을 띠고 나를 부른다.
매음녀처럼 갈바람이 나를 끌고 으슥한 뒷골목으로 간다.

갈바람이 매음녀처럼 쌀쌀타.
매음녀처럼 쌀쌀한 갈바람이 내 등을 밀며 달아난다.

어두운 문턱을 넘어 갈바람처럼 매음녀의 방안을 들여다 본다.
갈바람처럼 매음녀는 자리에서 뒹굴며
어서 들어오라고 손짓을 한다.

오오 갈바람처럼 쓸쓸한 웃음이여
오오 갈바람처럼 싸늘한 입술이여
오오 갈바람처럼 헤매는 마음이여

사 슴

—박목월 상朴木月 像

장다리꽃 노오란 들밭을 지나
길섶의 이슬을 떨며 떨며
산으로 들어가는 사슴이 있다.

누가 볼세 산비탈
오솔길을 멀리 돌아
뒤돌아보지 않고 가는 사슴이 있다.

저 산 너머 어느 깊숙한 숲 속 거기 호젓한 샘터엔
오늘 밤 무슨 잔치라도 있는 것일까?
이즈러진 반달이 걸려 있는
하늘 가까운 영을 겨울라 가는 사슴이여 오오 슬픈 짐승이여!

도심지대都心地帶에서

I

무엇을 얻으러 거리에 나왔는가?
무엇을 찾아 분주히 가는 겐가?
무수한 사람들 틈에 끼여 거니는 아침, 포도鋪道 위 낙엽이 뒹군다.

II

가고 돌아오지 않는 시절이여
가고 소식 없는 그리운 이들이여 가슴 속 깊이 스며드는 이 적막은
대체 어디서 오는 것일까?

III

무엇을 얻으러 나왔던가?
무엇을 찾아 분주히 다녔던가?
무엇 하나 얻은 것없이 돌아가는 길엔
저녁 별마저 얼어붙어 차기만 하다.

게(蟹)

—나의 초상肖像

I

이 놈은 몸집이 커 둥글박거리기만 한다.
이 놈은 모로 기면서 바로 걷는다고 생각한다.

II

이 놈은 뱃고동 소리만 들어도 몸으로 오므라뜨린다.
이 놈은 조금만 분해도 입으로 거품을 내뿜는다.

III

이 놈은 구멍 속에 틀어박혀 나오길 싫어한다.
이 놈은 달을 좋아하면서 실은 무서워한다.

IV

이 놈은 가끔 외롭다고 집게질을 한다.
이 놈은 곧잘 바보처럼 운다.

여 수旅愁

I

엊저녁 개구리 울음에 잠든 내가 이 아침 뻐꾹새 소리에 눈을 떴다.

눈 녹혀 흘리듯 뜬시름 씻고 햇볕 눈부신 창가에 기대서면 무명옷 갈아입은 나는 소년이 된다.

II

더운 물이 철철 흘러 내리는 아늑한 천향泉鄕의

거리마다 골목마다

여관旅館 간판看板이 손(客)을 기다린다.

낮이면 <나이롱>이 춤추며 오가고 밤이면 계집들 웃음이 호박꽃처럼

호박꽃처럼 노오랗게 피는 거리,

그 거리를 나는 박쥐모양 날아다닌다.

III

장난감 같은 조그만 정거장에 지금 막 막차가 달려와 섰다.

나는 희미한 가로등 아래 서서 혹시나 나를 찾아오는 <나타샤> 같은 소녀는 없는가 하고

어둠침침한 개찰구만 내다보고 있다,

공연한 기대를 곱씹으며…….

IV

한종일
뻐꾹새 나와 울던 산山에
그 울음 그치자 노을이 비끼고…….

노일 비낀 산마루 뒤로
떠나 온 옛 산천이 스크린에서처럼 나타난다.

다니는 이 하나 없는 거리—
그 거리를
나의 소년이 헤매 다닌다,
밤이 저 산을 넘어 올 때까지.

V

왜 갑자기 파도는 높아지는가?

—편지 하셔요.

귀를 꼬집고 말소리 흩뜨리며
바닷바람이 먼 뭍으로 달아난다.

—잊지 말고요.

갈매기란 놈은 갈팡질팡
왜 또 저리 야단법석대는가?

—안녕히, 안녕히 가셔요.

뒷산 숲에서 뻐꾹새가 내닫는다.
파도 소리……, 파도 소리에 섞여 뻐꾹새 울음소리…….

VI

귀가 소라껍질을 닮았다고 노래한 장 콕토여
안타까이 바닷소리를 그리던 키다리 시인詩人이여
말라깽이여 빼빼여
아카데미시언Academician이여
당신의 나라 깃발 같은
저녁 노을이 비낀 하늘 아래 서서
나는 가보지 못한 프랑스와
만난 일 없는 당신을 그리워합니다,
무슨 옛 얘기라도 간직한 듯한
요 조그만 조개껍질을 손에 들고…….

회상回想의 달 오월五月

오월은 회상의 달,
이 땅에 씨 뿌려 꽃 피어놓고 멀리 가고 돌아오지 않는
아름다운 시인들을 그립게 한다.

오늘도 푸른 하늘 속으로
<하이네>의 장밋빛 구름은 떠가는데

고궁 울안뜰엔 옛대로의 모란
짙은 내음을 토하는데
유달리 이 꽃 사랑턴 <영랑> 찾아볼 길 없구나.

<쾌활한 오월 넥타이>
함부로 날리며 돌아다니던
<지용> 북으로 붙들려간 채 소식 없고
<봄은 전보도 없이> 온다던
<모던이스트 편석촌>
그 또한 이제껏 행방불명.

<천명>은 <이름 없는 여인> 되어
어느 조그만 산골로 들어가 살고 산다더니

이 밤 <별을 쳐다보며>
<그리운 마을>에서 홀로 <오월의 노래>라도 부르고 있는가.

오월은 회상의 달－
이 땅에 씨 뿌려 꽃 피어놓고
멀리 가고 돌아오지 않는
아름다운 시인들을 그립게 한다.

－1952년 3월 20일 밤

※ 장만영 시인이 「회상의 달－오월」에서 표현한 <영랑>은 「모란이 피기까지는」의 시인 김영랑을 지칭하며, <지용>은 「향수」의 시인 정지용을, <천명>은 「사슴」의 시인 노천명을 지칭한다. <편집자 주注>

깃旗-발

아득한 옛날로부터 여기 있는 듯
무엇을 명상瞑想하고 있느냐,
누가 세운지도 알지 못하는 하나의 깃旗-발.

기복起伏많은 이 땅
험險한 산길을 넘고 넘어
여기 이 산정山頂에 누가 이 깃旗-발을 매달았는가?

바람이 분다.
바람 소리에 섞여 하늘 한복판에서
나팔소리가 들린다.

아아 이제사 펄럭거리려는가,
깃旗-발이여
무지개처럼 찬란히
푸른 저 하늘에-.

바닷가의 환상幻像

종소리가 리라꽃 향기 속에서 났다.

항구港口엔 많은 배들이 밀려들어 오고 있었다.

여인女人은 창문을 열어 제끼고 먼 바다를 바라보고 있었다.

동東쪽 하늘엔 어느덧 반달이 나와 있었다.

해는 서西쪽 수평선水平線을 막 넘어갔다.

까마귀 떼가 숲으로 찾아 돌아갔다.

항구港口로 많은 배들이 밀려들어 오고 있었다.

하나의 깃발

강 건너 산으로
산으로 산으로 산으로 겨올라
이 가파른 마루터기에
누가 이걸 갖다 달아매었는가.

태고적부터 여기 있는 듯
달아맨 사람조차 모르고 있는
퇴색한 하나의 깃발.

하늘은 바람과 함께 푸르디 푸른데
깃발은 스스로의 무게를 못 배겨 내는가,
축 늘어져 땅만 내려다보고…….

아아 언제 너 고개 쳐들고
그 화려한 얼굴로 호탕하게 웃으며
거대한 독수리모양 공중에 올라
한바탕 펄럭거려 보이려는가,
깃발이여!

—1959년 4월 26일

※ 어감語感에 예민한 시인詩人은 없었다고 나는 믿는다.

※ 그의 세계世界의 어떤 의미意味의 좁기란 거기서 유래한다.

※ 그런 세계世界의 편협編狹 같은 건 본래 시인詩人에게 있어서 아무래도 좋은 이차적二次的인 문제에 지나지 않는다.

9월 18일(추석秋夕이틀날)

누가 기다리는 것도 아니건만 애들이 학교를 가고 나면 나도 문을 나와 종로에 있는 그 다방으로 간다. 다방 이름은 청원. 커피 맛이 딴 데보다 좋은 것도 아니나, 나는 이 다방을 좋아한다. 마담이 예쁜 것도, 친절한 것도 물론 아닌데.

억지로 그 까닭을 말하라면, 첫째는 전차에서 내려 바로 들어서기가 좋아서이고, 둘째는 그 곳 스펀지 소파가 맘에 들어서이고, 음악이 비교적 나쁘지 않을 정도여서이다. 그러나 무엇보다 내 기분에 드는 것은 나를 아는 이가 별로 오지 않기 때문이다.

나는 여기서 아침 커피를 마시고 음악을 들으며 혼자서 나 혼자만의 생각에 잠기는 것이 즐겁다. 보통 이 시간에 나는 오늘 하루의 할 일, 또 장차 해야 할 일들을 여기서 구상하는 것이다. 전화가 그리 복잡하지 않는 것도 편리하다 할까?

오늘은 추석 이틀날이어서 그런지 거리도 그렇거니와 다방에도 별로 손님이 적고 아주 한산 한 기분이 든다. 나는 여기서 얼마 안 있다가 출판될 내가 번역한 르나르 박물지博物誌의 장정 같은 걸 구상해 보았다. 그리고 간행처인 대동서점을 방문해야 되겠음을 깨닫고 곧 나와 전차를 기다렸다.

나이 스물네다섯 되어 보이는—솔직히 나는 요즈음 여성의 나이를 분간치 못한다—양장한 한 여성이 차표 매표장 앞에서 핸드백을 열더니 전차표를 사는 것이 눈에 띈다. 얼핏 보아 댄서 같기도 하고, 거리의 천사 같기도 하다. 종로 뒷골목 어느 여관에서 하룻밤의 거래를 하고 나와 집으로 돌아가는 길인지도 모르겠다. 별로 화장을 하지 않은 것이 도리어 인상적인 그런 여성이다.

한데 그 여성은 전차표를 한 손에 들고 땅을 내려다보며 무엇인가를 찾고 있다. 문득 나는 그녀가 거스름돈을 잃은 것같이 생각되었다. 나도 무의식중에 내 발 아래를 내려다보았다. 바로 내 구두에서 그리 멀지 않은 곳에 빨간빛 오환짜리가 하나 굴러 떨어져 있다. "아, 이것이로군!" 나는 엎드려 그걸 주워들고 그녀 곁으로 다가서며, "여기 있습니다!" 하였다.

그녀는 쌩긋 웃으며 내 손에서 그 구겨진 오환짜리를 받아들고 무엇에 쫓기는 양 저쪽 길로 성큼성큼 뛰어간다.

뭘 저러누? 하고 부끄러워하는 줄 안 것은 나의 오해였다. 그녀는 부끄러워 내 곁을 빨리 피해 뛰어간 것이 아니다. 그 때 그녀가 타야 하는 동대문행이 어느덧 막 정류장에 다다르고 있었다.

비가 올 줄 모르고 아침 일찍이 우산 없이 나왔던 사람들의 당황해하는 모습을 가끔 본다.

오늘도 많은 시민이 갑자기 비를 만나 난처해하며 바삐 뛰는 것이었다.

다행히 나는 늦게 집을 나왔는지라 내 손엔 우산이 들려 있다. 나는 유유히 비 오는 속을 을지로 쪽으로 걸어갔다.

어느 골목길로 들어섰을 때이다. 누구인가의 인기척에 문득 보니 아주 멋쟁이 처녀가 하나 내 우산 속으로 어느 듯 뛰어들어 나와 나란히 걷고 있다. 내가 자기를 인식하자, 그녀는 킥! 하고 웃는다.

나는 말없이 그녀 쪽으로 우산을 기울이며 천천히 걸어갔다. 어디로 가는 여자일까? 아마 명동 쪽으로 가는 것이리라. 헌대 왜 하필이면 내 우산 속으로 뛰어들었을까? 내가 나쁜 사람 같아 보이지 않았기 때문이리라.

나는 나를 나쁜 사람으로 봐주지 않은 것이 고마워 묵묵히 명동 길로 들어섰다. 실은 나는 시청 쪽으로 가야 하는데…….

다음 순간 나는 문득 내가 나이를 먹었음을 깨달았다. 젊지가 않은 중년인 나. 옳지, 그녀는 중년이란 나이에 어떤 안도감을 느꼈음이리라. 나는 그제서야 그 여자가 허구 많은 우산 중 내 우산을 향해 뛰어든 이유를 발견한 것 같았다. 나는 어깨엔 짊어진 연령의 중량을 새삼스러이 계산해 보며 뭣인가 서글픈 것을 곱씹는 것이었다.

"엄마 전 하늘로 날아다니고 싶어요. 저 푸른 하늘로 산을 넘어 저 푸른 하늘로 피터팬처럼 날아다니고 싶어요."

"오냐 내 날아다니게 해주마!"

"엄마 정말이에요?"

"정말이고말고, 이리 온……."

"아이 좋아."

어머니는 저를 번쩍 쳐들었습니다.

"자, 날아간다 봐라!"

"아이 무서워 아이그머니!"

"무섭긴 이 녀석아!"

"아이 무서워 그만!"

나는 정말 죽는 줄 알았습니다. 나는 침대 위에 나가 떨어졌습니다. 엄마는 그칠 줄 모르시고 웃고만 계셨습니다.

나는 재주를 한번 벌떡 넘었습니다.

눈을 딱 감고 넘었습니다.

한데 내 다리가 없지 않겠어요.

다리는 어디 갔을까?

나는 조심조심 다리를 찾았습니다. 내 두 다리를 찾았습니다. 다리는 있었습니다. 그대로 여기 있었습니다.

그러면 그렇지!

태풍에 내가 심은 피마주나무가 부러져 버렸습니다.

피마주나무는 내 키 곱절이나 되는 키다리였는데, 너무 키가 커서
부러진 것입니다.

십 년, 이십 년, 삼십 년…….

내 키도 문제없이 피마주나무 만큼 자랄 터인데, 그때 태풍이
불면 나도 저렇게 부러지고 말 것일까?

아이 무서워!

애조사哀弔詞

그 흔해빠진 종이만사
인조견만사 한 장 없이
그래 당신들은 이렇게 쓸쓸히 떠나십니까.

그처럼 좋으시던 몸
다 어디 갖다 두시고
뼈만 남으셔서
아들만 쳐다보고 계세요.

그 숱 짙던 머리카락
인자하신 눈매랑은 찾아뵐 길 바이 없고
큰애야 부르시던
그 음성마저 들리지 않네요.
아버지! 어머니!

이 세상에 오셨다가
욕된 하늘 아래 고생만 그득 하시고
그래 이렇게
나무 한 그루 없는 산비탈
백토 속으로 드시나니까!
어머니! 아버지!

이게이 뭐에요?
이게이 뭐에요?

여기가 어디라지요?
어떻게 여길 오셨어요?
어째 오셔야 됐지요?

고향 땅 푸른 산소로는 왜 못가시지요?
다 어디 가고 그 많던 친지들 얼굴 보이지 않지요?

이게이 뭐에요?
이게이 뭐에요?

—1972년 9월 24일

구르몽(Gourmont, Remy de, 프랑스의 문예평론가 · 작가)

(1858~1915년 ≪문학文学산보散步≫, ≪철학산보≫ 등이 있다. —편집자 주注)

내 유망의……十八
죽음보다도 깊은 二十
당신이 알아주셨기에 十一
당신이 곁에 오시면……四

一
당신의 배가 물 위에 남기는
그 뱃자리, 그것이 저에요.

당신의 야자수가 땅에 던지는
저 그림자, 그것이 저에요.

당신의 총탄에 맞아
산새가 울부짖는 조그만 외침,
그것이 저에요.

二
등나무 어린 싹 돋는 소리가 들립니다
야자수의 그윽한 숨소리가 들립니다
푸른

三
우리가 나서
솟아나온 당신은 아니었습니다.

나무에서 쏟아져 나온
당신 목소리도 아니었습니다.

아랫 동네서 뵈온
당신 모습도 아니었습니다.

그렇다면 역시
내가 모를 뿐,
당신은 처음부터
나의 마음 속에 계셨던가요?

四
회향茴香나무처럼 나는 새벽 공기를 향 피우리라.
당신의 말이 한시 바삐
저의 이 숨어 사는 오솔길을 찾으시도록.

제가 돼 볼까요, 저 화신 위에 걸린 흰 구름

바람이 한번만 불어도 떨어져버리는 저 흰 구름보다도
좀 더 가냘픈 것이?

'후스러스' 열매처럼 달콤하다면
당신 이빨이 기꺼이 깨물어
저를 당신의 살덩이로 만들어 주실 것을.

七
저 느릅나무楠 아래서
당신의 시선을 느꼈을 그때부터
전 멍한 처녀가 되고 말았어요.

뜰에도 내려갈 수가 없어요.
왜냐고요? 나무란 나무는 모두
과실을 당신 눈으로 삼고 저를 쏘아보는걸요.

어떤 들판으로 나가보아도
제 발 밑엔
당신 눈의 아네모네가 피어요.

시냇가로 가면
호랑나비가 당신 눈을
날개에 태우고 춤추고 있어요.

그래서 전 결심했어요.
어느 눈이고 모두 닫히는 밤에만
문밖으로 나갈 때마다

이렇게 도망쳐보았으나
결국 달아날 수 없는 당신이었어요
억없이 많은 별들이
모두 당신 눈이 되어 가만히 저를 내려는 보는걸요.

八
제가 되고 싶다고 생각하는 건
당신 집 앞에 있는 橅木뿐이에요.
그 橅木 가지예요
그 가지의 이파리 한 잎이에요
그 잎이 던지는 그림자예요
일초도 못되는 시간
당신 이마를 어루만지는
그 그림자의 시원스러움이에요.

九
붉은 호초胡椒나무가 떠들어댑니다
그는 자기 육욕을 소리치지 않고
견디어 낼 수가 없습니다

'바니라'의 그늘은
마치 정욕의 구름장이에요.

육계肉桂(계수나무의 두꺼운 껍질=계피빛) 폭풍우가 세계를 휩쓸었습니다.

'비 나무'가
어느덧 벌써 그 한 방울을 저에게 뿌립니다.

十
백 그루나 되는 침향沈香나무 아래 섰을 때에도
당신은 기다릴 수 있는 분이에요,
침향나무 열매가 금빛으로 익을 때까지.

천 마리나 되는 소들 새에 섰을 때에도
당신은 남들에게 명령하실 분이에요

엷은 꽃잎만 따 먹으라고.

당신은 군림君臨하실 분이에요.
선조의 정掟을 체험하시고
자손에게 정掟을 주시며.
오오 인생의 선수여
저는 당신의 바른 손에, 그리고
왼편 손에 입 맞춥니다.

十二
나는 항아리, 재주 있는 도물사陶物師
예쁘라고, 잘 담으라고 만든 항아리
들어와야 할 것이여 나는 당신을 기다리고 있소……

임이여 부으시오,
그대 힘의 포도주를!
그대로의 향유를!
그대 정성 어린 맑은 물을!
주저하지 말고 나를 잡으세오
그리고 저에게 이름을 주세요!

十三
왕도의 길을 가면서
당신은 길섶「싸프란」같은 건 거들떠
보려고도 하시지 않으셔.

개우 외투 자락만이
넌지시 키스해 주고는
꽃의 정 담은 금가루를
많이 넌지시 가지고 갔습니다.

十四
나는 땅
배와 기쁨을 뿌리려
당신이 갈아내는 저 땅.

당신의 발에 우줄 우줄 짓밟혀
저의 목장은 춤을 춥니다

당신의 머리에서 태양이 빛나지만
당신이 흐리기 시작하면
나는 송장처럼 차디차지기도 합니다.

이윽고 어느 날이든 나를 파헤치면서
당신은 자신의 무덤을 발견하시리라.

十五
제가 누구인지 귀띔해 주셔요,
저의 아름다움에 저를 취하게 만들어 주셔요,
나의 우울로 저를 어찌할 바 모르게 해 주셔요,
저의 체취臭로 저를 교만케 만들어 주셔요,
여자란 것은 이 진주모眞珠母의 귀로
취한 기분을 마시고
거울 뒤에서 밖에
백면白面(소안素顔 · 제 얼굴)이 되지 않는 거예요.

十六
화산火山이 입술을 불쑥 내밀어
피를 토하고
숲을 태우고
산새를 죽이고
태양을 감추거나 할 때도
저는 무섭지 않아요.

저한테 무서운 것은
당신 입술이 굳게 다물려
말을 하지 않는 그 때뿐.

十七
나는 당신의 개천
박하 냄새에 취해 자빠진 개천

제 위에 엎드려 주셔요,
저는 당신을 닮고 싶습니다.

저의 물에 미역 감으시며
부들부들 떠는 저를 느껴주셔요

저의 생선을 잡숴 치우시고
저마저 꿀꺽 삼켜버리세요.

저를 다 마시고 나셔서
저를 없는 것으로 만들어 주셔요

저를 사랑해 주셔요,
저도 당신을 도와 물에 빠지게스리.

十九

주여 그 임은 가까이 오시나니라

그 임의 틀에 머리 폭풍으로 예고할 임의 눈동자는 번갯불을 깃들이고 있습니다

임의 도끼는 태양을 두 쪽으로 가를 듯 번득이고

임의 손 빌로도(veludo, 葡)의 청동 빛 임의 손은

올라가 뿌리째 저를 땅에서 파내고

사납게 내동대기 칩니다,

천사들 속으로.

二十一

저의 문전의 한 그루 레먼 나무

그 어린 나무를 당신은 심어 주셨습니다.

가지는 아직 두 개 밖에 나오지 않았어요.

한 가지는 금빛 열매를

다른 가지는 은빛 꽃을 달고

처녀로서 아니, 어머니로서

어느 내가 당신에게

마음에 드실까!

二十二

저는 모래알 밖에 되지 않아요

타는 듯한 뙤약볕의
무심한 모래알 밖에 안돼요.

저는 물기슭 밖에 되지 않아요
무궁한 물기슭의 허잘나위 없는
기슭 밖에 안돼요
저는 오직 기다리고 있어요
밀려드는 파도 당신의 욕념을
미끼 삼기 위해 나를 만드신 당신의 욕념을.

저를 마시는 물 당신이여
저를 태우는 불 당신이여
저는 기다리고 있어요, 당신이
나를 기쁨에 겨워 미치게 만들어 주실 것을.
당신이 녹여 주실 것을.

세상에서도 가장 조그만 모래 되어
타는 듯한 뙤약볕의
세상에서도 무심한 모래가 되어.

二十三
어젯밤 한 마리 독수리가
저의 방안(침실)으로 날아들었어요.

그는 거추장스럽게 활개쳤습니다.
청동빛 두 날개로.

몸이 더운 그의 그림자를
걸걸 타는
나는 육체 위에 느꼈습니다.

잠자고 있는 나의 피를
그가 마시기 시작했을 때에.

하늘이 단번에 내 위에 무너져 내려왔습니다.

잠깨어 정신 차리니 검정 날개(羽子)가 하나
젖가슴 위에 떨어져 있었습니다.

三十九
죽은 여자 육체에 나는 살고 있습니다.
나의 기쁨은 모두 다 사라져 버렸습니다.
옹이구멍(節穴) 같은 내 눈은 그만 빛을 보지 않습니다.
나의 무릎은 모래알처럼 무너집니다.
모든 것이 나한테서 달아나건만
오직 늑대만이 혼자 남아
내 염통 썩은 고깃덩이에 코를 킁킁거리고 있습니다.

四十

온갖 고사리 꽃을 잡아 뜯으세요
담쟁이 풀잎을 짓밟으세요.
백년 되는 야자술 찍어 넘기세요.
영광스럽던 월계수도 뿌리째 뽑아내세요
그리고 심으세요,
나 없어진 뒤 내 문전에
죽음의 손가락
검정 상나무(黑絲杉)를.

三十六

흰 자미만 꽃구름 위에서
나는 잠잤습니다.

산은 여울을 보내어
나를 흔들어 깨워 주었습니다.

달은 소나무 꼭대기에서
나를 위해 춤춰 주었습니다.
한 마리 새가 내 염통의
마지막 한숨을 주둥이로 쪼아주었습니다.

三十五

신이여 내 얼굴에서 눈알을 빼내 주십시오!

그 분을 만나지도 못하고 헛되이 뜨고만 있는 눈알을.
공허히 남은 내 손을 잘라버려 주십시오,
아무 이로울 것 없는 내 팔을 잘라 주십시오.
이제 저는 목적조차 잃었습니다
들떠 돌아다니는 내 발을
걸음 빠른 내 발을 멈추게 해 주세요.

신이여 나를 죽여주십시오,
그 분이 다시 한 번 생각하게스리.

三十四
요술쟁이 짓궂은 눈이
가만히 나를 쏘아 보았습니다

오직 그 뿐으로
나는 발가벗은 기분이었습니다.

시꺼먼 피가 꽐꽐
상처에서 흘러내리고

구름 같은 손이
내 머리를 어지럽게 합니다

나와 내 몸이 나에게 무겁습니다

불행의 무게 때문에.

二

등나무 어린 싹트는 소리가 들린다.

야자수 나무의

조그만 숨소리가 들린다

푸른 담쟁이풀 바닐라vanilla는 잠자지 않는다.

패주貝柱의 꽃내음이 훅 풍긴다

하늘은 커다란 귀를 땅에 댄다,

당신 발소리가 들릴까 하고.

六

뱃속에서 나왔을 때부터 나는 당신 오시길 기다려

모양도 내고 화장도 해왔습니다

오늘로써 만萬날이나

당신을 찾고 있어요.

나를 위해 나라와 나라도 좁아지고

산과 산들도 엳어지고

대하大河도 말라 주었습니다

내 몸뚱이는 나를 넘어 커지고

지금은 아침부터 저녁까지 넓어져

온 세계를 온통 뒤덮고 있어요.
그러니 당신이 어딜 다니시더라도
반드시 나를 밟게 돼요.

十五
내가 누구인지 서로 귀띔해 주셔요.
나의 아름다움에 마구 내가 취해 있도록 하셔요.
나의 권태로 나를 얼떨떨하게 해 주셔요.
내 암내(體臭)로 나를 교만케 해 주셔요.
여자란 그 진주의 귀로
술 취한 기분을 마시고
거울 뒷면에서 밖에
제 모양대로의 모습을 보이지 않는 거예요.

二十四

육중한 물소들이
발걸음 가벼이 뛰어간다
그들 말편자가
논배미를 흔든다
그들 활모양의 뿔이
나무껍질을 베낀다
목덜미 털은 고슬고슬하지만
현명한 그들 눈초리는

불덩이의 언어를 알아듣는다,
내 마음에 들려고.
당신이 그들을 정복한 것을 알고 있는
그것은 그 신神인지도 모르겠어요!

二十五
나의 애인은
고무원에서 일하고 있어요.

아침부터 밤까지
그는 고무나무를 애무해요.
푸른 나무 그림자에 싸여
발가숭이 고무나무를 애무하고 있어요
뜻밖에 배신하여 나무에 피를 내요
한즉 또 그의 손은 의젓이
눈물을 흘리는 상처 구멍을
따듯이 위로해 줍니다.
이 같은 죄 되는 일을
밤이 새도록 그는 되풀이합니다,
내 곁에서.

二十六
당신을 얼떨떨하게 하는 장미나무 아래
나는 저주咀呪의 나무

「고에나 고에나」를 심었습니다.

이제 얼마 안 있어 황금빛 찻물 속에 새빨간 물방울, 달이 흘린 피를 한방울 떨어뜨려
당신한테 권해 드리리다.

그러면 당신 입술은 딴 여자 이름은 모두 잊어버리고
발은 돌아다니지 못하게 되고
당신 머리는 내 어깨 위에 기대어
별 수 없이 싫어도
당신은 나를 사랑해 주실 거예요.

二十七
나는 일곱 가지 「베엘」을 몸에 감았습니다,
일곱 번 당신한테 발견되고자.

나는 일곱 가지 기름을 몸에 발랐습니다,
일곱 번 당신한테 느껴지고자.

나는 일곱 가지 거짓말을 하였습니다,
일곱 번 당신한테 얻어맞고자.

二十八
당신을 생각하고 있었어요,

진달래 꽃을 피우는
태양 같은 분이라고.

당신을 생각하고 있었어요,
일월日月의 운행을 맡은 저 석상石床 같은 분이라고.

당신을 생각하고 있었어요,
곁에는 도저히 갈 수 없는 임금님 같은 분이라고.

호백號柏 같은 손가락으로
높으신 당신의 어깨에
조금 닿았을 뿐으로
나는 당신을 변하게 했었고,
내 팔에 안겨
위로받는 어린 것으로.

二十九
당신은 욕심 많은 새 일까요,
동방사람이여?

당신은 절 지붕 위 비둘길까요,
남방사람이여?

당신은 나의 별일까요,

서방사람이여?

당신은 나의 무덤일까요,
북방사람이여?

아무리 당신이 냉정하시더라도
나는 기다리고 있겠어요! 기다리고 있겠어요!

三十
나의 임은 어부漁夫예요
오입이라도 하려는 듯이
그는 매일 밤 나 있는 데서 나가요.

그는 푸른 바다 위에 목을 드리웁니다.
파도엔 <런테르>옷을 입은
여자 육체가 있습니다.

그는 파도를 향하여
길게 손을 내밉니다.
그는 그만 나직이 수그립니다.
떨어지고 마는 것이 아닐까요?

이윽고 새벽녘
맨 처음 광선과 함께

그는 일어나
금빛 나는 어롱魚籠 종다래끼를 듭니다.

그는 와서 내 발밑에
제일 훌륭한 복사빛 물고기를 바칩니다
꽃다발처럼 고하고.

三十一
나는 무화과 나무에 올라갔습니다.
푸른 산쪽으로 뛰어가는
당신 모습을 바라드리고자.

적남화 꽃 사이로 당신 길이 보였습니다
먼지처럼 하얀 앵무 떼가
당신 발 둘레에 일었습니다.

저 고개를 넘으실 때
나는 보았습니다.
구름에 비친 당신 그림자가
언제까지나 나를 뒤돌아 보심을.

三十二
어느 날이나 매한지로
아침이면 참새가 울었습니다.

당신을 깨워 드렸습니다.
논두락이 멀기 때문입니다.

나의 손은 이불 속을 더듬고 더듬으며
당신을 찾아 헤매었습니다.
남쪽 먼 섬에까지 갔습니다.
아시아의 구석까지도 알아보았습니다

문득 정신차리니
혼자 자고 있던 나였었건만
까마귀란 놈이 울고 불고 하였던 것입니다.

三十三
커피 꽃은
사흘 만에 녹슬었습니다.
살구꽃은
사흘도 못 갔습니다.

「메라타」꽃은 하룻밤 비에
그냥 괴로워하다 썩습니다.

뻔뻔스럽게도 나만
젖꼭지를
달과 태양을 향해 내놓고

이렇게 언제까지나 아름다울까요?

회향茴香나무도 「사프랑」도 호초나무도
이윽고 또 꽃 필 때가 오겠지요.
그렇건만 내 뼈다귀 가지들은
발가숭인 채로 남겠지요?

三十七
어디선가 새앙꽃이 피었습니다
당신한테 그 냄새가 풍깁니까?

어디선가의 나뭇가지에
눈 먼 새가 앉아 있습니다
당신한테 그것이 보입니까?

어딘가를 검정 바람이 불고 있습니다
당신한테 그 소리가 들립니까?

어디선가 차디찬 그림자가 일어났습니다.
여보세요 그걸 아시는지요?

三十八
나의 육체의 피부를
나의 넓적다리 살덩이를

나의 눈의 푸른 하늘을
나의 얼굴의 눈알을
나의 모든 것을
당신한테 빼앗기고
저에게 남은 것이란
당신 이름을 중얼거리기 위한
호흡만이 남게 되어 버린다면
어쩌면 그렇게 됨으로써
당신은 저를 알아주실지 모르겠습니다,
얼마만큼 제가 당신 것인가를.

☆
먼 아래로 소리도 없는 조용한 걸음을
옮기며
황혼黃昏의 「시간」이 지나간다.

☆
덕수궁 담을 끼고 걷는 것이 좋다.
어려서부터 거기를 걸어다녔다.
—거기를 쳐다보았다.

☆
푸른 먼 밤하늘
밤이 다이아먼드를 뿌릴 때

☆
너는 아직 기억하고 있을까 내가 사과 들고 갔던 것을.

☆
여름이 부르고 있다. 나는 너의 뺨에
키스했다.
너의 눈동자는 커다란 기쁨에 반짝이며 나를 쳐다 보았다.
그것은 일요일이었다, 멀리 종소리가 들리고
숲을 벗어나 태양 별이 헤매 돌고 있었다.

☆
네 머리자락에 잠시 휴식을 찾았다……

☆
아주 먼 옛날—먼 옛날 일입니다……
언제?—그것조차 말할 수도 없습니다……
종이 울리고 종달새가 우짖고—
기쁨에 가슴은 뛰놀고 있었습니다.

☆
배에서 강물에서
이상한 밤이 눈짓을 한다.

☆
이상합니다, 당신의—은
이상합니다 당신의—는
이상합니다—

☆
나는 이처럼 젊다

☆
가슴이 퍼짐을 느끼는 한
모두 몸을 꺼지는 일 없이 내 가슴을 펴리라.

☆
내 스스로 흰꽃이 피는 걸 느낀다.

☆
대지로부터 허구많은 것 솟아나지만

☆
숲 위로 겨드는 구름

☆
평원平原은 기다리고 있었다,
지금껏 한번도 오지 않는 사람을.

☆
밝은 빛 의상衣裳, 여름모자
누가 아랴 아는 건 꽃뿐
맘자는 일 없이 누워 있는 넓은 연못뿐,

☆
달은 목장에 와서
꽃보다는 좋은 냄새를 풍긴다.

☆
다시 보리냄새입니다

☆
새로운 「때」는 돌아오고
이 「때」를 잊고 벗어나려는 듯

☆
많은 사람이 연기처럼 여기를 지나갔다.
하얀 채 남아 있는 건 오직 창뿐이다.

『러시아 염소담艶笑譚』

B · 드 · 비르누바

Contes Secrets Russes

de villeneurve

러시아 염소담艶笑譚

빗[櫛]

어느 그리스 정교正教의 중이 아직 숫된 딸을 가지고 있었다. 여름이 되어 사람을 얻어 풀을 깎게 되었는데, 하나의 조건을 붙였었다. 딸이 깎아 쌓아올린 풀 더미를 넘으면 품값을 지불하지 않는다는 것이다.

몇 사람인가의 사내가 그 조건을 승낙했으나 저녁때가 되어 한 푼도 받지 못하고 그냥 허탕치고 돌아가곤 했다. 풀을 깎아 쌓아올려 놓으면 딸이 나타나 아주 가볍게 뛰어넘어 버렸기 때문이다.

한데 대담한 한 젊은 총각이 찾아와 풀을 깎게 해 달라는 것이었다. 중은 예의 그 조건을 가르쳐 주었으나 총각은 아무렇지 않은 듯 승낙하고는 곧 일을 시작했다. 한데 조금 풀을 깎더니 그것을 쌓아놓고 곁에 펄떡 들어 누웠다. 대단한 물건이 하늘을 껴 뚫을 것 같았다. 거기에 중의 딸이 일하는 꼴을 보러와 놀래가지고 물었다.

"너 뭘 하고 있지?"

"빗을 햇볕에 말리고 있는 거야."

"그 빗은 뭣에 쓰냐?"

"알고 싶거들랑 가르쳐 줄 터이니 거기 드러 누워봐!"

젊은 딸이 말한 대로 드러눕자 젊은 총각은 다 아는 방법으로 프론드의 털을 빗어 주었다.

"참 좋은 빗인데."

하고 딸은 일어나면서 말했다. 그리고 깎아놓은 풀을 넘으려 했으나 여느 때처럼은 뛰지 못하고 도리어 속옷을 축축하게 적시고 말았다.

딸은 부친 있는 데로 가서 이렇게 말했다.

"깎아놓은 풀 더미가 어찌도 큰지 전 뛰어넘질 못했어요."

"그래? 그것 참 대단한 총각이군. 뭣하면 일 년쯤 계약하고 채용해 볼까?"

총각이 일당을 받으러 오니 중은,

"너는 일을 잘하는 모양이니 앞으로 일 년 동안 채용하련다. 어떠냐?"

하고 말했다.

"잘 알았습니다."

이래서 총각은 중 네 집에 들어가 살게 되었다. 딸은 여간만 좋아하지 않았다. 밤이 되자 총각 방에 가서 이렇게 말했다.

"털을 좀 빗겨 주지 않을래?"

"좋아. 그냥은 싫다. 100루블 내면 빗을 너한테 팔마."

딸은 아버지 장에서 100루블을 꺼내다가 총각에게 내주었다. 그래 총각은 매일 밤 딸의 털을 빗어 주었다.

그러나 그러고 나서 얼마 있다가 총각은 중과 싸움을 하고 품삯을 청산해 가지고 집을 나가 버렸다. 그때 딸은 집에 없었기 때문에 돌아오자 총각이 보이지 않아 깜짝 놀라 물었다.

"그 사내는 내보냈다"고 부친이 대답했다.

"어쩌면! 아버지, 왜 내보내셨어요? 제 빗을 그대로 갖고 가버렸으니 이를 어떡하죠?"

딸은 이렇게 말하고 바로 사내 뒤를 쫓아가 냇가에서 그를 붙들었다. 사내는 양복바지를 걷어 올리고 개울을 건너고 있었다.

"내 빗 돌려줘!" 하고 딸은 이쪽 기슭에서 소리쳤다.

사내는 돌을 들어 물속에 텀벙 집어 던지더니 "주어가!" 하고 말하고는 저쪽 기슭으로 올라가 사라지고 말았다. 딸은 스커트를 걷어 올리고 물속에 들어가 개울 밑바닥을 여기 저기 찾아보았으나 아무리 찾아도 빗을 발견할 수는 없었다.

그때 마차를 탄 훌륭한 신사가 개울둑을 지나가고 있었다.

"아가씨 무엇을 찾고 계시죠?" 하고 그는 물었다.

"빗이에요. 저는 100루블 내고 우리 머슴한테서 샀어요. 한데 집에서 나갈 때 그걸 갖고 나가지 않았겠어요. 그래서 여기까지 좇아온겁니다만, 개울에다 내던지고 가버렸어요."

그 신사는 마차에서 내리자 양복바지를 벗고 개울로 들어가 딸과 같이 빗을 찾아주었다. 한데 딸은 문득 그 신사의 그걸 보고 소리쳤다.

"이 도둑놈! 부끄럽지도 않느냐 내 빗을 훔치다니! 자 이리 내놔!"

그리고 두 손으로 신사의 그걸 꽉 쥐었다. 신사는 깜짝 놀라,

"무슨 짓이냐, 이 창피를 모르는 계집애 같으니! 놔라!"

"안 된다! 창피를 모르는 건 바로 너다. 자기 것도 아닌데 가로채다니! 자, 내 빗을 이리 내라!"

그리하여 딸은 신사의 그걸 꽉 쥔 채 자기 집까지 끌고 갔다.

부친은 마침 그때 창 앞에 있었다.

"빗을 이리 내라, 이 악당 같으니!" 하고 결사적으로 소리치고 있는 딸 목소리를 듣고 잘 본즉 딸은 한 신사의 급소를 움켜쥐고 끌고 오는 것이었다. 신사는 중의 모습을 보자 손을 모으고 애걸했다.

"제발 살려 주시오. 무슨 영문인지는 모르겠으나 이 꼴입니다. 목숨이 오므라지는 것 같습니다. 은혜는 결코 잊지 않겠습니다!"

어떻게 하면 좋을까? 부친은 문득 한 꾀를 내었다. 그는 양복바지를 아래로 내리고 창 너머로 그걸 딸에게 보였다.

"얘야, 네 빗은 여기 있다. 내가 맡아가지고 있었어!"

"어머나 그것 내 것이에요! 끝이 빨간 걸요! 그런데 난 또 이분이 훔친 줄만 알고 있었어요!"

그녀는 곧 손을 놓고 집안으로 뛰어 들어 갔다. 신사는 이젠 살았다 싶어 뒤도 돌아보지 않고 도망쳐 달아났다.

합계 390루블

대장간쟁이가 깜짝 놀랄 만큼 예쁜 아내를 데리고 살고 있었다. 하나 지독히 가난했다. 어느 날 그는 아내에게 말했다.

"여보, 어떡하지? 돈을 좀 벌 일이 없을까?…… 옳지 됐다. 당신은 얼굴이 예뻐 늘 사내들이 눈독을 들이고 있었지……. 어때 당신 거리에 나가서서 코 큰놈들을 좀 끌어들일 수 없을까. 만일 누가 말을 붙이거들랑 먼저 돈을 받고 밤에 대장간으로 오라고 해요. 한데 들어올 때는 반드시 굴뚝으로 오도록 해야 해. 그러면 내가 잘 요리할 터이니까."

대장간집 여편네는 재미있어 얼굴을 요란스럽게 화장하고는 길거리로 나갔다. 맨 처음 말을 붙인 것은 잘 아는 중놈이었다.

"안녕하셔요, 부인. 주인은 집에 계십니까?"

"아뇨, 큰일을 하나 맡아 한 달쯤 딴 데 가서 일하고 있어요. 요새 서울 가 있어요."

"그래요? 그럼 마침 잘 됐군요. 오늘 밤 나랑 같이 잘 수 없을까요?"

"좋아요. 그럼 먼저 30루블 주세요."

"30루블? 그쯤 문제 아니지. 자, 여기 있소. 그럼 밤 기도가 끝나는 대로 곧 가지."

"알았어요. 기다리고 있겠습니다. 하지만 남의 눈에 들키지 않게끔 대장간으로 해서 오세요. 그리고 굴뚝으로 들어오셔야 해요."

"알았어, 알았어."

여편네는 중한테서 받은 돈을 포켓 속에 넣고 또 걸어갔다.

한즉 이윽고 한 관리가 말을 붙여왔다.

그리하여 거래 끝에 여편네는 관리한테서도 30루블 받아 넣고 다시 걸어갔다.

한즉 이번에는 예인을 만나 아까와 마찬가지로 30루블 받아들고 대장간에서의 아베크를 약속하고 집으로 돌아와 남편에게 말하는 것이었다.

"여보, 저 중하고 관리하고 예인이 오늘밤 여기 온대요. 한 사람 앞에 30루블씩 받았어요. 혹 적게 받지나 않았을까요?"

"천만에…… 참 잘했어…… 하느님이 우리를 도와주신 거야…… 이젠 나만 잘하면 돼."

해가 떨어지자 대장장이는 대장간으로 들어가 불을 지피고 화젓가락을 불에다 구워 놓고 사내들이 찾아오기를 기다리고 있었다.

중은 밤기도를 대강대강 해치우고 법의를 입은 채 법당을 뛰쳐나와 대장간으로 달려갔다. 한즉 길에서 관리를 만났다.

"어디갑니까, 스님?"

"쉿…… 오늘밤은 신의 뜻에 어긋나는 야심이 일어나 대장간집 여편네한테 가는 거야. 같이 자기로 약속이 돼 있어. 벌써 돈도 다 줬지."

"그러세요? 실은 저도 이제부터 그리로 가는 길인데요!"

"그것 잘 됐군. 자, 같이 갑시다. 둘이서면 더욱 재미있어."

두 사람이 대장간이 있는 근처까지 가니 저쪽에서 예인이 걸어오고 있었다.

"두 분이 이렇게 어디들을 가십니까?"

"오래간만이오. 오늘밤은 좀 색다른 재미를 보러 가는 거야. 어떤 여인이 우리를 기다리고 있어. 바로 저 대장간집 미인이 말야."

"그러세요. 사실은 저와도 오늘밤 약속을 했는데요."

"그렇소? 그것 재미있게 됐군. 자, 어서 같이서 갑시다."

세 사람이 대장간 앞에 다다르자, 누가 먼저 굴뚝으로 내려가는가를 의논했다.

"그야 내가 먼저지. 제일 나이가 많으니까."

"그럼 그러지요."

중은 승복이랑 속바지랑 구두까지 벗었다. 관리와 예인은 중의 겨드랑이 아래 줄을 들어 중을 굴뚝 속으로 내려주었다. 중은 막 내려가려 할 때 이렇게 말했다.

"일이 끝나면 여…… 할 터이니 야…… 하고 대답하고 나서 끌어올려 줘."

중이 내려가자 대장장이는 곧 새빨갛게 달군 화젓가락을 잡아 중의 급소를 살짝 집었다. 중은 기겁을 해 여…… 하고 소리쳤다. 위에 있던 두 사람은 야…… 대답하고 중을 끌어 올렸다.

"스님, 너무나 급속도로 일을 해치우셨군요!" 하고 예인이 말했다.

"저 여자는 여간 뜨겁지 않아……. 조금 닿자마자 초열지옥焦熱地獄에 떨어진 것처럼 뜨끈하잖아. 저런 여자를 만나기란 이번이 처음야……."

다음에 관리가 발가벗고 중과 예인의 도움을 받으며 굴뚝 속으로 내려갔다. 하나 아래로 내려가자마자 대장장이로부터 중과 마찬가지의 화젓가락 세례를 받았다.

"여……."

"야……."

위로 끌려올라와 관리는 그럴 듯한 소리를 했다.

"나는 30루블이 결코 아깝지가 않소. 저 여자는 확실히 그만한 가치가 있단 말야. 자, 어서 가 보시오."

예인은 가슴을 두근거리며 긴장되어 대답했다.

"나는 당신들처럼 그렇게 간단히는 하지 않을 테요. 꼭 세 번은 할 참이요. 그러니까 여…… 하는 소리가 세 번 들리기 전에는 끌어올리지 마시오."

"응, 잘 알았어."

대장장이는 세 번째 손님이 내려오는 것을 보자 바로 그 화젓가락으로 급소를 집었다. 예인은 기습을 해 "여……" 소리를 쳤으나, 약속대로 밧줄은 움직이지를 않았다. 그래서 또 "여……" 하고 소리쳤다. 역시 마찬가지였다. 그래서 정신이 없어지는 것 같은 것을 느끼며 "여……" 하고 또 한 번 소리쳤다.

위에 올라가자 예인은 중에게 화를 냈다.

"이 멍텅구리 중놈 같으니…… 그거야 불찜질 아냐…… 왜 처음부터 말해주지를 않은 거야!"

"그러니까 초열지옥이라고 말하잖았어."

관리가 두 사람을 말리며 말했다.

"뭐 여기서 싸움을 해도 소용없어. 저 여자는 우리를 보기 좋게 속여먹었으니 이제부터 저 여자 방에서 가서 담판談判을 합시다. 너무 심하단 말야…… 소중한데를 이렇게 불찜질해 놓았으니 여편네한테 변명도 할 수가 없잖소."

두 사람은 하는 수 없이 옷을 주워 입고 절름거리며 여자 방으로 들어갔다. 여자는 혼자 있었다.

"이년…… 지독한 짓을 하고도 빤빤스럽게 이러고 있어…… 까닭을 말해라, 까닭을……."

"아이 참 미안하게 됐어요. 때마침 주인이 저녁녘에 돌아와서 일을 시작했어요. 정말 미안해요. 아무튼 좀 앉으세요. 어떻게 해 볼 터이니까. 주인은 급한 일이 생겨 오늘밤은 여기는 안 오겠다고 했으니까……."

그래 그들은 걸터앉았다. 하나 그들이 앉기가 무섭게 문짝을 부셔놓을 것처럼 문을 두드렸다. 몹시 술이 취한 모양이었다.

"이년아 문 열어라, 문 열어."

세 사람은 깜짝 놀라 일제히 일어섰다.

"부인, 어떡하면 좋소?"

"걱정마세요. 잘 숨겨 드릴 터이니까. 주인은 취해 있는 모양이니까 곧 잠들어 버릴 거예요."

"스님, 당신은 발가벗고 거기 벽에 팔을 벌리고 딱 붙어 계세요. 저는 성상聖像을 사 왔노라고 속일 터이니까."

중은 곧 옷을 벗고 벽에 가서 섰다. 머리와 수염이 흐트러질 때로 흐트러져 마치 성 요하 고대로였다.

"난 어떡하지?" 하고 관리와 예인이 떨면서 물었다.

"관리님, 당신은 가마 속에 밧줄로 붙들어 매어놓고 큰 살구나무를 사 왔다고 하겠어요. 그리고 예인님은 거기 큰통 속에 들어가 주세요. 두 분 다 옷을 벗고……."

관리와 예인은 하라는 대로 발가벗고 각자의 장소에 숨었다. 여편네는 그러고 나서 문을 열러 갔다. 주인은 투덜거리며 들어와,

"빨리 밥상차려……."

하고 소리를 질렀다. 그리고 방 한 구석에 서 있는 중을 보고,

"이건 뭐야?"

"성상을 사왔어요."

"이렇게 큰 성상이면 어지간히 비싸겠는걸."

"그건 내일 얘기하죠. 오늘은 그만 일찍 쉬세요."

대장장이는 촛불을 켜들고 중이 있는 곁으로 가서 중의 그걸 쥐고 여편네에게 물었다.

"이건 뭐지?"

"촉대예요."

대장장이는 촛불을 세우려 했으나 서지를 않기에 조금 불로 지져주면 서겠지 하면서 양초불을 대었다. 중은 기겁을 해 벽 쪽에 있다가 발가벗은 채로 바깥으로 바람처럼 달아났다.

"뭐야? 성상이 아니지 않아? 여보, 큰 손해봤소. 이상한 걸 속아 샀으니."

그 다음에 주인은 큰 가마솥 곁으로 가서

"여기 붙들어 매놓은 건 또 뭐지?"

"그것은 큰 살구예요. 후라이빵이나 뭘 하려 생각하고 사왔어요."

"괜찮을까?"

"괜찮고 말고요. 주먹으로 때려 봤는데도 끄덕도 안했어요."

"당신이 때려보고 알아? 내가 어디 장작개비로 때려봐야지."

대장장이는 스토브에서 장작개비를 하나 들고 오더니 관리의 얼굴을 냅다 때렸다. 그 바람에 새끼줄이 끊어졌다. 관리는 그만 그 자리에 쓰러졌으나 벼락같이 일어나 그도 바깥으로 뛰어 달아났다.

"뭐야, 나 없는 새 모두 너절한 것들만 사들여 놓고! 공연스리 돈만 날아간 게 아냐?"

대장장이는 그 다음에 큰 통 있는 데로 가서 안을 들여다보았다. 예인은 포도찌꺼기 속에 주저앉아 목만 내놓고 있었다.

"이봐, 이것 좀 봐…… 포도찌꺼기를 내버리라고 그렇게 말해도 듣지 않더니 악마가 들어앉아 있잖아. 그냥 뒀다가는 어떤 나쁜 짓을 할지도 모르겠어."

그는 송판을 들고 와 예인이 들어가 앉은 통에 뚜껑을 덮고 못을 박아버렸다.

그러고 나서 사흘째 되는 날—그러니까 예인은 그동안 아무것도 먹지 않고 통속에 들어가 있는 셈이다—대장장이는 통을 수레에 싣고 호숫가로 갔다. 그리고 구두를 벗고 바지를 치켜올리고는 물속으로 들어가 낚싯대를 건져 무엇인가 낚으려는 것 같은 흉내를 내고 있었다. 거기 지주가 때마침 지나갔다.

"여 뭘 낚고 있나?"

"떠들지 마셔요. 마침 한 마리 걸려들려 하던 걸 큰소리가 나니까 달아나 버리잖아요."

"뭣이?"

"악마가 말입니다."

"악마? 공연한 소리."

"농이 아니올시다. 벌써 한 마리 잡아 저 통 속에 넣은걸요."

"어디 좀 보세."

"보여 드려도 괜찮지만 그냥은 안돼요."

"그럼 50루블쯤 낼까."

"안돼요. 100루블 내야지."

지주는 악마란 걸 본 적이 없었기 때문에 100루블을 낼 마음이 생겼다. 대장장이는 돈을 받자 통뚜껑을 열었다.

한쪽 머리부터 발끝까지 포도찌꺼기 투성이가 된 괴물이 화다닥 뛰쳐나와 쏜살같이 달아났다. 지주는 깜짝 놀라 땅바닥에 덜컥 주저앉으며

"정말 굉장한 놈이군. 난 생전 처음 봤지만 저런 꼴을 하고 있는 줄은 몰랐어."

대장장이는 집으로 돌아와 중의 옷을 어깨에 걸치고 법당으로 갔다. 중은 대장장이의 모습을 보자 크게 당황해 그가 요구하는 대로 200루블에 법의를 사면서 절대로 남한테 이야기해서는 안 된다며 손을 모아 빌었다.

이리하여 빈틈없는 대장장이는 합계 390루블의 돈을 손에 넣어 전보다는 얼마만큼 편한 생활을 할 수 있었다.

웃음과 눈물

나룻배 뱃사공이 손님을 저쪽 기슭에 건너다 주고 나서 강 둔턱에 걸터앉아 담배를 한 대 담아 피우며 손을 기다리고 있었다. 한즉 거기 보도가의 사공인 양 싶은 총각이 나타났다.

"사공 영감, 강을 좀 건너다 주소."

"뱃삯을 내시겠지?"

"있으면야 물론 내고말고! 하지만 실은 지금 한 푼도 없소."

"그럼 못 건너가오."

"하지만 건너다 주기만 하면 웃음과 눈물이란 걸 보여 주리다."

웃음과 눈물이란 건 또 뭘까?

나룻배 사공은 그 웃음과 눈물이라는 것을 구경해 두고자 그 총각을 건너다 주었다. 둔턱에 올라서자 총각이 사공에게 말했다.

"그 배를 언덕에 올려다 뒤집어 놓으시오. 웃음과 눈물이란 것을 보여 드릴 터이니."

나룻배 사공은 총각의 말대로 배를 언덕에 올렸다. 한즉 총각은 소때려죽이는 몽둥이처럼 거창한 놈을 바지 속에서 꺼내 그것으로 배 밑을 힘껏 때렸다. 배는 한 대에 뚝 둘로 동강이 나 버렸다. 사공은 그것들을 보자 껄껄껄 웃기 시작했으나, 배가 동강이 나서는 내일부터 장사를 못하게 됨을 깨닫자, 자기도 모르게 눈에 눈물이 괴었다.

"보소, 웃음과 눈물이란 게 바로 이거요. 알았소?"

총각은 그렇게 말하고는 어깨를 올리며 가버렸다. 사공은 풀 없이 눈물

지며 집으로 돌아왔다. 아내는 그것을 보고,

"여보, 당신 왜 그러오? 무슨 일이라도 있었소?"

"마누라 큰일 났어. 실은……"

그리고 자초지종을 고대로 이야기했다. 아내는 그 말을 듣자 벼락같이 일어나 남편을 나무랐다.

"어머나…… 당신이란 사람은 어쩌면 그렇게 어리석소. 어째서 그 사람을 그냥 보냈소? 왜 집으로 안 데리고 왔단 말이요? 그건 내 동생이요. 동생임에 틀림없어요. 그렇게 훌륭한 도구를 가지고 있는 건 러시아에 둘도 없는걸요! 반드시 아버지 어머니 소식을 가지고 왔을 거예요. 빨리 마차에 말을 매어 가지고 가서 불러다 줘요…… 공연히 헛걸음을 시켜서는 가엾지 않아요? 아아…… 빨리 동생을 만나 어머니 아버지 소식이 듣고 싶어요!"

사공은 당황해갖고 말을 곳간에서 내와 마차에 메고 총각 뒤를 쫓았다. 그리하여 겨우 만나자,

"여보게, 자네는 우리 여편네 동생이라고 하잖는가. 여편네한테 자네 이야기를 했더니 곧 동생인 걸 알고 빨리 데려 오라고 하네. 이 말을 같이 타고 빨리 집으로 가세……."

총각은 이내 그 까닭을 짐작하고,

"그래요…… 그것 잘 됐군요. 그럼 당신은 내 매부가 아닙니까? 한 번도 만난 일이 없었으니 알 턱이 있어야지. 아무튼 누나가 알아줘 일은 잘 됐습니다. 역시 자기 핏줄이란 어쩔 수 없는……"

사공은 총각의 손을 잡아 마차 위에 태웠다.

"자, 걸터앉게, 걸터앉아. 집으로 빨리 가세. 여편네와 나는 덕분에 웬만큼 살고 있으니 오늘밤은 톡톡히 한 턱 냄세."

마차가 집 앞에 다다르자, 사공의 여편네는 안에서 뛰어나와 총각의 목을 얼싸 안았다.

"아이구 이반…… 너 참 잘 찾아왔다. 누나인 레노치자를 용히 잊지 않

왔구나…… 참말 오래간만에 우리가 만났구나…… 자, 어서 안으로 들어가 집의 소식이나 들려다오"

"레노치자 보고 싶었어. 풍편에 이 강가 어딘가 살고 있다는 소식은 듣긴 들었지만 우연히 이렇게 만나게 되었으니 참말 기쁘오."

사공의 아내는 총각을 안아들이듯 해 집안으로 데리고 가서 있는 음식을 모조리 꺼내다 놓으며 환대했다. 술도 많이 나왔다.

저녁식사가 끝나고 해가 떨어지자 사공 여편네는 자리를 깔며 남편에게 말했다.

"나는 고향 소식을 이것저것 듣고 싶으니 여기서 동생하고 같이 자겠어요. 그러니까 당신은 부엌에서 주무세요."

사람 좋은 사공은 아내 말대로 부엌으로 가서 난로 곁에 자리를 깔고 잤다.

총각은 침대에 오르자 그 굉장한 도구로 여자를 공격해 냈다. 여자는 견딜 수가 없어 집안이 떠나갈 듯하게 소리를 질렀다. 남편은 그 목소리를 듣고,

"레나…… 왜 그래……"

"큰일 났어요. 아버지가 말에 치여 돌아가셨대요……."

"그래…… 그것 참 안됐군요……."

남편은 십자가를 그으며 대답했다.

그러고 나서 얼마 있노라니까 여자는 또 아까보다도 좀 더 심한 날카로운 목소리를 질렀다.

"레나, 왜 또 야단이야?"

여자는 총각의 팔 속에서 숨을 할딱거리며 대답했다.

"이를 어쩌면 좋아요…… 어머니가 소에 받쳐 돌아가셨대요……."

"그래? 그것 참 안됐군……."

남편은 십자가를 그었다,

이리하여 그날 밤은 지새었다.

일설에 의하면 남편이 이웃 방에서 나는 소리에 의심을 품고 가만히 일어나 방문 있는 데로 가서 문틈으로 들여다보니 아니나 다를까, 거기에는 침대가 납작해질 정도의 격투가 벌어지고 있었다. 남편은 그것을 보자 화가 머리끝까지 올라왔으나 섣불리 덤벼들었다가는 그길로 얻어맞아 남의 나룻배처럼 두 조각이 나 죽을까 싶어 하는 수 없이 제자리로 돌아왔다고 하지만, 나중에 나오는 이야기로 미루어 보아 이것은 후세의 어떤 친구가 가필한 것으로 생각된다.

하여튼 이렇게 그날 밤은 지나고 아침이 되었다. 총각은 곧 떠날 준비를 했다. 하나 여자는 붙들고 빵과 커피를 내어 아침 식사를 시켰다.

"그럼 이반, 또 요 근처에 오거들랑 집에 들러라……. 꼭……."

남편도 옆에서,

"그래 언제든 들르게. 자네와 나는 처남 매부지간이 아닌가."

드디어 출발하게 되자 여자는 도중까지 바래다 주겠다고 말했다.

"그럼 마차를 말에 메어 나도 같이 갑시다."

세 사람은 마차를 타고 떠났다. 하나 공교롭게 도중에 있는 개울이 요 이삼일 전에 온 비로 불어 마차가 들어갈 수 없게 되었다.

"그럼 나만 저쪽 기슭까지 바래다주고 되돌아 올 터이니 당신은 여기서 마차를 돌려놓고 기다려요."

여자는 그렇게 말하자 총각을 데리고 개울물 속으로 들어갔으나, 저쪽 기슭에 도착하자 총각은 여자의 환대에 보답하고 싶은 생각이 들어 마차를 둔턱에 눕히고 뜨거운 키스를 시작했다. 하나 개울 저쪽에서 기다리고 있는 사공에게 의심 받지 않으려 자기 모자를 벗어 여자 발에 씌우고 발을 높이 들어 흔들도록 했다. 그러니까 두 번 세 번 계속해 키스하는 동안 모자가 이별을 고하듯 흔들리고 있었다.

사공은 지금에사 생각하면 어지간히 근사했던 모양이다. 그것을 보고 자기도 모르게 소리쳤다.

"참 마음이 착한 녀석이군…… 저렇게 멀리 가있는데도 여전히 모자를 흔들며 헤어지는 걸 섭섭해 하고 있으니……."

그리고 자기도 모자를 벗어들고 냅다 흔드는 것이었다.

"잘 가거라…… 또 와……."

여자는 충분히 작별을 짓자 개울을 건너 남편 있는 데로 되돌아 왔다. 그녀는 너무나 좋아 콧노래까지 부르는 것이었다. 사공은 놀라 물어보았다.

"당신하고 산 지 벌써 그럭저럭 10년이나 되지만, 당신이 노래 부르는 걸 보기란 오늘이 처음야."

"그럴 수밖에요. 오래간만에 사랑하는 동생을 만났으니까요. 언제 또 한 번 더 만날 수 있을 것인지."

"그야 만나게 될 거야. 내가 하느님께 기도를 드려 주지. 그처럼 다정한 동생이면 나도 같이 살고 싶어."

두 사람은 집으로 돌아오면서 이런 이야기를 했으나 나룻터에 와서 두 조각이 난 배를 보자 사공은 또 웃음과 눈물이었다.

일설에는 총각과 여자는 모자를 냅다 흔들며 그대로 손을 맞잡고 어디론가 가버리고 사람 좋은 사공은 울며불며 돌아와 두 조각 난 배를 보고 자기도 모르게 웃음보를 터뜨렸다고 하지만, 아무튼 멀고 먼 볼가강 저쪽 이야기이니 그 진상은 알아볼 길이 없다.

봉

거리에서 제일가는 부자 상인네 집 앞을 못생긴 한 총각이 줄창 지나다니고 있었다. 그리고 그때마다 기침을 하고 가래침을 뱉으며 큰 목소리로 이렇게 말하는 것이었다.

"나는 물오리를 너무 먹어 이렇게 목이 나와…….."

그 상인의 젊은 딸이 어느 날 이 말을 듣고 총각보고 말했다.

"우리 아버지는 퍽 부자이지만 매일 물오리를 먹지는 않아요."

총각은 "뭐 돈이 있다고 해서 행복하다고 할 수 없지!" 하고 대답하고 성큼성큼 지나갔다.

딸은 곧 창밑에 있던 늙은 거지할범을 불러,

"그 사람 뒤를 따라 가서 어떤 것을 먹고 있는지 보고와 줘요. 사례는 꼭 할 터이니!" 하고 부탁했다.

총각이 자기 집에 다다르자, 뒤를 쫓아온 거지 할범이 집안에 좀 들어가 쉬겠다고 부탁했다. 총각은 가볍게 그러라고 했다. 그것도 그럴 것이 집안은 텅텅 비어 빈집 같아 가난의 밑바닥을 증명하고 있었다.

총각이 노파보고 물었다.

"몹시 시장한데 뭣좀 먹을 것이 없을까……."

노파는 부엌을 뒤져,

"어제 먹던 푸성기 국하고 식은 죽이 있습니다."

"그럼 죽을 좀 끓여 주오"

노파는 죽을 끓여 내놓으며 버터가 없다고 말했다.

"하지만 뭐좀 기름기 있는 게 없을까."

"여기 양초동간이 있습니다."

총각은 묵은 죽에다 양초를 섞어 껄덕거리며 먹었다.

거지할범은 상인 딸한테도 가서 본 그대로 샅샅이 얘기했다.

그 이튿날 그 총각은 또 지나가며 기침을 하고 가래침을 뱉으며 똑같은 말을 했다.

"나는 물오리를 너무 먹어 이렇게 목이 나와……."

딸은 창에서 놀려댔다.

"양초동강을 섞어 식은 죽을 떠먹은 건 누구지……."

총각은 난처해하며 중얼거렸다.

"제길할 것. 그런 걸 어떻게 알까…… 틀림없이 저 늙은 거지가 가르쳐 준 모양이군."

그리고 노파를 찾아가,

"이봐 할범, 곤란하잖아 어떻게 저 계집애 입을 좀 틀어막아 줘. 돈이 생기면 꼭 사례할 터이니까."

"좋습니다."

노파는 이렇게 대답하고 이내 상인의 딸을 만나러 갔다.

"안녕하셔요, 아가씨."

"어마나 할머니. 난 오늘 아침부터 배가 아파 견딜 수가 없어요. 빨리 나을 방법이라도 없을까요?"

"있고말고요, 좋은 방법이! 그렇지만 그 방법을 쓰려면 목욕물을 끓여야 돼요."

이윽고 목욕물이 끓었다. 노파는 총각을 찾아와 데리고 와서 목욕간 한 구석에 숨겨 놓고 딸을 목욕간으로 데리고 와서 발가벗겼다. 그리고,

"자, 조금 눈을 가리겠습니다. 보이면 안 될 터이니까."

하고 말하면 손수건으로 처녀의 눈을 가리고 의자 위에 반듯이 눕게 했다.

"자, 그럼 엷은 손가락약손으로 배를 쓰다듬겠습니다."

그리고 잠시 배를 쓸고 있다가,

"이번엔 조금 아픕니다만 꾹 참아야 돼요!" 하고 말하면서 총각을 손짓해 불렀다.

총각은 처녀 옆에 와서 맹렬히 공격해 댔다. 처녀는 혼비백산하듯 소리쳤다.

"조금만 참으세요. 처음에는 조금 아프지만 곧 끝납니다. 거기다 이렇게 하지 않으면 안 나니까요."

이윽고 처녀는 이러한 치료가 즐거워졌다.

"할머니 좀 더 쓰다듬어 주세요. 조금만 더…… 할머니 약은 참 좋아요."

치료가 끝나자 총각은 숨고 노파는 눈 가린 것을 끌렀다. 한즉 발밑에 피가 떨어져 있어서,

"어머나, 이 피가 뭐예요?"

"이건 아가씨 뱃속에 들어 있던 나쁜 피입니다. 이것이 나오면 곧 기분이 좋아져요. 이젠 그만 배가 안 아플 거예요."

"네, 안 아파요. 할머니 지약脂藥은 참 기분이 좋아요. 꿀보다도 매낀매낀하더군요. 한번만 더 쓰다듬어 줄 수 없으세요?"

"잘 알았습니다."

노파는 다시 처녀의 눈을 가려 눕히고 총각을 불렀다. 총각은 또 정성껏 일을 치렀다.

"긁어줘요, 할머니. 좀 더 쓰다듬어요. 아주 좋아요."

총각은 일을 끝내자 사라졌다.

병자는 일어나자,

"할머니 고마워요. 또 배가 아프면 부탁하겠어요. 이건 사례에요."
하고 100루블을 손에 쥐어 주었다.

그 이튿날 총각은 또 상인네 집 앞을 지나가며 "나는 늘 물오리고기만 먹어 목이 나와……" 하고 말했다. 한즉 처녀가 창에서 불렀다. "양초동강을 섞어 식은 죽을 먹은 게 누구지."

총각은 빙그레 웃으며,

"쓰다듬어 줘요. 할머니 조금만 더!" 하고 놀렸다.

그런데 얼마 안가서 처녀의 배가 자꾸 불러 왔다. 모친이 그걸 알아채고,

"너 웬일이냐? 별로 밖에도 안 나갔는데 배가 불러오잖느냐?"

"어머니, 그건 말예요. 저 친절한 할머니가 나를 목욕간에 데리고 가서 배를 약으로 쓰다듬어 줬기 때문이에요. 아주 보들보들한 약이었어요. 꿀보다도 물렁거리는 거였어요……."

모친은 일의 진상을 알아채고 그 거지 노파를 불러다 물어보았다.

"당신은 우리 애를 목욕간으로 데리고 가서 약으로 배를 쓰다듬었다지?"

"네, 그랬습니다."

"그럼 나도 좀 쓰다듬어 주구려!"

"잘 알았습니다."

노파는 곧 총각한테로 가서,

"빨리 옷 입고 같이 갑시다, 부인도 약으로 쓰다듬어 달라고 하니까!"

"좋아요……."

또 목욕물을 끓이고 노파는 모친의 눈을 가려 눕혀 놓고 총각을 눈짓했다. 총각은 치료를 시작했다. 하나 치료가 끝나자 이내 모친은 별안간 눈을 가린 것을 끌렀다. 그리고 거기 서 있는 총각 모습을 보자 힘껏 껴안고 그 수고를 칭찬했다.

"총각, 나는 결혼한 지 20년이 되지만, 오늘처럼 기분 좋았던 일은 한 번도 없네. 제발 우리 사위가 돼 주게."

이리하여 총각은 부자 상인의 외동딸의 남편이 되었고, 이윽고 큰 상인이 되었다.

씨앗말 스님

어느 마을에 몹시 여자를 좋아하는 스님이 살고 있었다. 창에서 내다보다가 정원 저쪽으로 젊은 여자가 지나가면 곧 창에서 얼굴을 내밀고 씨앗말처럼 이히잉! 하고 울었다.

그 마을에 젊고 아름다운 아내를 데리고 사는 농사꾼이 있었다. 그 아내는 공동우물로 물을 길러가려면 매일 스님의 뜰 앞을 지나가야 했다. 스님은 젊은 여자의 얼굴을 보면 이내 창에서 얼굴을 내밀고 이히힝! 소리를 내며 운다.

어느 날 그녀는 집에 돌아와 남편에게 말했다.

"여보, 저 스님 말예요 퍽 이상스러운 사람이야. 내가 물을 길러 가노라고 그 집 앞을 지나면 언제나 꼭 말처럼 우는 거예요. 왜 그런 짓을 하는 걸까요?"

"바보 같으니…… 그걸 몰라. 그건 말야. 당신에게 마음이 있어서 그러는 거야. 옳지 됐다. 그럼 이번에 물을 길러갈 때 만일 그 작자가 히잉히잉거리면 당신도 히잉히잉하고 울어 보여요. 그러면 그 작자가 곧 뛰어나와 하룻밤을 같이 자자고 조를 거야. 그러거들랑 집으로 데리고 와요. 두 번 다시 히히잉 소리를 못하도록 혼을 내줄 테니까."

그래서 여자는 또 물초롱을 들고 물을 길러갔다. 한즉 아니나 다를까, 스님이 그녀의 모습을 보자마자 길에까지 들릴 만큼 큰 소리로 히잉히잉 울기 시작했다. 그래서 여자는 작은 목소리로 히잉히잉! 하고 대답했다. 아니나 다를까, 스님은 화색이 만연해 갖고 이내 법의를 입고 밖으로 뛰어

나왔다. 그리고 여자 손을 꼭 쥐고,

"부인, 오늘밤 즐겁게 놀지 않으시렵니까?"

"예, 좋아요. 마침 바깥양반도 읍네 들어가려 하고 있으니까. 그렇지만 난처한 건 말을 빌릴 데가 없어요."

"왜 빨리 나한테 오지 않았소. 기꺼이 빌려 줄 텐데. 말은 두 마리하고 수레를 빌려 드리죠. 곧 남편을 보내시오. 하여튼 읍에 가주지 않아서는 우리가 즐겁게 놀 수 없잖소."

여자는 집에 돌아와 남편에게 말했다. 남편은 곧 스님을 만나러 갔다. 스님은 기다리고 있었다.

"안녕하셔요, 스님. 지금 집의 사람한테서 들었습니다만 말과 수레를 빌려주신다니……."

"응, 기꺼이 빌려주지. 자, 어서 갖다 쓰고 서서히 가져 오시오!"

농사꾼은 스님과의 말과 수레를 빌려 갖고 집으로 돌아왔다. 그리고 아내에게 말했다.

"이봐, 나는 이제부터 마을 밖에 나가서 잠시 담배나 피우다가 돌아올게. 그동안 그 작자를 데려가 적당히 구슬려 놓고 있어. 내가 돌아와 문을 두들기면 그 작자는 당황해 어서 숨겨 달라고 할 거야. 그러거들랑 연통재를 넣어둔 궤짝 속에 쓸어넣어. 알았지?"

"예, 알았어요."

농사꾼은 마차를 타고 마을 밖으로 나갔다. 스님은 그 마차가 멀리 가는 것을 눈으로 똑똑히 보고 곧 젊은 유부녀한테로 뛰어 왔다.

"부인, 남편은 갔죠?"

"예, 빌려 주신 마차를 타고 지금 막 떠났어요. 돌아오는 건 아마 내일 아침이 될 거예요."

"마침 잘됐어. 하룻밤 마음 놓고 놀 수 있겠는 걸…… 자, 술이나 안주를 가져왔으니 우선 마시고 먹고 합시다."

스님과 여자는 테이블을 가운데 놓고 마주앉아 음식을 먹기 시작했으나 스님은 마음이 다급해 견딜 수가 없는 모양이었다. 그래 대강 먹고 나서 법의를 벗고 구두를 벗고 팬티를 벗고 아담 시절로 돌아가 침대에 들었다.

여자는 방안을 치는 것처럼 하면서 우물쭈물하고 있었다.

"부인, 빨리 와요!"

"예, 이제 곧 가요. 하지만 부끄러워……."

"뭣이 부끄럽소. 숫처녀도 아니면서요……."

그때 마침 별안간 누구인가 대문을 두들겼다. 스님은 깜짝 놀라,

"에이, 이게 누굴까?"

"아이구머니…… 집의 주인이 돌아왔어요. 뭘 놓고 간 모양이죠."

"이것 야단났는걸…… 빨리 어디다 좀 숨겨주오!"

"어디가 좋을까요?"

그동안에도 주인은 땅땅 문을 두드리며,

"빨리 문 열어. 뭘 우물쭈물하는 거야. 정부라도 끌어들였나?" 하고 떠들어댔다.

"그럼 할 수 없어요. 이 궤짝 속에 들어가 계셔요."

여자는 난로 뒤에 놓여 있는 굴뚝재 모은 궤짝 뚜껑을 열고 스님을 그 속에 눕히고 급히 자물쇠를 잠갔다.

"움직이거나 소리를 내선 안돼요!"

여자는 그 다음에야 문을 열었다. 남편이 들어왔다.

"왜 도루 오셨어요?" 하고 아내가 물었다.

"굴뚝재 든 궤짝들을 싸올리고 갈 걸 잊었어. 어지간히 쌓였으니까 좋은 값을 받을 거야. 자, 손을 좀 빌려줘요."

두 사람은 궤짝을 밖으로 끌어내렸다.

"재도 이렇게 쌓이면 어지간히 무겁군 그래. 값을 톡톡히 받겠는걸!"

그는 우선 비틀거리는체하고 궤짝을 이리저리 부딪쳤다. 그럴 때마다 그 안에 있는 스님은 궤짝 송판에 머리를 들여박으며 "이것 어림없는 녀석

한테 걸려들었다는걸!" 하고 울상을 하고 있었다.

부부는 억지로 궤짝을 마차에다 싣고 농사꾼은 그 위에 걸터앉아 읍으로 들어갔다.

마을을 벗어나자 그는 말 두 마리에 사정없이 채찍질을 했다. 말은 미친 듯이 뛰었다. 궤짝 속 스님은 동그란 공인 양 상하좌우로 골통을 박고 끙끙거리고 있었다. 그러고 가는데 저쪽에서 귀족 일행이 마차를 타고 왔다. 그리고 농사꾼이 정신없이 마차를 몰고 있는 것을 보자 마부에게 말했다.

"저 마차를 세우고 왜 저리 급히 가느냐고 물어봐라."

마부가 마차에서 뛰어내려 농사꾼한테 곧 뛰어가 소리쳤다.

"이봐 농사꾼 거기 멎거라, 멎어."

농사꾼은 마차를 세웠다.

"뭣 때문에 그렇게 말을 급히 몰고 가는지 물어오라는 우리 주인님의 명령이시다."

"나는 악마를 쫓고 있는 거다."

"한 마리라도 잡긴 잡았나?"

"응, 한 마리 잡고 또 한 마리를 쫓고 있었는데, 네놈이 방해를 놓아 이젠 쫓아갈 수도 없게 되었다."

마부가 이런 이야기를 주인에게 보고하자 귀족은 곧 마차에서 내려 농사꾼 곁으로 왔다.

"여봐라 네가 잡았다는 악마라는 걸 보여줄 수 없느냐. 나는 아직 악마란 것을 본 적이 없다."

"그럼 100루블 내십쇼. 보여드릴 터이니."

귀족이 100루블 내주자, 농사꾼은 궤짝 뚜껑을 살짝 열어 그 안을 들여다보게 해주었다. 거기에는 발가숭이의 스님이 검댕이에 새까맣게 되어 갖고 머리카락을 산산이 풀어 헤치고 마차의 동요에 초죽음이 되어 눈만 반짝이며 끙끙거리고 있었다. 귀족은 감개 깊은 듯,

"음, 이건 진짜 악마이다. 무서운 것이로구나…… 머리카락이 길고 피

부가 새까맣고 눈이 툭 튀어나와 있다."

농사꾼은 다시 뚜껑을 닫고 읍을 향해 달리기 시작했다.

읍에 들어가자 그는 시장 입구에 마차를 세웠다. 마차 곁을 지나가던 사람이 물었다.

"자네는 뭘 깔고 있지?"

"악마올시다."

"악마? 값은 얼만가?"

"1,000루블."

"좀 싸게 안 될까?"

"안됩니다. 1,000루블에서 고린전 한 푼도 깎아 팔 수는 없습니다."

이 문답을 들고 많은 사람이 마차 둘레에 모여 들었다. 그리고 왁자지껄 떠들어댔다.

"악마를 판대."

"굉장한 장사가 시작됐군 그래."

"대체 진짜 악마일까?"

"그건 그럴 테지. 1,000루블이나 한다니까."

"구경이나 좀 했으면 좋겠는데."

"아이 무서워!"

거기 돈 있는 상인이 두 사람 모여 있는 사람들을 헤치고 앞으로 농사꾼에게 물었다.

"어이 농사꾼, 그 악마는 팔 건가?"

"네, 군말없이 산다면 팔겠소."

"얼만데?"

"1,000루블이요. 그렇지만 궤짝만은 팔 수 없소. 요다음에 또 잡았을 때 넣어둬야 할 테니까."

두 상인은 이것을 사서 사람들에게 구경을 시킨다면 크게 이가 남으리라 생각하고 서로 의논해 둘이서 같이 사기로 했다. 그리고 1,000루블의 돈을 농사꾼에게 내주었다.

농사꾼은 "그럼 물건을 내드립죠!" 하고 말하고 궤짝 뚜껑을 열었다. 한즉 그 순간 스님은 궤짝 속에서 뛰어나와 군중 속으로 뛰어들었다. 군중은 깜짝 놀라 자빠져 남녀노소할 것 없이 비명을 올리며 사방으로 흩어져 달아났다. 두 상인은 그것을 보고 혀를 차며 감탄했다.

"굉장한 악마이군. 저런 걸 만났다가는 그 자리에서 숨이 끊어져 버릴 거야. 놓쳐버려 참 분한걸!"

농사꾼은 빈 마차를 끌고 집으로 돌아와 그 길로 스님한테로 말과 수레를 갖다 주러 갔다.

"참말 고맙습니다. 덕분에 장사도 잘 했습니다."

그 이튿날 여자가 또 물을 길러가다 창가에 있는 스님을 만났다. 그래 이번에는 여자 측에서 먼저 히잉히잉하고 유혹해 보았으나 스님은 쓰디쓴 낯을 하고 대답했다.

"그 수단에 다시는 넘어가지 않겠다. 엊저녁은 네 남편에게 지독히 욕을 보았으니 말야."

스님은 그 후 여자를 보아도 씨앗말처럼 이히힝! 하며 울려 하지 않았다.

도구 없는 사내

사이 좋은 두 시골 처녀가 있었다. 두 사람이 모두 결혼을 무서워한 끝에 일생 동안 결혼은 하지 않기로 맹세했다.

"사내는 팔보다도 더 굵은 놈으로 우리 배를 방아 찧듯 한다는 거야."

"그러니까 피가 멎지 않아 죽는 사람도 있다고 해."

"그런 무서운 꼴 필요 없잖아."

"그러니까 결혼은 딱 질색이야."

이런 대화를 주고 받는 것이었다.

한데 그중 하나가 양친의 권유로 강제 결혼을 하고 말았다. 그리고 신랑과 같이 같은 침대에서 이틀 밤을 지내고 나서 처녀시대의 친구를 만나러 왔다. 친구는 모든 것을 샅샅이 알고 싶은 마음에서 그녀에게 질문의 화살을 퍼부었다.

"그래. 난 정말 죽는 줄 알았어. 그야 고통스러웠어. 아버지 어머니 말씀을 듣는 걸로 목숨을 걸고서의 일야."

이 말은 상대방 처녀를 겁내 주기에 충분했다. 그리고 "나는 아무리 야단쳐도 결혼 안하겠어. 설마 결혼하더라도 형식만으로 해둘 테야. 만일 그렇게 무서운 도구 없는 사람과 결혼할 수 있다면 얼마나 좋을까?" 하고 말했다.

그 마을에 아주 가난한 총각이 있었다. 너무 가난해 시집오는 사람이 없었으나 그래도 좋으니 색시를 얻으리라 마음먹고 있었다. 한데 두 처녀가 이런 이야기를 하고 있는 것을 곁으로 지나가다 귀담아 듣고, "옳지 됐다.

이번 저 바보계집애한테 말할 기회가 있으면 나는 도구가 없다고 말해 주리라" 마음먹었다.

그리고 나서 2~3일 지나 그는 빼빼 마른 말을 물 먹이러 데리고 가다가 미사에 가는 그 처녀와 만났다. 거기는 마침 좀 가파른 언덕길이어서 말은 돌에 채어 언덕 아래로 굴러 떨어졌다. 처녀는 그것을 보고 깔깔 웃었다. 사내는 화를 내며 말 꽁지를 붙들고 마구 때리기 시작했다.

"일어나…… 살가죽을 베껴줄 터이니!"

처녀는 말이 불쌍해져,

"왜 그렇게 때리세요? 불쌍하잖아요?"

"이놈은 아무 소용도 없어. 만일 나에게 남 못지않은 도구가 있더라면 아주 좋았을 텐데. 그 놈의 것이 없어 그럴 수도 없어!" 하고 사내는 진지한 낯으로 대답했다.

이 말을 듣자 젊은 처녀는 기꺼워 어쩔 줄을 몰라 했다.

"내 남편 될 사람은 바로 이 사람이야. 반드시 신께서 나를 불쌍히 생각하고 보내주셨어!"

그리고 집에 돌아오자 혼자 방구석에 틀어박혀 말도 하지 않고 있었다. 식사 준비가 되어 모두들 자리에 앉았으나 그녀는 아무것도 먹고 싶지 않으면서 까딱도 하지 않았다.

"도유슈카야 왜 그러느냐?"고 모친이 걱정스러이 물었다.

"뭐 때문에 골이 났느냐? 시집이라도 가고 싶으냐?" 하고 부친이 말을 걸었다.

딸은 저 도구 없는 사내와 결혼이 하고 싶었기 때문에 곧 이렇게 대답했다.

"전 누구와 결혼한다면 이반하고 하겠어요. 딴 사람하고는 절대로 안 해요."

부친은 화를 내며 소리 질렀다.

"뭘 생각하고 있어. 머리라도 돌았느냐. 그따위 녀석하고 부부가 되었다가는 거지되기 안성맞춤이다!"

"좋아요, 그런 것. 운명이니까요. 만일 딴 사람하고 결혼하라고 하면 강에 나가 빠져 죽고 말거나 목을 매겠어요!"

어쩔 수가 없다. 노인은 지금까지 드나들지도 못하게 했던 이반한테로 가서 혼담을 맺고 왔다.

이윽고 혼례식이 끝나고 집안끼리의 피로연이 있은 뒤 한 쌍의 신랑신부는 방에 들었다. 한즉 이반은 곧 마땅히 있어야 할 것이 있음을 증명했다.

신부는 후회하기 시작했다.

"내가 바보였구나. 어차피 도구 있는 사내와 결혼한다면 돈 있는 사내가 훨씬 좋았을 걸…… 한데 대관절 이 사람은 어디서 도구를 구해 왔을까? 그걸 따져봐야겠다"고 혼잣말처럼 중얼거렸다.

"이봐요 이와누슈카, 당신 도구 어디서 찾아 왔어요, 전에는 도구가 없다고 하더니?"

"응 한 이틀 후에 갖다 주기로 하고 백부한테서 빌려 왔어."

"그래요…… 도구란 빌릴 수도 도로 갖다 줄 수도 있군요!"

그러고 나서 하룻밤이 지나고 이틀 밤이 지나는 동안에 그녀는 사내 도구가 무척 좋아져 남편에게 말했다.

"여보, 이 도구 아주 가질 수 없을까? 내일 백부님한테 부탁드려 봐요."

이튿날 이반은 백부한테 갔으나 풀없이 돌아왔다.

"여보, 백부님의 승낙받으셨어요?"

"그게 잘 안됐어."

"어머나! 왜요?"

"글쎄 백부 말이 팔아도 좋지만 하나 밖에 없는 것이라면서 500루블 이하로는 안 된다는 거야. 나한테는 그런 대금이 없고……."

"좋아요, 그렇다면 제가 어머니한테 말씀 드려 돈을 준비할테니까!"

이튿날 그녀는 모친에게 자초지종을 이야기하고 500루블 타왔다. 그리고 보기 좋게 도구를 내 것으로 만들었다.

이반은 그 돈을 밑천 삼아 장사를 시작해 이윽고 이 마을에서 제일가는 부자가 되었다.

병정과 바보아들

한 병정이 어느 부잣집 바보 아들 집에 묵어 그 집 젊은 아내와 친해졌다. 주인이 어렴풋이나마 그걸 눈치 채고 밖으로 일하러 나가지는 않고 하루 종일 아내 옆에만 붙어 있었다.

그래서 병정은 한 꾀를 내어 어느 날 밤 옷을 바꿔 입고 그 집 문을 두드렸다.

"누구요?"

"파베요?"

"어디 있는 파베요?"

"대궐에서 파견된 파베다. 지금 주인은 집에 있느냐?"

"대체 무슨 일이요?"

"임금님께서 젊은 주인을 붙들어다 경을 쳐 놓으라는 분부이시다! 자, 빨리 문 열어라!"

바보 주인은 이 말을 듣자 벌벌 떨기 시작했다. 그리고 어디 숨으면 좋을까 하고 방안을 빙빙 돌았다. 결국 외투를 뒤집어쓰고 테이블 밑으로 들어가 숨었다.

아내가 문을 여니 병정이 큰소리를 치며 방안으로 들어왔다.

"주인은 어디 있지?"

"오늘은 안계세요."

병정은 다락이니 장이니 부엌까지 샅샅이 뒤졌다. 그리고 마지막으로 테이블 아래 있는 것에 시선을 보냈다.

"이건 뭐야?"

"송아지예요!" 하고 아내는 대답했다.

한즉 주인이 작은 목소리로 음매! 하고 울었다.

"좋아. 아무리해도 주인을 찾지 못한다면 네가 주인 구실을 해라. 자 나와 같이 자자!"

"어머나 그런 걸 할 수 없어요. 집의 주인이 오실 때까지 기다리세요."

"어림도 없는 소리! 나는 오늘밤 안으로 온 마을 집집을 뒤져야 해. 한 집이라도 빼 놓으면 등대기를 2백 대나 맞아야 한다. 자, 빨리 나하고 자자. 우물쭈물하고 있을 틈이 없어!"

젊은 아내는 병정의 애무에 몸을 맡겼다. 그리고 너무나 세게 공격해 오자, 드디어 방귀를 뀌고 말았다.

병정은 일이 끝나자 바쁜 듯이 밖으로 나가 버렸다.

주인은 테이블 아래서 겨 나와,

"여보 고맙소. 내 대신 대답을 했으니…… 당신은 견딜 수 없어 방귀까지 뀠지만 나 같으면 똥을 쌌을지도 몰라. 참말 당신은 훌륭했어. 하지만 나도 잘 했지? 당신이 송아지라고 했을 때 엄매! 하고 송아지 소리를 한 것 같은 건 걸작이었어!"

여자女子의 나쁜 지혜

"저, 백모님 부탁이 하나……."

"뭔데. 어디 말해 봐."

"말하잖아도 아시면서……."

백모는 곧 뭣인지 알고

"좋다 이와누슈카, 즐겁게 해 주지. 하지만 너에겐 여자가 얼마나 나쁜 지혜가 있는지를 모를 거다."

"하지만 저도 그렇게 바보가 아니지 않아요."

"그럼 오늘밤 창아래로 온!"

총각은 하늘에라도 올라갈 듯한 기분으로 해 떨어지기를 기다렸다가 해가지자 백부네 안뜰로 들어갔다. 하나 그 안뜰엔 삼나무가 엉켜 있어 창아래로 가는 총각의 발밑에서 버석 소리를 내었다.

백모는 주인보고 말했다.

"잠깐 나가 보고 오세요. 누가 우리 집 근처를 다니고 있어요. 도둑일지도 몰라요."

백부가 창을 열고 물었다.

"누구냐, 밤중에 남의 집에 들어온 놈이?"

"저올시다, 백부님!"

"아, 이와누슈카냐. 뭣 하러 이 밤중에 여길 왔느냐!"

"실은 말입니다. 아버지하고 내길 했어요. 아버지는 이집 주녀수가 아홉이라는 겁니다. 나는 열이라고 하고. 그래 그걸 헤어보러 왔어요."

"너의 아버지는 바보야. 글쎄 나하고 같이 집을 짓고도 주녀가 열인 줄을 모르다니……."

"그래요. 백부님. 집에 돌아가거들랑 아버지 얼굴에 침을 뱉어 주겠습니다."

이튿날 총각은 백모에게 말했다.

"어쩔 수가 없어요. 백모님 어떻게 좀……."

"너는 바보야…… 백부하고 얘기만 하고 있으면 어떡하니. 내가 글쎄 나갈 수가 있어야지. 하지만 너는 우리 송아지 넣는 데를 알고 있지. 오늘 밤 그리로 온! 나도 갈 테니까."

밤이 되자, 총각은 곧 그리로 갔다. 그리고 한쪽 구석에 숨어 백모 오기를 기다리고 있었다. 하나 백보는 남편보고 말했다.

"여보, 뒤뜰 안에서 뭣이 버석거려요. 늑대가 양 외양간에 들어간 것 같아요. 양들이 야단을 치고 있는가 봐요."

노인은 일어나 소리쳤다.

"누구냐 거기 있는 것이?"

"저올시다!"

"너가 왜 또 거길 들어 왔지, 이 밤중에?"

"할 수 없어요. 백부님. 아버지가 귀찮게 굴어 견딜 수가 없어요. 아까도 하마터면 싸울 뻔 했어요."

"그건 또 왜?"

"글쎄 백부님 댁에 양이 암컷 아홉 마리하고 수컷 한 마리라고 우기지 않아요. 나는 암컷 아홉 밖에 없다고 해도 자꾸 우겨대시는 겁니다. 수컷은 한 마리 요전에 잡았다고 하는데도."

"그래 네 말이 맞다. 수컷은 세례식 때 잡았다. 너희 아버지도 같이 와서 먹고도 그런 소리를 해? 내 형이지만 정말 바보군. 요다음 만나거든 놀려줘야지."

"놀려주는 정도로는 안돼요. 이제 돌아가서 수염을 몽땅 불태워 버려야겠습니다. 글쎄 밤에 잠을 자게 해야죠."

이와 같은 문답을 하는 동안 백모는 몸을 뒤틀어가며 웃고 있었다.

이튿날 조카아들은 백모를 찾아와,

"백모, 너무 심하십니다. 좀 어떡해줘요."

"하지만 어쩔 수 없잖아. 네가 마판을 밟아 양을 모조리 깨워놓으니 안 돼. 하지만 불쌍했어. 두 번이나 실패했으니 말야. 세 번째는 잘 될 거야."

"오늘밤은 어디로 갈까요?"

"내 방으로 들어와. 우리가 어디 자는지 알지? 그러니까 만져 보란 말야. 나는 엉덩이를 까고 잘 터이니까."

백모는 남편과 같이 잠자리에 들자 곧 이렇게 말했다.

"여보, 나는 벌써 6년 전부터 침대 가장자리에만 자서 그만 싫증이 났어요. 그러니까 자리를 좀 바꿔자요. 반대쪽에서 좀 자게 해줘요."

"나는 아무래도 좋아."

하고 노인은 대답하고 자리를 바꿔 주었다. 잠시 있다가 백모가 또 말했다.

"왜 그런지 몹시 뜨겁군요. 아마 스토브 아궁이를 꼭 닫아놓은 모양이에요. 잠깐 가서 보고 오세요."

그녀는 남편의 엉덩이에 손을 가져갔다.

"어머나, 당신 팬티 입고 계셔요…… 실례예요. 여편네하고 자면서 팬티를 입고 있다니…… 루캰이나 카츠프보고 모두 물어보세요."

남편은 그것도 그럴 거라 생각하고 팬티를 벗고 엉덩이를 내놓은 채 잤다.

첫닭이 울기 시작했을 녘에 총각은 백부집 현관에 뛰어들어 방문 쪽으로 귀를 기울였다. 모두 잠이 들어 조용하다. 그때 그는 가만히 문을 열고 방안으로 들어가 잠자리를 더듬었다. 하나의 엉덩이가 손에 닿았다. 그게 백모인 줄 알고 맹렬히 공격을 시작했다. 백부는 깜짝 놀라 눈을 뜨고 큰 소리로 떠들며 괘씸한 조카아들놈의 껄 꽉 쥐었다.

"왜 그러세요, 여보?" 하고 백모가 물었다.

"빨리 일어나. 관솔에 불을 켜요. 도둑을 잡았으니까."

백모는 침대에서 뛰어내리자 잠에 취한 듯 방안을 두리번거리고만 있었다.

"뭘 그러고 있는 거야……."

"아무래도 불씨가 없어요."

"그럼 이웃집에 가서 얻어와!"

"이제 어떻게 밖엘 나가요. 캄캄한데 늑대라도 나오면 어떡하게요."

"그럼 내가 갖다올 터이니 그 대신 도둑을 꼭 잡고 있어. 도망가지 못하게시리."

백부는 밖으로 나가 이웃집 문을 두드려 사건을 죄다 이야기하고 불씨를 빌려 달라 부탁했다. 그 사이 백모와 조카는 푹신한 잠자리에 들어 두 번 세 번 즐거움을 나누었다. 이윽고 총각은 아주 만족해 도망쳐 달아났다.

조카가 도망쳐 달아나자 백모는 생각했다.

"자, 남편이 돌아와 도둑을 놓쳤다고 야단을 치면 뭐라고 할까?"

하나 다행히 이삼일 전에 암소가 새끼를 낳아 그 새끼가 부부가 자는 침대 곁 기둥에 매어 있었기 때문에 백모는 그 송아지 혓바닥을 잡고 기다리고 있었다. 불을 밝혀 들고 돌아온 남편은 그것을 보자 소리쳤다.

"여보 당신은 뭘 쥐고 있소?"

"당신이 쥐라고 내준 것을 쥐고 있어요."

"그럼 내 엉덩이에 나쁜 짓을 한 놈은 바로 요놈이었던가! 고약한 놈도 다 있다. 엊그제 갓 나온 녀석이……."

남편은 미친 듯이 화를 내고 식칼을 들고 오더니 그 송아지 목을 찔러 죽였다.

이랴이랴 워어워어!

두 농사꾼이 보리를 심으러 밭에 나가 자기 밭에서 각자 일을 하고 있었다. 거기 한 노인이 지나가다 말을 건네었다.

"수고하오, 농사꾼."

"안녕하시오, 노인장."

"뭘 뿌리고 계십니까?"

"보리를 심고 있습죠."

"그럼 보리 농사가 잘 되기를 축원하오!"

노인은 그러고 나서 이웃밭에 가서 또 말을 걸었다.

"수고하오, 농사꾼."

"뭡니까, 할아버지?"

"뭘 뿌리고 계시오?"

"그걸 물어 뭘 하죠! 사내 도구를 뿌리고 있소."

"그럼 그게 잘 되기를 축원하오."

노인은 그렇게 말하고 멀리 사라졌다. 두 농사꾼은 이윽고 씨앗을 다 뿌리고 집으로 돌아왔다.

봄비가 대지를 촉촉이 적시기 시작하자, 맨 처음 농사꾼 밭에는 보리가 쑥쑥 뻗기 시작했다. 하나 이웃 농사꾼 밭은 사내 도구가 발 들여놓을 틈 없이 빨간 고개를 들기 시작했다.

두 농사꾼은 밭을 보러 왔다. 처음 농사꾼은 뜻하지 않은 일에 좋아했으나, 이웃 농사꾼은 크게 낙담했다. "이 따위가 이렇게 많이 되어 뭣에 쓴

담…….”

거둬들일 시기가 되었다. 두 농사꾼은 또 밭에 나갔다. 그리고 한 사람은 싹싹 낫으로 보리를 베기 시작했으나 다음 농사꾼은 손 댈 길이 없어 사내 도구의 빨간 대가리를 바라보고만 있었다. 하나 이윽고 그는 집으로 돌아와 잘 드는 식칼과 종이와 노끈을 가져다가 잘된 놈을 뿌리째 잘라 둘씩 종이에 싸서 끄나풀로 맸다. 그리고 그걸 수레에 싣고 거리로 팔러 갔다.

“이따위라도 바보 년들이 살지도 모르지!”

“자, 사내 도구를 안사시렵니까! 아주 굉장한 거 올시다!” 하고 그는 외치며 돌아다녔다.

어느 부잣집 미망인이 그 소리를 듣고 곧 식모를 불러 명령했다.

“저 사내가 이상한 소리를 외치고 다니니 너 나가서 뭘 파느냐고 묻고 온!”

식모가 밖으로 뛰어 나갔다.

“뭐예요?”

“사내 도구올시다.”

식모는 주인한테로 와서 농사꾼이 말한 대로 알릴 수가 없어 주저주저하고 있었다.

“뭘 망설이고 있는 거냐. 빨리 말해봐. 뭘 팔더냐?”

“……사내 도구래요.”

“바보 같으니. 그럼 빨리 가서 한 쌍에 얼마냐고 물어봐…….”

식모는 당황해갖고 뛰어나가 농사꾼 뒤를 쫓아가서 “한 쌍에 얼마죠?” 하고 물었다.

“싸게 해 드립죠. 100루블만 내세요.”

식모가 돌아와 보고하니 미망인은 곧 100루블을 내주며,

“그럼 빨리 가서 긴 놈으로 사온!”

식모는 농사꾼한테 돈을 가져다주고,

“아주 굵고 긴 놈으로 주세요.”

"네, 잘 알았습니다."

식모는 주문대로 아주 멋진 놈을 한쌍 부인한테 가져다주었다. 부인이 그것을 손에 들어 잘 보니 모양으로 곧 보나 굵기로 보나 아주 상품이었다. 그래 곧 사용해 보려 했으나 아무리 해도 말을 안 듣는다. 그래 식모를 불러 물었다.

"그 장삿군, 무슨 문구를 말하라고 하잖더냐?"

"아뇨, 아무 말도!"

"너 참 바보로구나. 빨리 가서 물어와!"

식모는 또 농사꾼을 쫓아가서,

"저…… 아까 산 도구를 쓰는 데는 뭐라 말하는 문구라도 있어요?" 하고 물었다.

"그야 있죠. 그렇지만 100루블 내시지 않으시면 가르쳐 드릴 수 없습니다!"

식모는 곧 되돌아와 부인에게 그렇게 보고했다.

"역시 그렇군. 그럼 100루블 가지고 가라. 이렇게 훌륭한 걸 보면 200루블쯤 비싸지 않다."

식모가 100루블 가지고 뛰어가니 농사꾼은 이렇게 대답했다.

"이걸 쓰실 때에는 <이랴이랴> 합니다"라고 가리쳤다.

이 보고를 듣자 미망인은 곧 침대에 들어가 <이랴이랴> 소리를 냈다. 한즉 두 도구는 들락날락 충실히 그리고 교묘히 구실을 다해 주어 미망인은 잠시 꿈을 꾸는 것 같은 기분이었다. 하나 아주 흡족해 그만 두려 생각하였지만, 도무지 말을 듣지 않는다. 큰일 났다. "……이게 왜 이래?" 그쳐 주지 않았다가는 어떡하지…… 부인은 새파래져 갔고 식모를 불렀다.

"빨리 지금 그 사람을 찾아 뭐라고 하면 풀어 주는가를 물어오너라. 나는 그만 죽을 것 같다."

식모는 또 온 거리를 샅샅이 뒤져 그 농사꾼을 찾아냈다.

"빨리 가리쳐 주오. 부인이 죽게 됐어요. 뭐라고 하면 그치는 거예요……."

하나 농사꾼은 또 100루블 주지 않으면 안 가르쳐 주겠다고 버텼다. 그래 식모는 급히 돌아와 부인에게 그 말을 했다.

"참, 욕심 많은 녀석이구나. 그럼 장롱 속에 100루블 남아 있을 터이니 꺼내 갖고 빨리 갖다온. 난 숨이 끊어질 거 같다."

농사꾼은 세 번째의 100루블을 받자 겨우 입을 열어,

"<워어워어> 하면 됩니다"고 가르쳐 주었다.

식모가 화살같이 뛰어 올라와보니 부인은 혓바닥을 쭉 내뻗고 흰 눈동자를 굴리며 의식이 없어져 있었다. 그때 식모가 자기도 모르게 소리쳤다.

"워어워어!"

한즉 그 도구는 저절로 빠져나오고 부인은 제정신으로 돌아왔다.

그 다음부터 그녀에게는 아주 쾌적한 생활이 시작되었다. "이랴이랴" 하고 말하면 도원경의 문이 화려히 열리고 "워어워어" 하면 곧 그 전대로 되니 일체 남의 손이 필요치 않은 가벼운 향락이었다.

똑똑한 아내

어느 할머니한테 딸 하나가 있었는데, 말괄량이에다가 몹시 더러웠다. 한데도 그 딸을 색시로 삼겠다는 바보가 있어 두 사람은 결혼했다. 그리고 1년쯤 되어 사내 애를 낳았다.

어느 날 그 딸은 친정어머니를 찾아가 잘 얻어먹었다. 그리고 먹으면서,

"어머니, 어머니가 굽는 빵은 언제나 맛이 있어요. 나는 왜 그런지 빵이 잘 구어지질 않아요. 마치 벽돌짱 같아요!" 하고 말했다.

"그건 말이다," 하고 어머니가 대답했다.

"반죽할 줄을 몰라 그래. 그러니까 빵이 맛없는 거다. 빵이란 건 말이다, 엉덩이 사이가 땀으로 축축해지도록 반죽을 하지 않으면 안 돼."

젊은 색시는 집에 돌아오자, 곧 빵반죽을 하기 시작했다. 그리고 오래도록 반죽을 하고는 스커트를 올리고 엉덩이 사이에 땀이 나나 어떠나를 만져 보고는 또 반죽을 하기 시작했다.

이렇게 두 시간 동안이나 그녀는 필사적으로 반죽을 하느라고 엉덩이 틈바구니를 반죽 투성이로 만들었으나 아직 엉덩이가 땀으로 축축해졌는지 어떤지를 몰랐다. 하나 그만 피곤해 스커트를 걷어 올리고 어린애에게 보였다.

"내 엉덩이가 땀에 젖었는지 어떤지를 좀 봐라!"

어린애는 엄마 엉덩이를 들여다보고,

"엄마, 엄마 똥고엔 구멍이 둘 나란히 있는데 모두 빵반죽으로 뭉개져 있어요."

그래서 그녀는 반죽하는 걸 그만 집어치우고 그걸로 빵을 구웠다. 그때 마침 돌아온 남편은 맛을 보고는 난생 처음으로 이런 맛있는 빵을 먹는다고 아내를 칭찬했다.

위에 계신 분

어느 탈주병이 하룻밤을 보내려 농사꾼집 곳간으로 들어가 풀단 위에 누워 있었다. 한데 잠이 들락말락할 때 사람 말소리가 들렸다. 병정은 깜짝 놀라 지붕 밑 들보 위로 겨올라가 숨었다.

이윽고 공간 안으로 젊은 남녀가 들어왔다. 두 사람은 술이니 맛있는 음식을 가지고 와서 그것을 한쪽으로 밀어놓자 서로 꼭 껴안고 애무를 시작했다.

풀단이 물결처럼 넘실거렸다. 여자는 사내 가슴 속에서 안타까이 몸을 비비 꼬며 이렇게 말했다.

"여보, 이렇게 사랑해 주는 건 고맙지만, 만일 애가 생기면 누가 시중을 봐줘요?"

"뭐 그 까짓것 걱정할 것 없어. 위에 있는 분이 일체 잘해줄 걸 뭐!"
하고 사내는 대답했다.

위에 있는 분-즉 하늘에 계신 우리의 아버지시라. 하나 그 소리를 듣고 대들보에 올라가 숨어 있던 병정은 깜짝 놀라 자기도 모르게 소리쳤다.

"이 엉터리 같은 놈아. 너희들끼리 실컷 좋아하고 나서 밑은 나더러 씻으라는 거냐. 난 못하겠다……."

젊은 남녀는 기겁을 해 바깥으로 뛰어나가 버렸다. 병정은 대들보에서 내려와 술과 음식을 배불리 먹고 기분이 좋아 풀단 위에 누워 쿨쿨 잤다.

경갑기병輕甲騎兵과 멋쟁이 여자

아무것도 모르는 청년이 젊은 똑똑한 아내를 데리고 쌍두마차에 올라 앉아 거리 구경을 나갔다. 한즉 도중에서 한 경갑기병輕甲騎兵이 나무에다 암컷 말을 매어놓고 장난질을 하고 있었다. 청년이 이상히 생각하고 그 병정에게 말을 건넸다.

"여보 병정, 뭘하고 계슈?"

"응, 상부에서 받은 말이 난리를 피었기에 고쳐주고 있어."

젊은 아내는 슬쩍 한눈으로 병정 쪽으로 흘겨보며 중얼거렸다.

"어쩌면…… 저분의 도구 근사한데…… 말을 상대하다니!"

그리고 뭣을 생각했는지 수레 바깥쪽에 가서 걸터앉았다. 이윽고 수레는 울퉁불퉁한 길에 들어서자 덜컹 흔들리는 순간 그녀는 땅에 떨어지고 말았다.

"아이 아파…… 발을 뺐어요…… 빨리 아까 그 병정을 불러다줘요!"

당황한 청년은 쏜살같이 그 청년한테로 가서,

"여보 병정님, 사람 살려 주시오. 집의 처가 수레에서 떨어져 발을 삐었어요. 빨리 좀 와서 고쳐 주시오."

"그래요? 그것 참 안됐군요. 곧 가리다!"

바람난 난봉 여자는 수레 안에서 몸살을 피고 있었다.

"아아 야단났어요. 발을 삐어버렸으니 이를 어떡해!"

경갑기병은 수레 곁에 오자 청년에게 물었다.

"수레에 걸칠 포장이 있소?"

"예! 있습니다."

"내어 주시오."

그리고 수레에 포장을 가리고 그 안으로 들어갔다.

"당신은 그 발을 꼭 붙들고 계시오. 움직였다가는 큰일이니까."

이리하여 청년이 두 발을 꽉 붙들고 있는 사이에 병정은 수레 안에서 정성껏 젊은 아내의 발을 치료해 주었다. 여자는 몇 번인가 신음소리를 질렀지만 그건 치료할 때 아파서 지른 소리일 것이다.

경갑기병이 일을 마치고 수레에서 내릴 때 여자는 그에게 은화 하나를 손에 쥐어주며,

"병정님, 고맙습니다. 덕분에 아주 발이 아무렇지 않아졌어요!"

남편도 포켓에서 은화를 하나 꺼내 정중히 병정에게 사례를 했다.

불쌍한 남편

어느 나이 먹은 상인이 젊은 아내를 얻었다. 그 상인은 점원을 대여섯 사람 쓰고 있었는데 그중에 포터라는 사내다운 젊은 총각이 있었다. 그는 곧 주인여자에게 귓맛 있는 소리를 해 가며 들러붙어 기분을 맞추었다. 젊은 여자에게는 대머리진 영감보다 젊은 총각 쪽이 좋을 것은 당연한 일이다. 그러니까 여자도 자기도 모르는 사이에 점원을 좋아하게 되었으며, 두 사람은 마침내 주인의 눈을 피해 서로 정을 맺고 있었다.

하나 그들 사이는 세상 사람들 눈에 띄게 되어 소문이 자자했다. 그리고 어느 주책없는 친구가 그 소문을 늙은이에게 들려주었다.

늙은이는 화가 나서 젊은 아내에게 말하는 것이었다.

"이봐, 세상에서는 너와 포터가 좋아한다는 소문이 대단하다!"

"어머나! 그건 너무 심한 말씀이에요. 제가 그따위 녀석을 상대로 할 것 같으세요? 남의 눈보다 자기 눈을 믿으세요."

"하지만 세상 사람들은 벌써부터 너희들이 내 눈을 속여 가며 좋아한다는데?"

"그런 헛소문 내버려 두세요. 하지만 만일 걱정되시거든 시험해 보시면 어떠세요?"

"어떻게 시험해 보라는 거야?"

여자는 잠시 생각하고 있더니,

"됐어요. 이렇게 하시면 어떨까요? 오늘 밤이라도 내 옷을 입고 포터 방엘 가는 거예요. 그리고 '나는 영감하고 헤어져서 당신하고 같이 살려고 왔어요' 하고 제목소리로 말해 보세요. 그러면 포터가 어떻게 나올지, 그 때 그의 태도로 모든 걸 알게 될 거예요."

"음, 그것 참 좋군."

여자는 그러고 나서 넌지시 포터를 만나 이렇게 속삭였다.

"오늘밤 저 늙은이가 내 옷을 입고 당신 방엘 가서 이렇게 이렇게 말할 터이니 그때는 무서운 낯으로 야단을 쳐주며 힘껏 두들겨 주세요. 우리 두 사람 사이를 아주 신용하도록 말이에요."

늙은이는 밤이 되기를 기다려 머리서부터 발끝까지 여편네 옷을 입고 점원 방 쪽으로 갔다. 그리고 가만히 문을 노크했다.

"누구세요?"

"저예요!" 하고 늙은이는 나직한 목소리로 말했다.

"뭐 하러 밤중에 찾아오셨습니까?"

"전 그이와 헤어져 당신하고 같이 살려고 왔어요. 이젠 마음대로 하세요."

"그건 안 됩니다, 부인. 어림도 없는 말씀을 다 하십니다. 그렇지 않아도 항간에서 쓸데없는 소문이 돌고 있는데 그런 짓을 해서 그처럼 친절한 주인님의 낯에 똥칠을 할 수가 있겠습니까. 자, 어서 돌아가셔요."

"하지만 부부가 되고 싶어요, 당신하고……."

"이렇게 제가 말씀 드려도 못 알아들으십니까. 정 그러시다면 주인님을 대신해 버릇을 가르쳐 드립죠."

그는 미리 준비해 놓았던 몽둥이로 등배고 허리 할 것 없이 손에 닥치는 대로 주인을 내리쳤다.

"아시겠습니까, 이젠 두 번 다시 여기 와서는 안 됩니다. 그런 짓을 하시면 첫째 제가 주인 볼 낯이 없고, 지금까지 애써 일해 온 보람이 수포로 돌아가잖습니까."

그는 울먹거리는 목소리가 되어 그칠 줄 모를 몽둥이질을 했다. 늙은이는 녹초가 되어 아내 방으로 돌아갔다.

"어머나 웬일이세요?"

"정말 그 녀석은 훌륭한 녀석이야. 울면서 나에게 설교를 하면서 주인을 대신해 때린다고 나에게 몽둥이질을 하는 거야. 덕분에 뼈마디마다 쑤셔 견딜 수가 없게 됐어."

"그것 보세요, 제가 뭐라고 해요!"

"응, 그래. 이제부터는 소문 같은 건 아랑곳하지 않겠어. 저렇게 곧곧한 점원은 정말 우리 집 보배야!"

그 다음부터 두 사람은 마음 놓고 인생을 즐겼다.

이상한 장사

어느 땅에 유복한 농사꾼이 있었는데, 이반이라는 외아들을 두고 있었다. 그 이반은 어림없는 게으름뱅이고, 매일 같이 빈둥빈둥 놀고만 있었다. 부친은 그 꼴을 보다 못해,

"이 녀석아 넌 어째 매일 놀고만 있느냐. 이젠 그만 일자리를 잡도록 해야지 되잖겠느냐."

"뭐 이제부터라도 늦지 않아요. 저한테 100루블만 주시고 저를 축복해 주셔요."

부친은 아들이 달라는 대로 100루블을 내주었다. 이반은 그 돈을 가지고 거리에 나가 왕궁 앞을 지나갔는데, 때마침 그때 정원 안을 아주 아름다운 귀부인이 거닐고 있었다. 이반은 발걸음을 멈추고 철창鐵槍에 매달려 그 귀부인을 멍하니 바라보고 있었다.

"젊은 양반, 거기서 뭘 하고 있소?"

하고 귀부인이 물었다.

"당신을 정신없이 보고 있습니다. 당신처럼 아름다운 분을 이제껏 본 적이 없습니다. 만일 정강이 있는 데까지 보여주신다면 100루블 올리겠습니다만."

"좋아요, 자 보세요!" 귀부인은 드레스 끝을 슬쩍 올렸다. 총각은 그녀에게 100루블 주고 집으로 돌아왔다. 부친이 그를 보고 이렇게 물었다.

"얘야 좋은 일감을 잡았니? 100루블은 어떻게 썼니?"

"가게를 짓기 위해 땅하고 재목을 찾습니다. 200루블만 더 주십쇼. 목수

품값을 드려야겠으니까."

부친은 200루블 내주었다. 총각은 또 왕궁 철장 있는 데 가서 기다리고 있었다. 이윽고 바로 그 귀부인이 지나가며 이렇게 물었다.

"왜 또 왔소?"

"저를 뜰 안에 넣어 주시고 허벅다리를 보여 주십시오. 그러면 200루블 올리겠습니다."

귀부인은 그를 정원 안으로 들어오게 하고 드레스 자락을 들어 허벅다리를 보여 주었다. 총각은 200루블 내주고 집으로 돌아왔다. 그가 돌아온 것을 보고 부친이 물었다.

"공사는 어느 정도냐?"

"네, 하고 있어요. 아버지 200루블만 더 주셔요. 물건을 미리 사야겠어요."

부친이 200루블 주자, 총각은 또 왕궁 철장 있는 데로 갔다. 부친은

"이놈이 어떤 상점을 꾸미는지 좀 보러가야겠다"고 생각하고 이반 뒤를 따라가서 왕궁 철장에서 좀 떨어진 데 서서 그 꼴을 보고 있었다.

귀부인이 또 지나가며,

"왜 또 나타나셨소?"

"화내시면 곤란합니다만 만일 당신의 귀여운 맷돌 둘레를 제 절구로 비비게 해 주시면 300루블 올리겠습니다."

"좋아요."

귀부인은 그를 뜰 안으로 불러들여 300루블 받고 뜰 위에 누웠다. 이반은 바지를 벗고 귀부인의 귀여운 맷돌 둘레를 근사한 절구로 조용히 비비대었다. 이윽고 귀부인이 흥분해 갖고,

"안에 넣어 줘요. 어서 안에 넣어 줘요!" 하고 말했다.

하나 총각은 침착하게

"안됩니다. 겉만 갈기로 했으니까요. 약속이 다릅니다!" 하고 거절했다.

"돈을 돌려 드릴 터이니까!" 하고 귀부인이 말했다.

총각은 "안 됩니다!" 하고 두말 않고 거절했다. 그리고 같은 동작을 되

풀이했다.

그때 귀부인은 "나는 당신한테서 600루블 받았지만 그 곱절로 갚겠어요!" 하고 애원했다.

철장 저쪽에서 이 장면을 보고 있던 부친은 그만 참을 수가 없어,

"이 녀석아 그만 그러라고 해. 조그만 개울이 큰 강이 되는 거니까."
하고 소리쳤다.

귀부인은 그 목소리를 듣자 화다닥 일어나고 말았다. 한 푼 없이 되어버린 이반은 얼굴을 붉히며 부친에게 덤벼들었다.

"뭣 하러 이런 데 있어 쓸데없는 소릴 하셔요. 감쪽같이 600루블 날리지 않았어요!"

천진한 남편

고자크의 나이 먹은 농사꾼 부부에게 구리스코라는 아들이 있었는데, 그는 초원에서 양떼를 지키고 있었다. 부부는 이제 그만 나이도 너무 먹고 해서 아들에게 색시를 하나 얻어 주자고 의논한 끝에 사람을 시켜 초원으로 아들을 부르러 보냈다. 아들은 곧 돌아왔다.

"얘야 몸은 튼튼하니?"

"튼튼합니다. 무슨 일이세요?"

"응, 실은 말이다, 우리도 나이를 먹고 했으니 너에게도 색시를 하나 얻어주고 우리는 은거하고 싶어서……."

"난 싫어요. 색시란 귀찮아요. 그것보다는 양치지 노릇하는 편이 마음 편합니다."

"그런 소리 말고 2~3일 집에 있으면서 잘 좀 생각해 봐라!"

초원을 좋아하는 아들은 투덜거렸으나 부부는 억지로 아들을 집에다 붙들어 놓고 그동안에 사방으로 중매쟁이를 내놓아 색시감을 골랐다. 그리하여 사흘째 되는 날 겨우 귀여운 처녀를 하나 발견해 놓고 아들에게 선보였다. 아들도 그 처녀가 아주 천진해 보여 안심하고 응하고 대답하고 말았다.

그래 마음 변하기 전에 혼례를 치르기로 하고 부랴부랴 서둘러 닷새째 되는 날 식을 올렸다. 식이 끝나고 연회가 있은 뒤에 친구들이 신랑을 신부방으로 데리고 갔다. 하나 도중에서 친구가 신랑더러 물었다.

"어이, 구리스코, 너는 신부를 사랑하는 장소를 아니?"

"침대 안에서겠지!"

"그건 그렇지만 털 나 있는 데를 사랑해야 해."

"응, 알았어."

친구도 신랑을 신부 방에 남겨놓고 연회석으로 돌아왔다. 구리스코는 잠시 신부 가브카와 같이 누워 있다가 생각이 나기에 털 나 있는 데를 찾았으나 도무지 찾을 수가 없다. 그래서 침대에서 내려와 장롱이니 선반 위를 찾다가 나중엔 방구석에 있던 커다란 브라시를 탔으나, 어떻게 되지를 않아 하는 수없이 밤새껏 변기 위에 앉아 쭈그리고 있었다. 아침이 되어 친구가 노크하고 말을 걸었다.

"잘 잤니?"

"응."

"털 있는 데는 알았겠지?"

"응."

"그래 위에 올라서 봤어?"

"응, 지금도 올라가 있다."

"그래? 그럼 그만 내려와?"

구리스코는 친구 말대로 아래로 내려왔으나 내릴 때 그만 삐뚝 자빠져 이마에 상처를 냈다.

"피가 나왔니?"

"응."

"그럼 문을 열어."

구리스코는 문을 열자 그만 단숨에 달아나 초원으로 가버렸다.

한편 신부 가부카는 신랑이 도망갔기 때문에 아주 우울해 매일 울고 지냈다. 그래 양친은 구리스코가 큰 연못 기슭의 초원에서 양을 치고 있다고 지도를 그려주며 찾아가보라고 말했다.

"연못가에 가서 구리스코를 만나거들랑 '이 연못에서 헤엄쳐도 좋으냐?'고 물어라. 그러면 구리스코가 '좋구말구!' 할 거다. 그러거들랑 너는

'물이 깊을지도 모르니까 먼저 들어가 보세요!'라고 말해. 그러면 어떻게 될 거니까."
하고 양친들은 가르쳐 주었다.

가프카는 말한 대로 초원으로 갔다. 그리고 양친들이 가르쳐 준대로 말을 붙였다. 한즉 구리스코는 셔츠와 바지를 벗고 연못으로 들어갔다.

"자 봐, 무릎까지 밖에 깊지 않지 않아!"

가프카도 뒤따라 연못에 들어갔다. 그리고 총각 앞에 달려 있는 것을 보고 물었다.

"그건 뭐야?"

"이것? 이건 폼프야."

"뭐에 써?"

"소변 보는 거야."

구리스코는 가프카 배 아래 있는 것을 눈으로 보다,

"너 거기 있는 건 뭐니?"

"이것 보재기 주머니야. 중요한 걸 넣는 거야. 당신의 소중한 폼프를 잠깐 넣어둬 보고 싶잖아?"

"물거나 하진 않겠지?"

"걱정 없어. 물긴 왜 물어"

그래 구리스코는 폼프를 보재기 주머니 속에 넣었으며, 그것이 무척 즐거워 이내 초원을 내버리고 거리로 돌아와 가프카와 부부가 되었다 한다.

밑 닦아!

젊은 부부가 있었다. 밤이 되어 아내가 식사 준비를 해갖고 식탁 앞에 앉으면 남편이 큰 목소리로 소리를 질렀다.

"밑 닦아, 밑을 닦으란 말야!"

아내는 깜짝 놀라 부엌에 가서 밑을 닦았다. 그리고 식탁에 돌아오면 남편이 또 야단이다.

"밑 닦아, 밑을 닦으란 말야!"

그리고 아내를 냅다 때리는 것이었다. 아내는 하는 수 없이 또 부엌으로 가서 이번엔 손에 모래를 묻혀 피가 나도록 똥꼬를 닦았다. 하나 식탁 앞에 돌아오며 주인은 더욱 화를 내며

"밑 닦으라니까 왜 닦지 않는 거야!"

하고 아내를 때리는 것이었다. 그래 아내는 근처에 사는 백모한테 가서 울며 호소했다.

"밑 닦으라고 야단야단하기에 피가 나오도록 닦았더니 더욱 화를 내잖아요. 어떡하면 좋아요?"

백모는 냅다 웃으며,

"너두 참 바보구나. 밥그릇 밑 닦으란 말 아니니……."

젊은 아내는 그 다음부터 밥그릇 밑을 깨끗이 닦아 놓아 남편에게 미움을 받지 않았다.

홍수

어떤 농부가 머슴을 데리고 있었는데, 어느 날 아침 "밥 먹고 나서 빨리 보리도리깨질 하러 가세!" 하고 말했다.

그리고 밥상 앞에서 간단한 식사를 하는데 거기 아내가 계란을 셋 가지고 와서 남편에게는 둘, 머슴에겐 하나를 주었다. 아침식사가 끝나자, 두 사람은 창고로 가서 각자 손에 도리깨를 들고 보리타작을 시작했다. 한데 머슴은 주인이 두 번 치는 사이 한번 밖에 안치는 것이었다. 농부는 그걸 눈치 채고 잔소리를 했다.

"공연스러히 그러지 말아…… 너도 내가 두 번 치는 동안에 한번 밖에 안 치지 않느냐. 좀 더 부지런히 일해……."

머슴은 골이 잔뜩 나서 대답했다.

"헐 수 없잖습니까. 침상에서 주인한테는 계란을 둘 주고 나한테는 하나밖에 안 주니 힘이 반밖에 안날 수밖에요."

"너 왜 그 소릴 빨리 안했어. 빨리 말하면 계란을 하나 더 줄 수도 있는데…… 그렇다면 집에 가서 여편네보고 계란을 하나 더 먹여 달라고 해. 그리고 곧 돌아와야 한다……."

머슴은 도리깨를 땅에 던지고 집으로 뛰어가 농부 여편네에게 말했다.

"아주머니, 주인장이 저한테 먹여 주라고 해요……."

"뭣을?"

"말하잖아요. 아시면서. 아주머니 가지고 계신 그 고기만두 말입니다."

"아이 망칙해. 너 머리가 돌았냐?"

"돌긴 왜 돌아요. 빨리 먹어 주십쇼. 우물쭈물하다간 주인장한테 야단만 나십니다."

"어림도 없는 소리! 공연히 농담 말고 어서 빨리 가서 일이나 해."

"농담 아닙니다. 거짓말 같거들랑 가셔서 물어보십쇼."

여자는 뜰로 내려가 멀리서 남편에게 소리쳤다.

"이만한테 먹여줘요?"

"응, 빨리 먹어. 그리고 곧 일하러 오도록 해!"

여자는 집에 돌아와

"헐 수 없지. 남편이 빨리 먹여주라니까."

그리고 테이블 앞에 있는 걸상에 누웠다. 머슴은 껄떡거리며 고기만두를 먹고 나서 주인을 만날까봐 급히 달아났다. 하나 테이블 구석에 두어서 방울 이상한 것을 흘려 놓았었다. 물론 그는 두 번 다시 돌아오지는 않았다.

농부는 도리깨질을 하면서 머슴 놈이 안 돌아 오기에 짜증을 내며,

"이놈이 왜 안 돌아올까. 어디 좀 가봐야지!" 하고 투덜거렸다.

그리고 집에 돌아와 여편네에게 물었다.

"머슴은 어떻게 된 셈야?"

"일을 끝내고 곧 돌아갔어요."

농부는 아내가 계란 이야기를 하고 있는 줄 알고 테이블가로 가서 그 이상한 것이 떨어져 있는 것을 보자,

"당신은 생계란을 먹였군 그래. 그러니까 먹을 줄을 몰라 이렇게 흰자위를 흘리지 않았어."

여편네는 그걸 보고,

"참 더러운 녀석 같으니…… 바지 입을 때 흘리고 닫았군 그래요…… 빨리 훔쳐야지."

농부는 이상히 생각하고 물었다.

"바지를 입다니 그 녀석한테 뭘 먹였는데?"

"당신이 먹이라고 한 것이지 뭐겠어요. 내 고기만두를 먹이라고 하시잖

았어요?"

농부는 이 말을 듣자, 화가 나 아내를 마구 때려 주고 마차를 타고 머슴의 뒤를 쫓았다. 머슴은 주인이 뒤에서 쫓아오는 걸 보자 외투를 뒤집어 입고 얼굴에 진흙을 칠해 변장을 하고 길옆에 앉아 있다가 말을 걸었다.

"안녕하십니까, 주인장."

"안녕하슈."

"어디로 가십니까?"

"머슴 녀석을 찾으러 가요."

"그럼 저도 같이 찾아드릴 터이니 마차에 태워 주시오."

"한데 당신은 뭐라고 하오?"

"구리아노즈라고 합니다."

"좋소. 자 어서 타시오."

달리고 있는 즉 한 예인을 만났다. 이 사람도 태워갖고 셋이나 달리고 있노라니까 어느 개울가에서 해가 뚝 떨어지고 말았다. 다행히 개울 옆에 조그만 집이 있어서 세 사람은 그 집 문을 두드리고 하룻밤 재워 달라고 청했다. 그 집에는 아직 젊은 미망인이 혼자서 지내고 있었는데, 밤에는 정부가 찾아오므로 미망인은 처음엔 거절했다.

"모처럼의 부탁하시지만 재워드릴 수가 없어요. 개울 위에서 큰 비가 내렸다고 하니 오늘밤쯤 큰 물이 나 당신들은 자는 동안에 빠져 죽을 거예요."

"아니, 그렇게 되면 어떻게 말할 터이니까요."

미망인은 세 사람이 졸라대는 바람에 허는 수 없이 재워주기로 했다. 그래서 농부는 천장 밑에 있는 그네에, 예인은 불단이 든 통을 발견해 그걸 공중에 달아매고 거기서 잤다. 만일에 경우에는 칼로 줄을 끊어 물 위에 둥둥 떠 있겠다는 속셈이었다. 미망인은 난로 위에서 잤다. 머슴은,

"홍수가 나서 죽어도 할 수 없소. 사람은 언젠가는 한 번 죽기 마련이니까."

하고 창 있는 데 뻗치고 있었으나 실은 사내가 오는 거라 생각하고 만일 오거들랑 혼을 톡톡히 내주리라 생각하고 있었던 것이다. 그것도 그는 미망인을 한번 보고 나서는 어떻게 손에 넣어야겠다고 벼르고 있었기 때문이다.

아니나 다를까 밤이 깊어지자 누가 창문을 노크했다. 머슴은 여자 목소리로 이렇게 물었다.

"누구세요?"

"나야, 나. 빨리 열어."

"여보 뭐 가지고 왔소?"

"응, 술을 반병하고 돼지순대를 가지고 왔어."

"그럼 그걸 이리 줘요."

사내는 가지고 온 선물을 내주었다. 머슴은 또 여자 목소리로,

"오늘밤은 손님이 셋이나 들어 당신하고 잘 수가 없어요. 섭섭해요. 그러니까 잠깐 당신 도구 손에 쥐게 해줘요. 그러면 조금은 마음이 풀릴지도 모르니까."

사내는 도구를 내어 머슴에게 쥐어 주었다. 머슴은 그걸 쥐고 두어 서너 번 흔들고 나서 포켓에서 칼을 꺼내 잘랐다. 사내는 비명을 지르며 달아났다. 머슴은 사내한테서 받은 술과 고기를 먹었다. 그리고 그네에 올라 입을 크게 벌리고 농부 얼굴에 오줌을 깔겼다. 농부는 홍수가 난줄 알고 "홍수다……" 소리를 치고 그네에서 뛰어 내렸다. 예인도 계획대로 발로 줄을 끊고 땅에 굴러 떨어졌다. 하나 두 사람이 다 아직 잠을 안 깨있는지라 다리를 절름거리며 밖으로 달아나 버렸다.

머슴은 대문에 빗장을 단단히 잠그고 그대로 미망인 잠자리로 겨들어가 밤새도록 천천히 즐겼다.

모가지 없는 딸

어느 농사꾼이 아내와 살고 있었다. 그는 송아지를 시장으로 끌고 가서 이웃 마을 농부에게 팔았다. 그리고 같이 한 잔 먹고 아주 친해졌다.

"어때 이걸 인연으로 한평생 의형제가 되면?"

"물론 자네가 나보다 나이가 위니까 형뻘이니 내가 동생이 되지."

그러고 나서부터 두 사람은 만나면 형이니 동생이니 하며 서로 술을 내곤 했다. 어느 날 두 사람은 주막집에서 우연히 만났다.

"여동생 오랜만일세."

"형님, 송아지는 잘 자라요?"

"덕분에 아주 커졌어."

"거 잘 했소. 한데 형님 우리도 정말 친척이 될 수 없을까."

"될 수 있고 말구. 자네에겐 나이 찬 처녀가 있고 나에겐 나이 찬 총각이 있으니 왜 안 되겠어."

"그것 참 근사하군요. 그럼 얘긴 다 됐소."

"그래 됐어, 됐어."

그들은 잠시 더 얘기를 하고 나서 헤어졌다. 송아지를 판 농부는 집에 돌아오자 자식에게 말했다.

"얘야, 너 나더러 고맙다고 해. 네 색시를 하나 정해 놓았다. 곧 잔치할 테야."

"어디서 찾아오셨어요, 아버지?"

"왜 우리 송아지 가진 사내 있잖아?"

"네."
"그 사내의 딸이야. 아주 미인이래."
"아버지, 그 처녀 만나 보셨어요?"
"하지만 그 아버지가 미인이라고 하더라."
"글쎄 보지 않고서야 미인인지 뭔지 어떻게 알아요. 포켓 속에 든 고양이를 살 바보는 없으니까요. 그럼 제가 그 마을에 가서 그 처녀를 한번 보고 오죠."
"그게 좋겠다. 곧 갔다 오너라."
총각은 될 수 있는 대로 더러운 옷을 입고 어깨에 밧줄을 메고 손에는 채찍을 들고 부친이 의형제 삼은 농부네로 갔다. 그리고 저녁녘 그 집으로 가서 창을 두드렸다.
"안녕하십니까, 주인장."
"무슨 일이지?"
"오늘 하룻밤만 재워 주십쇼."
"어디서 왔나?"
"멀리서 왔습니다. 100km나 되는 데서입니다. 실은 주인 말을 끌고 가다가 어느 장에서 잃어버리고 오늘까지 사흘째나 찾고 있습니다만 아직 못 찾았습니다."
"그래? 그것 참 안됐군. 재워주지."
총각은 집안에 들어가자 밧줄을 어깨에서 내려 목에다 걸고, 그러고 나서 나무 걸상에 걸터앉아 젊은 딸을 흘끔흘끔 보기 시작했다.
"어떻습니까, 이 마을은 경기가 좋습니까?"
"그게 말야. 도무지 좋지 않아. 모두 나쁜 소식만 들려와."
"그래요? 어떤 소식인뎁쇼?"
"매일 밤 늑대에 먹히고 있어. 요 이 주일 동안 하룻밤에 늑대에게 먹히지 않은 집이 없을 정도야."
이야기를 좀 더 하다가 모두 자게 되었다. 노인 부부는 거실에서 자고 딸과 총각은 현관에서 잤다. 하나 딸은 침대에, 총각은 풀단 위에서 잤다.

총각은 드러누웠어도 반드시 밤중에 처녀한테 누가 오리라고 생각하고 귀를 가다듬었다. 한 시간이 지나 두 시간이 되었다. 갑자기 눈을 노크하는 소리가 들렸다.

"이봐, 문 열어줘!" 하는 사내 목소리가 났다.

딸은 소리도 없이 일어나자 문을 열러가서 사내를 데리고 들어왔다. 사내는 곧 옷을 벗고 딸과 같이 침대로 올라갔다. 그리고 잠시 무슨 이야기인지를 하고 있더니 사내는 일어나 두 번 연거푸 딸을 애무했다.

그러고 나서 사내가 계집애더러 말했다.

"이건 읍에 어느 여자한테 들은 것이지만 두 발을 밧줄로 붙들어 매어 목에다 걸고 놀면 아주 좋다는 거야. 몸을 움직이지 못하니까 되레 안타깝고 좋다지 않아."

"그럼 어디 해봐요."

사내는 곧 허리띠를 주워다가 계집애 발을 붙들어 매어 그걸 목에다 걸었다.

현관에서 자고 있던 총각은 곧 일어나자 큰소리로 떠들었다.

"주인장 빨리 일어납쇼. 큰일 났습니다. 늑대가 댁의 따님 목을 잘라갔습니다. 빨리 일어나십쇼!"

정부는 침대에서 뛰어내려 대문으로 해서 달아나려 했다. 하나 총각은 그의 목을 붙들고,

"이놈새끼, 못 달아나게 할 테다!"

노인 부부는 총각이 소리치는 바람에 깜짝 놀라 방에서 뛰어나와 딸의 침대를 손으로 더듬었다. 그리고 엉덩이를 붙들고 그것이 동체胴體 곧 목이 잘린 줄 알았다. 그리고 당황해 손에 묻은 축축한 것을 그만 피인 줄 알고 큰 목소리로 울기 시작했다.

"이것 어찌된 셈이냐…… 왜 또 이렇게 붙들어 맸지……."

총각은 타누르고 있던 정부를 끌어내다가,

"늑대는 이놈입니다!"

모친이 화가 나서,

"아이구 참 지독한 녀석도 다 봤다. 이런 꼬락서니를 시키지 않아도 좋았을 텐데!"

노인들은 정부를 밖으로 내밀고 딸의 밧줄을 풀었다. 그리고 총각에게 부탁했다.

"부탁이니 남에게 아예 말마시오. 인사로 80루블 드릴 터이니까."

"물론 말하지 않겠습니다. 안심하십쇼."

이튿날 아침 농부는 총각을 잘 먹여 동구 앞까지 바래다주었다. 총각은 길을 걷다가 부대를 짊어진 거지 떼를 만났다.

"자 여러분, 이제 여기서 쭉 가면 마을이 곧 나올 거요. 그 한가운데 큰 농사꾼 집이 있소. 거기서는 늑대가 어젯밤 그 집 딸 모가지를 베어 물고 달아나 오늘 장례식이 있소. 거길 가면 잘들 얻어먹을 터이니 빨리 그리로들 가보시오."

거지들은 기꺼이 그 농사꾼 집을 찾아가 안뜰에 일렬로 죽 섰다.

"이것 굉장한 거지 떼군."

농부는 큰 둥그런 빵 덩어리를 들고 나와 거지들께 나누어 주었다. 하나 거지들은 빵을 받고도 움직이려 하지 않았다.

"너희들은 뭘 기다리고 있어. 주신 것이 부족하다는 거냐?"

"저 주인장, 따님의 공양으로 뜰 한구석에 점심이라도 좀 차려 주시면 해서……."

"딸이라고?"

"늑대에게 물려 죽은 따님 말씀입니다."

"도대체 누구한테 그따위 소리를 듣고 왔어? 우리 딸은 늑대한테 물리거나 하지를 않았다."

"도중에서 만난 총각이 확실히 그러던뎁쇼."

농부는 화가 나서 거지를 쫓고 그리고 여편네에게 말했다.

"이봐 그만 속았어. 그 철없는 녀석한테 돈 준 건 그대로 손해 봤어. 아무한테도 말 않겠다고 그처럼 굳게 약속을 해놓고 밖에 나가자마자 곧 거지 떼를 들여보내니. 아마 지금쯤 온 마을에다 소문을 퍼뜨리고 있을 거야. 그랬다가는 형님 귀에도 이 말이 들어가게 되고 이번 혼담은 이뤄지기가 쉽지 않겠어."

그동안 총각은 길을 걸어 겨우 집에 돌아왔다. 양친은 그의 모습을 보자 곧 물었다.

"얘야 어떻든? 색시는 보고 왔니?"

"음, 보긴 봤는데 그 딸은 늑대가 목을 물어가 허리 밖에 안남아 있었어. 내일 장례식이래."

"그것 안 됐구나…… 좋은 딸이었다는데…… 그럼 파묻기 전에 얼굴이라도 한번 가봐야겠다. 그 집안사람들은 나한테는 무척 친절했는데. 얘야 빨리 말에 마차 메어다오. 너의 어미하고 둘이서 초상 갔다 올 터이니까."

농부 양주는 마차를 타고 떠났다. 마차가 저쪽 집안 뜰에 들어서자, 딸의 양친이 뛰어나와,

"아이고, 이것 참 잘 오셨소. 자, 어서 안으로 들어갑시다."

총각 아버지는 슬픈 낯으로 말했다.

"내일이 장례식이라서 찾아 왔네. 정말 좋은 따님이었는데 가엾게 됐군. 모처럼 친척이 되려 했던 걸 원통하네!"

"이건 좀 이상한 인사인데. 도무지 알 수 없겠는걸."

"하지만 댁의 따님의 목을 늑대가 물어갔다고 하잖소?"

"대체 누구한테 그런 소리를 들으셨소?"

"우리 자식 놈한테서요. 자식 놈이 엊저녁 댁에 와서 폐를 끼치며 자기 눈으로 똑똑히 보았다고 하던걸."

"아니, 그게 댁의 아드님이요…… 그랬던가…… 그럼 딸은 살아 있지만 혼담은 중단하는 수밖에 없군, 참 분하지만!"

『프랑스 설화집說話集』

-분홍빛 미소微笑

프랑스 설화집說話集

부정녀不貞女

프랑스 부인들은 남편들 코 밑에 수염 있는 것을 좋아하는 모양이다. 그 까닭은 누구나 상상할 수 있는 것으로 이것이 침실의 소도구小道具로 쓰이기 때문이다. 오스카르 부부의 경우도 그 예외일 수는 없었다.

어느 날이었다. 아내가 요즈음 어딘지 모르게 냉담한 태도를 보이기에 한 번 골려먹으려 생각한 오스카르 씨가 이발소에 들러 그 코 밑의 수염을 깨끗이 깎아버리고 저녁녘 어두워졌을 때 집에 들어가니 그 구둣소리를 듣고 문을 열러 나온 부인이 별안간 남편 목을 얼싸안고 기다렸다는 듯이 키스를 하기에,

"어때? 나도 수염을 깎아 치우니 좀 사내다워지지?"

하고 부인을 놀려 주었다.

한데 이 부인은 깔깔 웃으며,

"어머나, 당신이었어요? 난 누구라고."

무작법無作法

마레르 부인은 퍽 난산이었기 때문에 의사가 산부인과에서 전문으로 쓰는 일곱 가지 도구를 썼다. 그래서 이 젊은 모친의 피부 일부에 열상裂傷이 생겼다.

의사는 곧 실로 꿰매 주었지만, 그 상처를 산부가 꺼려하는 모양으로,

"몹시 눈에 띌까요?"

"아니올시다……그건 마담이 마음을 쓰기에 달렸지요."

오해誤解

바랑이 몹시 우울한 낯으로 거닐고 있노라니 길에서 만난 친구가 어깨를 툭 치며,

"여보게 왜 이렇게 우울한가? 바랑, 장례식 같은 낯을 하고 있으니 말야."

"실은…… 재미없는 일이 일어났어. 반시간 전 일인데 하마터면 세제르한테 얻어맞아 죽을 뻔 했어."

"세제르라구? 그 사내는 자네 친한 친구가 아닌가?"

"그래, 그런데 단추 한 개 때문에……."

"단추 한 개 때문이라고? 무슨 소린지 도무지 알 수가 없는걸."

"내말을 들어봐. 세제르하고 좀 할 이야기가 있어서 그를 만나러 집으로 갔잖았겠나. 한데 가는 날이 장날이라 없잖아. 하는 수 없이 그냥 돌아오려고 하는데 부인이 곧 올 거라고 잠깐 들어와 기다리라는 거야. 그래서 방에 들어가 앉아 부인하고 잡담을 하고 있는데 내 양복 바지 아래 단추가 한 개 똑 떨어지지 않아. 그걸 본 부인이 보기 흉하니 곧 달아 주마 하고 그걸 달아 주었어. 한데 재수가 없노라고 부인이 단추를 다 달고 막 실을 이로 끊으려 하는데 세제르가 들어왔으니 야단이 났지 뭐야.

추선공양追善供養

(죽은 사람의 명복을 빌고 그 기일에 불사佛事를 행함)

오제 미망인이 재혼하였다는 것은 그리 큰 뉴스는 아니지만, 그처럼 애를 낳고 싶어한 오제는 결혼 7년 동안 밤낮없이 애를 낳으려 노력하였으나, 드디어 낳지 못하고 기진맥진해 저 세상으로 떠나갔는데, 이 미망인은 재혼하자마자 곧 임신하였던 것이다.

이윽고 귀여운 사내애가 태어났다.

"여보, 이 애 이름을 뭐라 붙일까?" 하고 남편이 물으니,

"만일 당신만 기분 나빠 하지 않는다면 장이라고 붙였으면 해요. 죽은 남편의 이름이에요. 죽은 사람이 저 세상에서 알면 여간만 기뻐하지 않을 거예요. 그이는 애가 욕심나서 자기 목숨마저 단축시킨 셈이니까요."

베스트셀러

젊은 식모가 낯을 붉히며 정신없이 소설책을 읽고 있는 것을 주인 아주머니 되는 까르 부인이 발견하고,

"어머나 넌 그따위 책을 다 읽니?"

하고 어처구니없다는 낯으로,

"그 책엔 대단한 데가 많다는데?"

"하지만……아주머니, 전 그런덴 읽지 않고 그냥 넘어가는걸요."

"그래? 그게 좋겠다. 나도 그렇게 읽을 터이니 너 나 좀 빌려주렴."

어림 없는 생각

보리누 부인은 사내를 좋아하게 생긴 마담이었다. 요즈음 방에 페인트칠을 하고 있었는데, 집에 와서 페인트칠을 하는 인부가 근사하게 생긴 젊은 청년이다.

부인은 이제부터 시장을 보러 가는지 찬바구니를 들고 나가다가,

"여보 페인트칠하는 양반, 잠깐 2층 내 방에 좀 와 주세요."

"……."

말없이 젊은 청년은 낯을 붉혔으나, 부인은 모르는 체하고,

"잠깐만 오세요. 보여줄 데가 있으니까."

"모처럼의 말씀입니다만 마담, 전 갈 수가 없습니다."

"어머나 어째 못와요?"

"주인이 여간 까다롭지가 않아서요."

"그래요? 그럼 그 주인보고 와보라고 하시오."

"안됩니다, 마담. 주인 아주머니라는 분이 이웃에 모르는 이 없게 강짜가 대단한 여자인뎁쇼. 거기다 그분의 입이 또 여간 무섭지 않은뎁쇼."

부인은 화가 머리끝까지 올라 찬바구니를 들고 밖으로 휙 나가버렸다.

귀와 향수香水

메리느 씨부처. 지금 막 결혼식이 끝나 이렇게 부르게 된 이들은 그 즉시 곧 신혼여행을 떠났다.

그 첫날 밤. 호텔 방에 들자 메리느 씨는 부랴부랴 침대로 들어갔으나, 신부는 좀처럼 들어오려 하지 않았다. 서서히 먼저 화장옷으로 갈아입고 머리를 빗더니 얼굴에 분을 씻어내고 그리고 또 손톱에 매니큐어를 하고 귀잔등에 향수까지 뿌리기 시작하고 있다. 그 모양을 애타우며 보고 있던 신랑은 별안간 드러누워 있던 침대에서 와다닥 일어나 그의 가방 속을 뒤적뒤적하며 뭣을 찾기 시작한다.

"뭘 그렇게 찾으세요?"

"아니야, 당신이 정장을 한다면 나두 좀 모양을 내야 하지 않을까 생각돼서……."

흥분제興奮劑

류시 부인이 교회로 참회를 하러 와서 목사보고 어느 사내하고의 옳지 않은 교제를 고백하였다. 목사는 말없이 듣고만 있더니, 신에게 봉사하는 몸으로 노여운 낯을 해본 일이 없건만, 그 참회도중 분명히 손을 가로저으며,

"마담…… 이 얘긴 당신이 나한테 고백하길 벌써 여섯 번째입니다."

"……." 말을 중간에 끊긴 그녀는 불만스러운 표정이다.

"신께서도 벌써 다 듣고 계십니다."

"여섯 번째라고요…… 그렇지요. 잘 알고 있어요. 하지만 전 이 이야기를 목사님 같은 청순한 분께 말씀 드리는 걸 퍽 좋아해요."

하고 그녀는 요염한 미소를 입술 가에 띠었다.

간부姦夫

아무리 조그만 회사라도 사장이라면 무서운 존재이지만, 토와느는 남달리 마음이 약한 청년이라서 필요 이상으로 평시에 사장을 무서워하고 있었다.

어느 날, 그는 동료보고,

"오늘은 몸이 몹시 불편해 못 견디겠어……."

하고 호소하였다.

"어쩐지 얼굴이 좋지 않군. 그럼 일찌감치 집에 돌아가 쉬면 되잖겠나?"

"한데 그럴 수가 없잖아?"

"왜?"

"사장이 날 목 자를까 봐서……."

"너무 겁내지 말아. 사장은 회사에 오늘 없어. 거기다 아마 오늘은 회사에 또 들오지 않을 거야. 아니 절대로 들오지 않을 거니 안심해!"

절대로 들오지 않을 거라는 말에 안심이 된 토와느는 일찍 회사문을 나와 집으로 돌아갔다.

집에 돌아와 문을 열려다가 유리창 너머로 방안을 들여다보니 바로 사장하고 자기 아내가 즐거운 듯이 서로 껴안고 있는 광경이 눈에 띄었다.

깜짝 놀란 그는 그대로 도망치듯이 회사로 뛰어와 아까 그 동료의 손을 잡고,

"고맙네 고마워. 뭐니뭐니해도 역시 친구가 제일이야. 자네 덕분에 난 살았어. 그렇잖았더라면 난 벌써 뛰어들어 그 간부를 때려 죽였을 거야. 간부가 우리 사장일 줄은 꿈에도 몰랐으니까……."

사내의 자격

모르는 선병질腺病質로 약하디약한 여자였는데, 그렇게 튼튼해 보이던 남편이 도리어 죽고 약한 그녀가 살아남았다. 미망인이 되자, 곧 늘 다니던 의사를 찾아가 의논하였다.

“전 재혼하고 싶어요. 하지만 늘 선생님 신세만 지는 이런 약골이니 너무 욕망이 세지 않은 남편을 고르고 싶어요…….”

“아 그렇다면 마침 참한 사람이 있소. 물론 우리 환자의 한 사람인데 최근 자동차 사고로 남성으로서 자손을 남기는 기관을 잘라냈으니 이제부터는 안심일 거요.”

“어머나 그런 분은 곤란해요. 부부가 살다가 서로 기분 나쁜 일이 생기는 경우 그런 분이라면 어떻게 화해를 하겠어요.”

경험자

류시에게 애인이 생겼다. 코르메이유라는 마을청년으로 몸이 아주 튼튼한 사내였다. 두 사람은 팔을 끼고 오렌지꽃 향기 그윽한 오솔길을 산책하며 청춘의 꿈을 서로 속삭였다.

양친도 두 사람 사이를 인정해 결혼을 승낙했다. 그리하여 이제 2~3일만 있으면 식을 거행하게 된 어느 날 밤, 두 사람은 그전처럼 팔을 끼고 오렌지 나무가 늘어선 오솔길을 산책하는데, 남자가 여자 귀에 입을 가져다 대고 속삭이기를,

"이봐 류시, 내 말 좀 들어줘. 이제 우리 두 사람은 곧 결혼하게 되지 않았어? 그러니 여기 어디 풀 위에서 내 것이 되어 줄 수 있잖아? 난 안타까워서 요새는 잠도 변변히 자지 못해."

"그야 저도 마찬가지예요. 하지만…… 싫어요. 무서운걸요……."

"뭣이 무서워. 누구나 다 한 번은 겪는 일인데."

"하지만…… 난 지금까지 세 번이나 그 수단에 속아온 걸요!"

상습피해자

프하트슈 미망인이 장난꾸러기 애의 손목을 잡아 경찰서로 끌고 와서,

"이 앱니다, 서장님! 전차 속에서 내 지갑을 훔친 애가 바로 이 앱니다. 정말 나쁜 놈이에요!"

"알았습니다, 마담. 한데 그 지갑은 어디다 넣으셨습니까?"

"늘 넣고 다니는 저의 페치코트 포켓에 넣어 두었지요."

"그러면…… 이 애는 부인의 스커트 속에 손을 넣은 셈이죠."

"네, 그래요. 그건 알고 있었어요. 전 이 애가 기분 좋은 것을 좀 해주는 줄 알았더니……."

꾼 돈

세제르가 파티에 나가니 아니나 다를까 루이즈가 혼자 와 있었다. 세제르와 루이즈는 같이서 춤을 추었다. 춤을 추면서 세제르가 넌지시 루이즈 맘을 떠보았더니 잠시 동안 망설이는 모양이더니 결국 승낙하였다.

그것도 월급쟁이 아내면 다 생각할 수 있는 생각으로, 말하자면 이렇게 해 남편 몰래 용돈을 만들 심보이다. 곧 루이즈는 남편이 일터에 나간 사이에 세레즈를 몰래 자기 집으로 끌어 들였다. 그 결과는 세레즈에게로 만족할 만한 일이었다. 돌아볼 때 1천 프랑 짜리 한 장을 세레즈는 책상 끝에 놓고 나왔다.

저녁녘 남편이 일터에서 돌아와 루이즈가 깜빡 잊어버리고 그냥 놓아둔 그 1천 프랑짜리 지폐를 발견하고

"세제르가 오늘 찾아왔었나?"
하고 물었다. 남편 말에 루이즈는 가슴이 철렁 내려앉았다. 그처럼 몰래 하였는데 벌써 탄로나고 말았는가. 그렇다면 차라리 남편에게 모조리 다 말해 버리는 편이 낫지 않을까 싶어 루이즈는 단단히 마음을 먹고 떨리는 목소리로,

"네, 오셨댔어요……."
하고 대답하였다. 그리고 남편의 다음 말을 기다렸는데, 뜻밖에 남편은 기분 좋은 톤으로,

"그 친구 여간 고지식한 친구가 아니란 말야. 정말 요새 청년답지 않게 신용 있는 친구야. 요전에 당신도 갔었던 파티에서 1천 프랑 꿔달라면서 오늘 갚는다고 하더니만 약속대로 오늘 가져다놨군!"

신사紳士의 명예

또로아 씨는 사교계에도 널리 알려져 있는 전형적인 노신사였으나, 젊은 어떤 여자로부터 강간죄로 고소되었다. 그 형이 선고된 법정에서 나온 그를 붙들고 한 친구가 이상한 듯한 낯으로 말하기를,

"자네가 전연 죄없다는 걸 잘 알고 있네만, 뭣 때문에 또 유죄를 자넨 인정했나?"

"사실은 난 죄가 없어. 하지만 아직 나한테도 젊은 여자를 강간할만한 힘이 있다고 해서 고소로 당했으니…… 내가 반발하지 않은 이유도 여기 있어."

빌리는 것

어느 젊은 부부네 집 건너편에 요새 어디선가 나이 든 미인이 한 사람 이사를 왔다. 거짓말인지 정말인지는 몰라도 남편이 오랫동안 집에 없어서 독수공방을 홀로 지키고 있다는 것이었으나, 그 젊은 부부의 남편 되는 사내가 최근 뭣인가 빌려올 것이 있다고 말하고는 그 미인 집에 가서 필요 이상으로 오래 머물러 있는 일이 많아졌다.

어느 날 이 남편이 여느 때처럼 조련히 돌아오지 않으므로 그의 아내 마지르르가 건너편 집에 전화를 걸었다. 전화는 곧 나오지 않았다. 상당히 오랫동안 기다리게 하고 나서야 그 나이 든 미인이 전화에 나왔다.

"저, 잠깐 여쭤 보겠는데요, 집의 남편이 뭣인가 빌리러 댁에 가서 폐를 끼치고 있는 모양입니다만……."

"네, 여기 와 계셔요!"

"뭣하느라고 이렇게 시간이 걸리죠?"

"전 암만 오래 계셔도 괜찮아요. 조금도 폐될 것 없어요. 하지만 도중에 이런 방해가 생기면 자연 점점 시간이 걸려요!"

"어차피 우리 집에서는 쓰지 않는 도구일 하니 닳은 것도 상하는 것도 아닌 바에야 너무 걱정 마시기를!"

엉덩이 가벼운 딸

듀프르 부인은 그날 아침부터 생각에 잠겨 있었다. 전날 밤 딸로부터 듣기 싫은 소리를 들었기 때문이다. 나이가 차면 누구나 거기에 곱슬곱슬한 금빛 털이 나기 마련인데, 중국식으로 말을 하면 아직 백판이라는 것이다. 혼기를 앞두고 어미 된 사람으로서는 걱정거리가 아닐 수 없었다. 모친은 전에도 걱정이 있을 때마다 목사님을 찾아가 의논하곤 하였기 때문에 듀프르 부인은 곧 교회로 쫓아갔다.

한데 이 처녀의 엉덩이가 가볍다는 소문을 듣고 있던 목사가 하는 말이,

"걱정 하실 것 없습니다, 곧 날 겁니다……."

"날까요?"

반신반의인 부인의 걱정이다.

그렇지만 당분간 통행금지를 시키셔야 합니다.

"통행금지라니요?"

"사람이 너무 다니는 오솔길에 풀이 나지 않는다 하잖습니까?"

신기한 보물

모로오 목사는 백작댁 오찬에 초대를 받고 터벌터벌 시골길을 걸어갔는데, 그 집 근처까지 와서 아무도 보는 사람이 없기에 법의法衣를 펄쩍 들추고 소변을 보았다. 목사가 소변을 길에서 본다고 나쁠 리는 없다. 하나 때마침 유리창 커튼 사이로 백작부인이 그걸 보았던 것이다.

부인은 모로오 목사에게 인사를 하고 나서,

"잠깐 가서서 손을 씻고 오시죠!"

"아니 감사합니다만, 전 오늘 아침부터 기도서 외에 만진 것이 없는데요……."

"그러세요?"

백작부인이 깔깔 웃으며,

"그러시다면…… 그 순대 같은 건 기도서였던가?"

규방 난무閨房亂舞

보기에 아주 점잖아 보이는 한 늙은 부인이 앙드레 영감네 새집에 와서 앵무새를 한 마리 사고 싶다고 하는 것이었다.

"아주 좋은 놈이 있으면 해요. 얘기는 하더라도 점잖은 말을 하지 않으면……."

앙드레 영감이 두 손을 비비적거리며,

"그러시다면…… 마담, 값을 좀 후히 내신다면 원하시는 새가 한 마리 있습니다. 이 앵무새입니다만…… 보십쇼! 양쪽 발에 끄나풀이 매 있죠? 이 앵무새는 바로 발 끄나풀을 잡아당기면 모세의 계명誡命을 복창합니다. 또 왼발 끄나풀을 잡아당기면 주기도문主祈禱文을 복창합니다."

설명을 듣고 나서 부인은 잠깐 생각하고 있더니,

"만일 양쪽 발 끄나풀을 한꺼번에 잡아당기면 어떻게 되죠? 이렇게 말이에요."

그때 앵무새가 터무니없다는 목소리로 외쳤다.

"어머나, 그런 짓해서는 싫어요…… 엉덩이가 빠진 것 같아요!"

철鐵과 종鐘

세레스탕의 아내가 진통을 일으키기 시작했다. 의사를 불렀는데, 이 의사가 나이가 많아 세레스탕은 걱정스러운 듯이,

"선생님, 실례지만 팔에 자신이 계시겠죠?"

그 늙은 의사가 빙긋 웃으며 말하기를,

"걱정 마세요. 이게 집어 넣는 것 같으면 뭐라 말할 수 없지만, 꺼내는 것이니까…… 안심하십쇼!"

입술 모양

오르타빌 씨는 중년 지난 잡화상. 아내가 맹장염에 걸려 입원하였다. 이내 수술을 하지 않으면 안 되게 되어 아내를 생각하는 오르타빌 씨는 걱정 끝에 수술실까지 따라 들어가 여러 가지로 아내를 위로하는 것이었다.

누구나 알고 있는 일이지만 이런 수술 전에는 거기 털을 깨끗이 깎아내게 되어 있으나, 마침 간호사가 면도칼을 쓸 줄 모른다고 하자 오르타빌 씨가,

"나한테 그 칼을 주시오, 내가 깎아줄 터이니!"

아아 나의 사랑하는 귀여운 프론드의 털이여! 오르타빌 씨는 코를 가져다 대듯 하며 싹둑싹둑 자르고 있더니 문득 칼질하던 손을 멈추고,

"여기가 잘 깎이지 않아. 여보, 이렇게 좀 하시오. 자 한번 불쑥 내미시오!"
하면서 자기 입을 쑥 내밀었다.

충혈充血의 공덕

르나르 부인이 거리에서 택시를 타자 운전수가 냅다 속력을 내며 몰기 시작한다. 겁이 덜컥 난 그녀가 뒷자리에 앉아 앞의 운전사에게 주위를 시키며,

"좀 천천히 몰아주세요. 나중엔 어딘가 부딪쳐 두 사람 다 죽고 말겠어요!"

하나 이 운전사는 귀찮다는 듯이 어깨를 추켜올리며 혼잣말처럼,

"죽으면 좋지. 난 어제 계집을 친구 녀석한테 빼앗겨 살맛이 하나도 없어!"

아폴로 상像

목사 서재에 멋진 아폴로 상像이 있었다. 하나 조각가는 저 거추장스런 포도잎새로 이 걸작을 망쳐놓고 싶지가 않았는지 아폴로는 자연 그대로의 모습이었다.

어느 날. 하녀 메리가 이 조각에 총채질을 하다 보니 너무 세차게 했던 모양으로 포도잎새로 가려져 있던 부분이 뚝 떨어졌다. 주인이 소중히 여기는 조각이었던지라 메리는 당황해 하였으나 다행히 떨어진 부분이 그대로 상하지 않았기에 가만히 풀로 발라 그 자리에 붙여 놓고는 모르는 척하고 있었다.

하나 목사는 서재에 들어오자마자 메리를 불러내,

"메리…… 어떡하다 아폴로를 깨뜨렸니?"

하고 야단을 친다. 드디어 드러나고 만 것이다. 메리는 얼굴이 새파랗게 질렸으나 이상하다는 듯한 귀여운 눈을 뜨고,

"어머나, 아셨군요? 전 그전처럼 풀로 붙여 놓았었는데……."

"바보 같으니. 그걸 거꾸로 붙여놓으면 돼. 이건 아래를 향해 있는 거야!"

"그래요? 하지만 목사님 건 언제나 위로 향해 있데요!"

10代의 성전性典

고교생 재크가 바람처럼 교실로 뛰어 들어와,

"얘들아 큰일 났다, 큰일 났어!"

"뭔데 큰일이야, 재크?"

"난 좋아서 죽겠어."

"글쎄 뭔데 그러는 거야? 빨리 말해봐!"

"내가 트리페르가 되었단 말야!"

"그게 기쁘냐?"

"기쁘지 않고! 생각해 봐. 그 트리페르를 오늘 밤 내가 집의 하녀 로즈에게 옮겨 준단 말야. 그러면 내일 로즈가 우리 아버지한테 옮겨줄 거야. 그리고 우리 아버진 우리 어머니한테 옮겨 주고, 그 우리 어머니는 참회하러 갔다가 저 목사한테 옮겨줄 거야. 너희들 생각해 봐라. 저 잔소리꾼인 목사가 트리페르가 된단 말야. 어때 유쾌하잖니?"

"하하하, 그것 재미있다. 하지만 잠깐만 기다려. 그 목사가 트리페르가 되면 이내 우리 어머니한테 옮아오고 그날 밤엔 우리 어머니한테서 우리 아버지한테로 옮아오고, 그것이 우리 집 하녀 메리한테 옮아오고…… 안 돼…… 안 돼…… 한 바퀴 돌아 나한테까지 옮아오잖겠어."

애처러운 생업生業

어떤 사진사가 아침에 일어나 보니 목덜미가 몹시 아파 불편하기 짝이 없었다.

의사한테 찾아가 물어보니,

"창문을 열어놓은 채로 잔 것이 아닙니까?" 하고 의사가 묻는다.

"그렇습니다……."

"아, 그건 안 됩니다. 창문을 열고 자는 건 괜찮지만, 목을 길게 빼고 자지 않도록 주의하시오."

그날 밤. 사진사가 침대에 가서 보니, 전에 없이 아내 잔누가 색정적인 자세로 자고 있어 마음이 여간 동하지 않는지라. 자기 아내이니만큼 사양할 것도 없는지라 곧 부부만의 즐거움을 누린 것은 좋았으나 한창 좋아할 때에도 그는 의사한테 주의 받은 일이 생각나 목에 건 담요가 미끄러져 내려오는 것을 연송 자기 손으로 머리 위까지 뒤집어쓰곤 하였다. 하나 그렇게 하길 세 번씩이나 되풀이하니 아내가 화를 내며,

"이게 뭐에요? 당신은 즐기고 있는 거예요? 그렇잖으면 사진을 찍고 있는 거예요?"

증거가 뻔하다!

화가 난 남편이,

"집의 여편네 같은 거짓말쟁이도 없어……."

"왜?"

하고 친구가 물으니,

"글쎄 어젯밤에 제 친구인 마치르르와 같이 죽 있었다니 말야!"

"……?"

"어젯밤엔 내가 그 마치르르와 죽 같이 놀았는데 말야!"

포도 잎사귀

살롱에서는 여전히 토론이 벌어지고 있었다. 아담은 인간 제1호로 최초의 인간이니까 배꼽 같은 것이 있었을 수가 없는데, 어느 화가가 아담에게 배꼽을 그려놓은 건 이상하다는 배꼽 문답이 벌어지고 있었다.

거기에 누군가가 입을 열어,

"그렇다고 하지만 이브가 포도잎사귀로 앞을 가리고 있는 건 더욱 우습잖아? 대체 그건 어떻게 갖다 댄 거지?"

젊은 아가씨 안리에트가 태연히 대답하기를,

"그건 별것 아니죠. 물론 머리 핀으로 꽂아 놓았을 거예요!"

인사제일주의人事第一主義

마치르르는 약혼 피로연때에 넌지시 숙부되는 로와제르 씨 곁으로 가서 걱정스런 말투로,

"숙부님, 그 사람은 우리가 결혼한 다음에도 절 사랑해 줄까요?"

"걱정 없다!"

"……."

마치르르의 반신반의의 표정.

"글쎄 걱정 없어. 저 녀석은 지금까지 죽 남의 여편네한테만 열중했던 녀석이니까!"

곤란한 장면

어떤 오락신문이 「곤란한 일」이라는 제목으로 짧은 글의 원고를 모집하여 그 한편에 대해 현상금 1백 프랑을 내걸었다. 거기 응모한 원고 하단에,

「난 2교대제의 공장에서 밤일을 하고 있습니다만, 어느 날 밤 공장 형편으로 여느 때보다 한 시간쯤 빨리 집에 갔었더니 아내 로자리가 나도 모르는 딴 남자하고 같이 있는 걸 발견했습니다. 이건 내가 제일 곤란한 경험입니다. 제발 상금을 25프랑 보내 주십시오. 아내도 사실은 몹시 곤란해서 저지른 일이었으니까요.」

한데 이 오락신문의 현상계로부터는 3백 프랑을 보내면서,

「그 딴 남자도 당신의 부인과 마찬가지로 퍽 곤란했을 것임에 틀림없으므로.」

라고 적어 보내왔었다.

임차관계賃借關係

카라방부처가 침실로 들어왔다. 잠시 뒤에 부인 쪽에서 남편에게 달라붙어 여기저기를 쿡쿡 찌르며 속삭이는 말이,

"괜찮죠, 여보?"

"안 돼, 오늘은!"

하고 카라방 씨가 졸린 목소리로 말하였다.

"졸리세요?"

"응……."

"난 졸릴 때도 빌려 드렸는데……."

"바른대로 말하지만 오늘 밤은 너무 피곤해 남의 사정 같은 걸 봐줄 여유가 없어!"

★ 아내는 빌려 줄 수도 있으나, 남편이 마음 내키지 않으면 아내는 남편한테 빌릴 수가 없으니 이 불합리한 섭리가 가끔 부부생활의 타성이 된다. 소설가는 싫어도 않고 이걸 쓰고 있다.

치즈 이야기

브르라뉴지방에 오스랑이라는 목사가 있었는데, 치즈를 매우 좋아하여 매일같이 손수 가게로 사러 갈 정도였다. 몹시 좋아하는 것이니만큼 치즈에 대해서는 뛰어난 통이라고 한다. 어떤 치즈이고 냄새를 맡아만 보고도 그것의 생산지까지 알아맞히므로 이 소문이 이웃 마을에까지 퍼져 대평판이었다.

어느 날 아침 그 평판을 전해 들은 군수가 찾아와 마을 한 가게 앞에서 오스랑 목사의 그 솜씨를 시험해 보게 되었는데,

"아니, 이건 평판 이상의 코야!"

하고 군수도 감탄해 마지않았다. 눈을 가린 오스랑 목사는 코에 갖다대는 치즈의 냄새를 맡고 연방 백발백중 알아 맞혔다. 로크훠르, 카만페르, 프리, 리바로, 마로루, 포올, 사류, 구류이에르 등 놀랍게도 30여 종류의 치즈를 척척 알아맞힌다. 하나도 그 생산지를 잘못 알아맞히거나 하지 않으므로 구경꾼들은 와! 소리를 내며 야단이다.

오스랑 목사가 눈가린 것을 벗으려 하니 마을 한 아낙네가 앞으로 나와,

"잠깐만 기다려 주세요. 단 한 가지 치즈가 있으니까요!"

그리고 스커트 밑에 손을 넣더니 그 손을 목사 코 밑에 내밀었다. 목사는 잠시 그 냄새를 맡아보고 있더니,

"음, 이건 이 고장 치즈군. 암소도 이 근처에 있을 것임에 틀림없소!"

아르바이트

오밤중에 문득 눈을 뜬 곁에 누워 있는 남편을 흔들어 깨우며 마느레두가,

"여보, 포올, 잠깐만 일어나요. 쥐새끼가 내 이불 속에 들어온 모양이에요!"

"알았어!"

"뭘 알았어요? 일어나 보라니까요!"

"난 피곤하니까 오늘 밤은 이대로 내버려 둬 줘요. 당신은 또 그런 소리를 해서 날 이불 속으로 끌어들이려고 하지?"

다른 의견意見

여덟 살짜리와 열 살짜리와 열두 살짜리, 이 세 소년이 어디서 놀다 오는 모양으로 급히 집으로 돌아오고 있다.

파리의 아랫동네이다. 그리고 그들이 발을 문득 멈춘 것은 지나가는 집 유리창이 열려 있기 때문이다. 우연히 창안을 들여다보고 발을 멈춘 소년들은 서로 눈을 끔적거렸다.

젊은 신혼부부의 첫날밤이었던 모양이다…….

먼저 여덟 살짜리가 눈을 둥그렇게 뜨고,

"저것 봐? 누나하고 아저씨가 싸움을 하고 있어!"

"아니야!"

하고 다소 세상을 아는 모양인 열 살짜리가 고개를 옆으로 흔들며,

"여자하고 남자가 그짓 하는 거야!"

한데 그때까지 방안 장면을 들여다보고 있던 열두 살짜리 루이가 제법 성숙한 표정으로 고개를 저으며

"제길할 것……. 왜 저렇게 서툴러!"

노출증露出症

부인과에 어느 날 묘령의 여성이 찾아와 특히 원장 크라레르 박사의 진찰을 청하였다. 곧 진찰실로 안내되었다.

"어디가 아프십니까?"

하고 박사가 물은즉, 주저주저하면서 그녀가,

"아네요. 별로 아프진 않아요. 뱃속에 뭣인가 들어가 있는 거 같아요……."

몹시 걱정스러운 표정이다. 진찰실에 눕히고 판에 박은 듯이 개구리 같은 모양으로 다리를 벌리게 하였다.

면밀히 진찰을 해 보았으나 아무런 이상은 없었다. 박사는 이상스럽다는 듯이 고개를 기웃거리며,

"아무런 이상도 없는데요. 걱정하지 마시죠!"

"아아 그래요? 이젠 안심했습니다. 하지만 몹시 마음에 걸려요."

"아직 뭣인가 마음에 걸리는 거라도 계십니까?"

"네……. 저의 아미는 올 때는 20cm나 되었는데, 돌아갈 때는 7~8cm쯤 되어버리지 않아요. 줄어든 건 어디 갔을까요? 참 걱정스러워요!"

숏 타임

점심 때가 되면 매일 오피스 걸로 가득 차곤 하는 식당에 나이 먹은 유부녀들이 어울리지 않게 나타나 의자에 걸터앉는다. 옆에 젊은 처녀들이 피는 담배 연기가 몹시 싫은 모양으로 드디어 그 처녀 쪽을 향해,

"이 처녀, 그 담배만은 그만 좀 피워요. 여자가 여러 사람 앞에서 담배를 피우는 건 간통보다도 악덕한 짓이야!"

"네 잘 알고 있어요. 저도 담배보다는 그걸 좋아해요. 하지만 이 점심 시간에 잠깐 근처에 있는 호텔로 들어갈 수도 없잖겠어요."

하고 보리누앙이 그 유부녀 같아 보이는 여자를 가볍게 비웃어 주었다.

녹쓴다

오르몽 부부는 결혼해서 몇 해가 지났으나 애가 없었다. 한데 겨우 귀여운 브론드 머리의 애가 하나 태어났다. 그 애를 유심히 보고 오르몽 씨가 고개를 기웃거린 건 부부가 다 머리가 검었기 때문이었다. 그걸 입 밖에 내면 아내의 정조를 의심하게 되고 하여 생각한 끝에 넌지시 의사를 찾아갔다.

의사는 여러 가지를 질문한 뒤에 이 부부의 성교 횟수를 물었다.

"일주일에 한 번 정도입니까?"

"천만에 말씀을……."

"그럼 한 달에 한 번?"

오르몽 씨는 고개를 옆으로 저어보였다.

"반년에 한 번쯤인가요?"

"그, 그정도지요."

의사는 무릎을 딱 치며,

"하, 하. 그렇군요. 이제야 알았습니다. 즉 너무 쓰시질 않아 녹이 쓴 겁니다."

불승인不承認

어느 남자가 미모의 미망인 주리 루베르 부인한테 고소를 당했다. 태어난 애의 부친임을 승인 안했기 때문이다. 법정에서는 먼저 재판관이,

"당신은 이 여성과 같이 잔 일이 있지요?"

하는 뻔한 질문을 받았다. 뻔한 일부터 신문을 시작하는 것은 법정에 있어서의 상도常道이다. 하나 이 사내는 고개를 옆으로 저으며,

"아뇨, 난 자기는커녕 언제나 한잠도 자지 못했습니다."

입치문답入齒問答

앙리에트 레트레에 부인이 어느 날 아침 새파랗게 질린 얼굴로 산부인과 병원을 찾아왔다.

"마담, 왜 어디가 편찮으십니까?"
하고 얼굴을 잘 아는 원장이 이 중년 부인에게 물었다.

"오늘 아침부터 어딘가 자꾸 아파서…… 견딜 수가 없어요!"

"그것 안됐군요. 그럼 어디 진찰해 보실까요?"

진찰을 하니 깊숙한 곳에 틀니가 들어가 있었던 것이다. 원장은 그걸 끄집어내 깨끗이 소독을 해 갖고 셀로판지에 싸서 부인에게 내주면서 말하였다.

"이후로 주무실 때 잊지 마시고 틀니를 빼놓으시도록 바깥어른한테 말씀하십쇼!"

★ "내가 이처럼 젊은데 뭣 때문에 저런 늙은이하고, 그것도 돈이 많은 것도 아닌데 같이 사느냐고 가끔 친구들이 이상히 생각하는 모양이지만, 저 노인은 위아래 모두가 틀니에요. 난 그것이 좋아 떨어지질 못해요" 하고 어느 댄서가 말하기 거북한 듯이 고백하였다.

충실忠實한 하인

주인영감이 여느 때보다 일찍 돌아오니 놀랍게도 하인 필립이 마님하고 한창 좋아하고 있는 판이다. 주인영감은 화가 머리끝까지 나서 소리를 지르며,

"이놈아, 무슨 짓이냐!"

하나 당사자인 하인 필립은 조금도 당황해 하지 않고,

"영감이 뭣이든 마님이 하시라는 대로 하라 말씀하셨기에 전 영감 명령에 절대 복종했을 뿐입니다……."

정신분석학精神分析學

중년 여자가 세 사람 어느 살롱에 모여 지껄이고 있었는데, 그날도 날씨 탓인지 또는 그 방의 분위기 때문인지 서로 낯을 붉히지 않고는 차마 들을 수 없는 고백담을 털어 놓았다. 먼저 한 여자가 말하기를,

"난 젊은 사내가 운이 없는 보이라도 맘에 드는 녀석이 있으면 모르는 체할 수가 없어 그만 손을 쥐고 말아. 때론 그것이 결국 마지막 선을 넘어 어림없는 사이가 되고 말지만……."

"어머나…… 그렇게 노골적인 이야기를 들으니 나도 고백 안할 수가 없어!"
하고 두 번째 여자가 말하기를,

"나를 녹이는 것은 색정보다도 술이에요. 내 방 장속에 언제나 올드스카치 병을 감춰두고 혼자서 홀짝홀짝 먹어요. 즐겁거든요!"

세 번째 여자가 말했다.

"그럼…… 나도 부끄러운 버릇을 말하겠어요. 전 소매치기 버릇이 있어요. 백화점에 가면 그만 손이 나와요. 하지만 다행히 아직 한 번도 들킨 일은 없어요."

네 번째 여자 레지레 부인은 아무 말도 하지 않고 잠자코 있었다. 세 부인이 서로,

"당신은 우리들에게 고백할 아무런 얘기도 없으세요?"
하고 앞으로 다가서며 재촉하였다.

"물론 있어요. 난 남의 말을 하길 좋아해요. 그러니까 지금 같은 얘기를 듣다 보니 빨리 딴 데 가서 떠벌리고 싶어져 좀이 쑤시는군요!"

라고 말하고서는 이 레지레 부인은 얼굴을 분첩을 꺼내 고치고는 밖으로 뛰쳐나갔다.

★ 정신분석의학자가 말하기를, 성적性的 불만이 원인이다.

그리운 사내

남편 없는 틈에 그리운 사내를 불러 들여 간통한 꿈을 꾸고 있던 파아랑 부인이 그 한참 즐거운 판에 별안간 남편이 돌아온다는 소리를 듣고 깜짝 놀라 눈을 떴는데, 너무나 당황해 옆에 잘 있던 사내를 침대에서 아래로 밀쳐 떨어뜨렸다.

"숨어요, 빨리…… 주인이 돌아왔어요!"

하나 침대 밑으로 떨어진 건 그녀 옆에 자고 있던 남편이지만, 별안간 내밀렸기 때문에 졸린 눈을 비비며,

"이것 야단났군!"

하고 소리치기가 무섭게 휙 침실 밖으로 뛰어 나갔다.

★ <동상이몽同床異夢>이란 거지요.

잡인문답雜人問答

"아버지, 어제 베란다 의자에 페인트를 막 칠해 놓으셨더군요?"
하고 딸이 묻는 말에 부친 되는 미리야르 씨가 고개를 끄덕이면서,
"아, 그래. 그게 어떻다는 게냐?"
"어쩐지…… 장하고 같이 그 의자에 앉아 있었더니 장의 바지가 모두 더러워졌어요!"
"네 스커트는?"
딸은 고개를 옆으로 저으며,
"아무렇지 않았어요!"

★ 잡인雜人(Un homme galant)이란. 여성에게 친절한, 여자를 기쁘게 하려고 마음을 쓰는, 여자한테 아부하고, 그 타락에 이쪽이 편승할 수 있으면 그녀들이 타락하는 걸 보아도 눈 하나 까딱 않고 타락해 오는 걸 기다리면서 부지런히 세심한 마음을 쓰는 인간을 두고 하는 말이다. 미리야르 씨는 그런 사람이다.

테스트해 본 코

사위를 얻게 되었는데, 그 청년의 코가 남달리 커 모친이 애를 태우고 있다. 딸이 고통받지 않을까 걱정스러웠기 때문이다. 그래서 하녀 아레라이트에게 돈을 들려주어 이 신랑감 후보를 테스트해 보기로 하였다. 돈을 받은 데다가 이런 짓을 좋아하는 그녀는 처음부터 여간만 좋아하지 않으며 찾아갔다.

바로 그 이튿날 아레라이트가 돌아와 넌지시 부인한테 보고해 말하기를,

"마님, 걱정하실 것 없어요. 집의 영감님 것만큼 밖에 안 해요!"

술꾼의 아내

로오랑이 잔뜩 술을 먹고 아침 네 시경에 아파트에 돌아와 보니 아내가 딴 남자하고 자고 있는 모양.

"이제껏 어딜 돌아다녔어요. 또 마시고 오셨죠?"

하고 아내가 야단을 쳤다.

로오랑도 술 취한 눈을 비비며 지지 않고 화를 버럭 내며 소리쳤다.

"네년하고 자고 있는 건 도대체 어떤 놈이냐?"

하나 아내는 태연하게 뇌까린다.

"그런 소릴 해서 나를 해치려 해도 소용없어요……. 술 쳐먹고 와 가지고."

노크 이야기

"그만 들어가도 좋소?"

신랑이 건넌방에서 말을 건너자, 신부 마칠드가 침대에 향수를 뿌리며,

"조금만 더 참으세요. 제가 다 준비한 다음에 들어오세요!"

10분쯤 되어 신랑이 또,

"이젠 다 됐소?"

하고 애들이 숨바꼭질할 때처럼 말하였다.

"조금만 더 기다려줘요!"

그녀는 환히 비치는 잠옷을 갈아입으며 대답한다.

다시 10분이 지났을 무렵 도어를 노크한 신랑이 달콤한 목소리로,

"이봐요, 마칠드…… 누가 노크하는 거 알겠소?"

"알고 있어요. 당신이 뭣 때문에 노크하는지도 잘 알고 있어요. 자, 다 됐어요. 들어오세요!"

★ 침대에 들어가 막 거사하려 할 때 누가 방을 잘못 알았는지 노크소리가 난다. 이 신랑은 당황해 침대에서 뛰어내려 유리창을 열고 달아났다. 습성이 된 그는 자기가 결혼했다는 사실을 감쪽같이 잊어버리고 있는 것이다.

새살림

앙리가 막 결혼한 아내와 같이 남불南佛로 갔다. 두 사람은 호텔 한 방에 틀어박혀 며칠을 두고 밖에도 나오지 않았다.

하나 닷새째 되는 날 아침에서야 두 사람은 식당에 내려왔다. 보이가 주문을 맡으러 오니까 그녀가 부끄러운 듯이 남편에게,

"당신은 내가 뭘 제일 좋아하는지 아시죠?"

"그야 알고말고! 하지만 때로 식사를 하지 않아서는 계속하질 못하는 거야!"

손과 발

“젊은 처녀한테 헤엄을 가르치려면 어떻게 하지?”
하고 마르당이 풀에서 곁에 서 있던 친구에게 물었다.

“그건 좀 어려울걸. 먼저 왼팔로 상대방 가슴을 붙들고, 그러고 나서 상대방 왼손을 이렇게 가만히 쥐고, 그러고 나서 이번엔 바로 팔에 힘을 주어…… 한데 그 상대가 어떤 처녀지?”

“내 여동생이야…….”

“그래? 그렇다면 간단하지. 냅다 풀 속에 쓸어 넣으면 되는 거야.”

호인好人

퐁크레트 씨는 아내의 소행에 의심을 품고 있었다. 하나 그는 어떤 중요한 용건이 있어 여행을 하지 않으면 안 되었기 때문에 친한 친구보고 이런 말을 고백하고 아내를 미행하여 확실한 증거가 있거들랑 여행에서 그가 돌아왔을 때 알려달라고 당부하였다.

여행 갔다가 집에 돌아오자, 곧 그 친구한테로 뛰어 갔다. 친구가 말하기를, 아내는 집을 나오자 어느 카페에 가서 무용교사를 만나 두 사람 거기서 칵테일을 마신 끝에 택시를 잡아타고 집으로 돌아갔으나 두 사람은 곧 침실로 들어갔다.

"그래서 난…… 침실 바깥 나뭇가지에 올라가 방안을 들여다보려는 순간 유리창 커튼이 내려지고 말았어."

"그것 봐…… 언제나 그런 식의, 의심스러운 일 투성이야."
하고 퐁크레르 씨는 고개를 끄덕이며 말하였다.

간통무죄姦通無罪

지방으로 돌아다니는 세일즈맨인 남편이 어느 때 예정을 해 못 끝내고 집에 돌아오게 되자, 그 사유를 기차 속에서 집으로 전보를 쳤다. 하나 그 시간대에 집에 돌아와 보니 아내 주리가 애인하고 포옹을 한참 하고 있는 판이어서 그 꼴을 보자 화가 머리끝까지 난 그는 바로 호텔로 옮아와 곧 이혼수속을 밟았다. 이 소문을 들은 주리의 부친이 그 사위를 전화로 불러내 말하기를,

"내 딸 주리는 자네 아내로서 만나 잘 해 내려오잖나? 대수롭지 않은 과실이야. 하나 거기 대해서는 무슨 까닭이 있었으리라고 생각되네."

"소용없습니다. 전 하여튼 이혼수속을 진행할 터이니까요."

"그럼 내일 같이 점심이라도 먹으며 이야기하세. 난 그전에 주리를 만나봄세."

"좋습니다. 하지만 제 결심은 변하지 않아요."

그 이튿날. 이 두 사람은 어느 레스토랑에서 만났다. 노인이 사위 어깨를 툭 치며 하는 말이,

"만사 오케이야. 내가 말한 그대로야. 그런 일이 일어난 것은 주리에게 그만한 이유가 있었어."

"대체 그 이유란 뭣이죠?"

하고 사위가 심술 사납게 묻자, 노인은 미소를 띤 채,

"사실은 이렇게 된 거야. 자네가 친 전보가 늦게 들어왔기 때문에 생긴 일이야."

『프랑스설화집(說話集)』

전화이용법

앙리에트 펠로네르가 남편 친구인 포올과 자기 방 침대에서 벌받을 즐거움에 잠겨 있을 때 마침 그 침대 곁에 있는 나이트 테이블 전화가 째르릉! 울렸다.

누운 채 앙리에트가 손을 내밀어 수화기를 들었다.

"여보세요. 아아 당신이세요…… 네…… 나…… 그래요…… 그럼 천천히 놀다 오세요…… 저녁 식사 때까지는 돌아오시죠…… 그럼 안녕…… 포올 씨 부인에게 안부 전해 주세요!"

그녀는 수화기를 내려놓는다.

"펠로지?"

하고 포올이 물었다.

"뭐라는 거야?"

"아무것도 아니에요. 댁에서 당신하고 화투치길 하고 있다는 거예요. 저녁때까지 못 온다고 해요."

★ 부정한 아내는 남편이 근무처에 나가 있는 틈을 타 <비밀의 애인>이 찾아오면 곧 <대낮의 자리>를 깔고 회사 남편한테 용건이 있는 양 전화를 걸어 본다. 그리하여 남편이 회사에 있는 걸 확인한 뒤가 아니면 절대로 치마끈을 풀지 않는다. [실화實話]

신부의 소원

아름다운 루파리에르 부인의 딸이 그 고장 젊은 변호사와 결혼하였다. 신랑은 신부에게 반한 모양이다.

첫날밤이 지난 그 이튿 날 아침 루파리에르 부인은 딸의 신혼가정인 아파트로 가서, "어젯밤은 무사했느냐?"니, "남편이 귀여워해 주었느냐?"니, "만사 오케이였느냐?"니, 어느 모친이고 물어보고 싶은 그런 대단히 깊은 데까지를 꼬치꼬치 캐물었다.

신부되는 딸은 처음엔 부끄러워 선뜻 대답도 하지 못했으나 모친이 하두 꼬치꼬치 캐묻기에,

"네 어머니. 그이는 밤새도록 몇 번씩 자꾸 사랑해 주었어요. 하지만 한 가지만 내 입으로 그이한테 말할 수 없는 것이 있어요."

"무슨 일인데?"

"그이는 자면서도 안경을 쓰고 있어서 제 사타구니가 긁혀 몹시 아파요. 잘 때는 이후부터는 잊지 말고 안경을 벗으라고…… 어머님이 말씀 좀 해주세요."

부끄러운 의자倚子

거리의 매춘부를 두고 <거리의 천사>니 하는 것은 누가한 소리인지 모르겠으나, 그 거리의 천사의 정기적 검진 날, 때마침 담당 부인과 의사가 갑자기 일이 생겨 이비인후과 전문 의사인 피카르 선생이 대신 왔다.

진찰실로 맨 먼젓번 천사가 들어와 부인이면 누구나 다 알고 있는 저 부끄러운 의자에 올라 눕자, 피카르 선생은 틀에 박은 듯 검경檢鏡을 손에 들고 여성의 신비경을 들여다보며 늘 하던 습관대로,

"자, 아— 아— 아— 입을 크게 벌려요!"

비교론比較論

레페스크 부인이 충돌한 끝에 하녀를 내보내기로 했다. 이 하녀가 짐을 싸가지고 나가면서 그 충돌의 여파가 아직 가슴에 사무치는 모양으로 독살스럽게,

"마님…… 참고 참아 말씀드립니다만 영감께서 말씀하신 거지만 요리도 살림도 제가 마님보다 낫다고 하시더군요."

부인이 말없이 째려보자,

"아니, 그것만이 아니에요. 침대 일도 제가 좋다는 거예요."

"그래 영감이 확실히 그렇다고 하더냐?"

거짓말했다가는 야단나고야 말 것 같은 부인 표정이었다. 그러나 하녀는 어깨를 추켜올려 보이면서 웃음을 띠며,

"아니에요. 이건 댁의 운전사가 나보고 한 소리예요."

유혹誘惑의 물

루코크 부인이 말하였다.

"주의시켜 드립니다만, 집의 양반이 한 시간도 채 되기 전에 돌아올 거예요."

"그렇습니까? 하지만 난 아직 아무 짓도 안했지 않습니까?"

"그러니까 제가 주의시키는 거예요. 만일 무슨 짓을 하려거든 어서 빨리 하라는 거예요."

★ "어쩐지 오늘은 하반신에서 감기라도 들어오는 것 같더라니! 드로어즈drawers를 입지 않고 왔군 그래."

창피당한 단추

버스 정거장에서 일어난 원 커트. 사람의 행렬이 버스를 기다리고 있다. 마리는 그날 원피스를 입고 있었는데, 허리통이 아주 좁은 드레스로서 그 등배기가 단추로 되어 있다.

이윽고 버스가 와 그녀가 타려 하였으나, 스커트가 너무 좁아 발판에 발을 올려놓을 수가 없었다. 당황하여 자기 손을 뒤로 돌려 한 개 제일 밑의 단추를 끌렀다. 그리고 발판에 한쪽 발을 올려놓으려 하였으나 역시 안 된다. 뒤에서는 줄을 선 승객들이 야단을 치고 차장은 차장대로 위에서 "빨리 빨리 타세요!" 하고 독촉을 한다. 그녀는 정신없이 두 번째 단추를 끌렀으나 역시 안 된다.

그래 하는 수 없이 엉덩이 근처까지 단추를 끌렀으나, 어찌 된 영문인지 마찬가지로 발판까지 발을 올려놓을 수가 없다.

차장은 빨리 타라고 고함을 치고, 승객들은 화가 나 욕을 퍼붓는다. 그녀가 홍당무가 되어 열심히 단추를 끌으려 하고 있는데, 별안간 그녀의 바로 뒤에 있던 신사가 그녀의 엉덩이에 두 손을 대어 그녀를 버스 속으로 들어 올렸다. 그녀는 화가 났던 판이라,

"무슨 짓을 하는 거예요, 신사양반이! 남의 여자 엉덩이를 들어 올리다니 그래도 신사라고 할 수 있어요?"

그러자 그 신사가 기분 나쁜 듯이 투덜거린다.

"아니 누가 할 소리요? 자, 보시오! 당신은 내 바지 단추를 죄다 끌러 놓았잖소?"

명안名案

"레옹, 어찌 된 일이야?"
하고 뛰어온 친구가 말하였다. 입원했다는 소리를 듣고 부랴부랴 병문안을 왔던 것이다. 하나 그 병실이 어지간히 호화스러운 특별실이었으므로,
"그러나 시중드는 여자로서는 너무나 너절한 할멈을 두었군. 첫째, 저래서야 어디 이 특별실에 어울려?"
"그런 돈이 있으면 좀 더 젊은 미인으로 시중드는 여자를 고용하면 좋았을 것 같군."
"음, 그건 그렇지만……."
하고 레옹이 침대에서 대답해 말하기를,
"저 여자가 내 눈에 예뻐 보인다면 병이 난 증거가 된단 말야. 그걸 생각한 거야."

이미 시험해 본 것

두 의사의 이야기.

"난 아주 훌륭한 피임도구를 발명했어. 효과 100%야. 스폰지로 만든 것이지만."

"나 좀 보여 주게."

그 의사는 벨을 눌러 하녀 에레즈를 불러서,

"잠깐 여기 아주머니가 가지고 있는 스폰지를 가지고 와. 자개농 바로 윗서랍에 들어 있는 걸 알지?"

"네, 하지만 그 소폰지는 아까 아주머니가 핸드백에 넣어 가지고 나가셨어요."

손가락 한 개

아직 어린애라고만 생각하고 있던 딸년이 요새 어딘가 수상쩍다. 그래 그런지 배까지 부른 것 같다.

걱정스러운 낯으로 모친 되는 세레누 부인이 넌지시 내 딸을 보고 물어보니 역시 걱정한 대로이다. 벌써 다섯날 전부터 매달 있을 것이 없다고 한다. 생각하다 못해 남편보고 의논을 하니,

"이런 바보가 있나…… 에미 되는 당신의 감독이 부족해 이런 일이 생긴 거야. 지금 계집애들이란 조숙해 좀 더 주의해 꼭 자물쇠를 잠가 두지 않으면 안 되는 거야."

하고 화를 버럭 낸다.

"하지만…… 그건 좀 무리예요. 그 자물쇠란 것이 손가락 한 개로 간단히 열리는 걸요!"

소중한 상품

디트라이유가 고급 창가娼家에 갔다. 어지간히 사치스러운 취미를 가지고 있는 사내인지라 물론 제일가는 금발 미인을 소망하였다. 한즉 만사를 알아차리는 창가집 마담이 미소를 띠며,

"영감은 결혼하셨나요? 그렇잖으면 이젠 혼자신지?"

"물론 결혼했지."

그는 정직하게 대답하였다.

"그러시다면 저, 제일 나은 애를 돌릴 수는 없어요."

"어째서?"

돈은 얼마든지 낸다는 표정이다.

"그 애는 필요한 사람 밖에 손님을 모시지 않아요. 군것질하는 손님은 곤란해요."

명예훼손

오스카르 백작부인이 어떤 남자를 상대로 명예훼손으로 고소를 하였다. 남자가 그녀를 두고 돼지라고 했다는 것이다. 재판 결과 남자는 벌금형에 처해졌다. 그 자리에서 벌금을 내고 난 그 남자는 재판관더러,

"난 두 번 다시는 백작부인을 돼지라고 말해서는 안 되죠?"

"그렇소."

"그렇습니까. 그럼 돼지를 백작부인이라고 하면 어떻게 됩니까?"

"그건 피고의 자유야."

그는 피고석에서 뒤를 돌아다보며 증인석에 있던 오스카르 백작부인에게 정중히 인사를 하고,

"그럼 생쥐는 어떻습니까? 백작부인?"

부부동죄夫婦同罪

루마와르 부인은 아주 운이 나쁘다. 해마다 어린애가 생긴다. 남편이 구두를 벗기기만 하면 백발백중이므로 도무지 재미가 없다. 생각다 못해 늘 참회를 들어 주시는 신부한테로 달려가,

"이걸 어떻게 할 수가 없을까요?"

하고 의논하였다.

"열매가 맺지 않게끔 씨앗을 뿌리는 방법이 있으면 우리 집 양반한테 가리쳐 주셨으면 해서……."

"그러나 부인, 그렇게 말씀하시지만 그 책임을 전부 남편 탓으로 삼아서는 안 됩니다. 부인도 조심하셔야지……."

"어머 제가요? 어째서입니까?"

"지극히 간단한 일입니다. 부인 쪽에서 바깥 양반이 눈을 지긋이 감으려 할 것 같거들랑 가만히 몸을 빼시도록만 한다면……."

"어마나, 전 그런 짓 할 수 없어요."

"어째서입니까? 지극히 간단한 일이 아닙니까?"

"하지만 신부님, 그건 입으로 말하는 것처럼 간단치가 않아요. 글쎄 우리 집 양반이 눈을 감기 15분 전부터 전 멍해져버려 눈이 똑똑히 보이지가 않는걸요."

사죄謝罪의 증거

세레누가 생활보호를 신청해 왔다. 보호자保護者가 조사를 나가보니 이 농사꾼 여자는 10년 전에 남편에게 버림으로 받았다는데 13세를 맨 위로 열이나 애가 있잖은가. 그래서 이 여자조사원이 이상스러운 듯이 이맛살을 찌푸리면서,

"이상하군요. 10년 전에 주인에게 버림을 받으셨다는데, 이렇게 조그만 애들이 그것도 자그마치 열 명이나 있다니……."

<천만에 말씀!>이라는 표정으로 이 농사꾼 여자가 입으로 삐죽거리며 말하기를,

"조금도 이상할 것 없지요. 우리 집사람은 날 버리고 딴 여자하고 같이 살고 있긴 하지만, 줄창 나한테 빌리러 오는걸요."

남편의 등빼기

재판관 레옹 슈나르 씨에게는 별로 진기할 케이스도 아니었다. 이 부부는 공동생활으로 할 수 없게 되어 있었다. 재판관은 먼저 여자보고 이혼을 신청한 까닭을 물었다.

"실은 이렀습니다, 판사님. 이 3년이란 긴 세월 동안 전 토요일 밤마다 남편의 등을 씻어 주었습니다."

재판관은 어리둥절해했다.

"그래서 그것이 이혼 사유가 된다고 생각하오?"

"그렇습니다. 하지만 요전 토요일에 남편의 등빼기가 깨끗해져 있잖습니까."

★ 남편은 대단히 게을러 제 손톱 하나 제 손으로도 못 깎는다. 언제나 아내가 깎아주었다. 한데 요새는 늘 깨끗이 깎고 다닌다. 이럴 때 이혼 이유가 성립되지 않을까?

현실파現實派

루카슈루는 구두쇠였다. 아내 생일에 여행나가 수표를 선물해 왔다. 하긴 그 수표를 선물해 왔다. 그 수표엔 금액이 기입돼 있지 않고 그대신「당신에게 백만 번의 키스를 드리노라」고 써 있었다.

여행 나갔다 돌아오자, 그는 아내의 손을 잡고 득의만면해 말하는 것이었다.

"어때? 내가 생각해 낸 것이?"

"덕분에. 고마워요!"

하고 방긋 웃어 보이는 아내 편이 더 흐뭇한 낯으로,

"그 수표는 바로 우유배달부에게 주어 현금으로 바꿔 썼어요."

어림 없는 곳

이것은 있을 것 같지도 않은 이야기로 들릴지 모르겠으나, 미스 허리에트는 아직 코끼리를 본 일이 없었던 것이다. 어느 날 유리창에서 야채밭을 보고 있노라니까 아주 순하디순한 한 마리의 조그만 코끼리가 유원지인 동물원에서 이리로 잘못 들어왔다.

코끼리는 야채밭을 몽땅 망쳐놓기 시작했다. 미스 허리에트는 깜작 놀라 경찰을 전화로 불러 놓고 외쳤다.

"큰일 났어요! 아주 큰 동물이 뒷밭에 와서 꽁지로 배추를 몽땅 뽑아버리고 있어요. 거기다 어머나 이게 웬일일까요? 그 배추를 어림도 없는 곳에다가 쓸어 넣고 있어요!"

어둠이 죄罪

그 헌병은 밤중인 12시까지 근무할 것이었으나 몹시 여편네 생각이 나서 그 심경을 친한 동료 한 사람에게 털어놓은 후 근무를 대신해 달라고 부탁해 놓고 10시에 집에 돌아왔다. 그의 아내 세레스트는 벌써 자고 있었지만, 도어를 열자 그 침대에서 약하디약한 목소리로 말하기를,

"여보, 당신 불을 켜지 말아요. 난 지금 두통이 나서 불빛이 눈에 들어오면 토할 것 같아요."

남편인 헌병은 아주 착한 남자였다. 그의 아내가 시키는 대로 캄캄한 어둠 속에서 옷을 벗었다. 옷을 벗고 막 침대로 올라가려 하는데 아내가 또 괴로운 목소리로,

"여보, 모처럼 고단해 일찍 와 쉬려는데 참말 미안해요. 하지만 잠깐 빨리 약방에 뛰어가서 두통약을 사다 주실 수 없소? 난 죽을 것 같아요."

헌병은 또 손으로 더듬더듬 더듬어 옷을 찾아 입은 후 밖으로 나왔다.

약방으로 부랴부랴 가는데, 도중에서 한 친구를 만났다. 만났더니 그 친구가 이상한 낯을 하고,

"여보게, 자네 이제부터 가장무도회엘 가나?"

"왜?"

"왜라니, 자네가 소방수 복장을 입고 있으니 말야."

★ 아내가 세우찬 애인의 침대 속으로 잠깐 수학여행을 갔다가 돌아와 남편에게 그 경험을 이용하는 이야기—포오바오와르 여사女史의 『제2의 성性』. 헌병의 처도 수학여행 중이었던 모양이다.

사용법

식모노릇을 하려고 시골서 막 올라온 푸내기 잔누. 운 좋게 있을 데가 곧 발견되어 아름다운 미망인 집에 살게 되었다.

어느 날 아침이다. 잔누가 마담 침실을 소세하고 있노라니 침대 뒤에 이상한 주머니 같은 것이 떨어져 있었다. 곁에 있던 마담 얼굴이 빨개졌으나, 그 정체가 시골뜨기 계집애에겐 모르는 모양인 것을 알자, 놀려주고 싶은 생각이 나,

"너희 시골에서는 이런 것 쓰지 않니?"

잔누가 자랑스러운 낯으로 대답하였다.

"쓰다 뿐입니까. 하지만 우리 시골서는 이 보재기 같은 가죽을 벗겨 먹어요."

★ 이건 콘돔을 씌운 소시지이다.

옛 이야기

무심히 그림책을 보고 있던 어린 딸이 문득 고개를 쳐들며 엄마보고 묻는다.

"엄마 옛이야기란 언제나 옛날에 옛날에 한 사람이 있는 데서 시작해?"

"아니, 꼭 그렇지도 않단다. 가령…… 아빠가 엄마보고, 여보, 오늘은 회사에 일이 많이 쌓여서 밤늦게 왔소 하고 그런 데서 시작하는 옛 이야기도 있지."

에미와 딸의 이 천진한 대화를 옆의 의자에 앉아 담배를 피우며 들리지 않는 것 같은 얼굴을 하고 있던 사람이 아빠 되는 레옹 슈나르 씨였다.

★ 요새는 엄마가 아빠보다 곧잘 하는 경향이 있다.

잊어버린 것

“주인은 요새 여간만 건망증이 심하지 않아요. 그전엔 그런 일이 없었어요. 이것도 나이 탓이죠? 늘 나한테 선물을 사오면서도 그걸 내줄 걸 잊고 있어요.”

하고 크레르몽 부인이 말하였다.

“그걸 어떻게 아세요?”

“글쎄…… 주인 옷주머니에 어제는 양말, 엊그제는 분첩이 들어 있는걸요. 제가 발견해 냈어요. 꺼내 보이면 ‘아차! 당신한테 줄 걸 잊어버리고 있어서……’ 하는 거예요. 요새처럼 건망증이 심했다가는 큰일 나겠어요.”

끽연喫煙과 금연

러시 아워여서 지하철은 살인적인 초만원이었다. 한 사람의 젊은 처녀가 밀리고 밀려서 앞에 앉아 있던 청년의 무릎 위에 쓰러지려 하였다. 청년이 친절히 말하였다.

"괜찮습니다, 그대로 앉아 계시죠."

이렇게 초만원이어서는 어찌 할 도리가 없어 처녀는 청년의 무릎 위에 앉고 말았지만 2분이나 되었을까 할 때 엉덩이를 비비적거리면서,

"뭣인지 바지 속에 딱딱한 것이 들어 있군요. 엉덩이가 아파요."
하고 나직한 목소리로 청년에게 말하였다.

"파이프올시다. 나무로 만든 파이프라서……."
하고 청년이 낯을 붉혔다.

그 바로 옆에 앉아 있던 장 브라프르 씨. 이 노년 신사가 빙그레 웃으면서,

"제 무릎이 괜찮을지 모르겠소. 난 10년 전부터 담배를 끊어버렸으니까요."

간단명료

아들이 애비있는 데로 가서 결혼의 동의를 구하였다. 상대 처녀는 얼굴이 흰 미인으로 마음씨가 곱고 진지하며 교양도 있다는 것이었다. 아니 반해 놓으면 그쪽은 칭찬할 것이다.

"한데 그 훌륭한 처녀 이름이 뭐지?"

"조셉 시므라고 해요!"

"조셉 시므? 안 된다, 그건 안 돼. 내 입으로 이런 말하긴 좀 안됐지만, 사내끼리니까…… 털어놓고 말해 버리지만, 실은 그 조셉 시므란 처녀는 내 딸이다. 내가 아직 젊었을 때 엄마 몰래 좋아지내던 어떤 여배우가 낳은 딸이다. 그러니까 너한테는 배 다른 여동생이 된다. 안됐지만 그 처녀만은 단념해 다오. 자기 누이동생하고 부부가 될 수는 없잖니?"

아들은 그만 비관에 싸여 자기 방에 틀어박혀 저녁도 먹으러 식당에 내려오지 않는다. 그의 어머니는 걱정이 되어 아들 방으로 올라가 보았다.

"어째 그처럼 우울해하고 있느냐, 어디 기분이라고 나쁘냐?" 하고 꼬치꼬치 캐물었다. 어머니의 애정 앞에 드디어 비밀을 지킬 수가 없어서 부친의 이야기를 탁 털어놓고 말았다.

하나 어머니는 방그레 웃으며 자기 아들을 격려하려는 듯 말하는 것이었다.

"걱정할 것 없다. 아무렇지 않으니 그 처녀하고 결혼해라. 실은 너도 집의 아버지 애가 아니란다."

★ "그 애의 정말 애비를 알고 있는 건 모친뿐이다." —스토린드베르히

중대重大한 이유

"여보게 자네 사프르 아닌가? 어떻게 된 거야? 요 한 반년 동안 통 볼 수가 없으니! 모두들 자네가 죽지나 않았나 생각하고 있었네."

"반년? 아니야 넉달이지. 보다시피 원기 왕성일세. 실은 결혼했다네."

"그래? 축복하네. 이젠 행복하겠군 그래."

"응…… 한데……."

"한데…… 뭐야…… 사프르?"

"실은 좀 난처한 일이 있어. 여편네는 미인이요, 애교가 있는데다가 지옥처럼 열렬한데 말야…… 자네는 모르지만…… 이건 자네한테만 고백하니 비밀로 해 줘야 하네…… 거기 털이 없어."

"털이 없다니?"

"응, 한 개도 없어."

"그것 안됐군. 하지만 그게 그렇게 마음에 걸리나?"

"아니 나야 관계없지. 그까짓 것 있건 말건 아랑곳할 것 있나. 하지만 만일 여편네가 누구하고 간통이라도 했을 때 말일세……. 그놈이 날 웃으리라 생각하면…… 좀 쑥스럽지 않은가, 이 사람아!"

★ 부부싸움이 너무 잦기에 그만 헤어져 버리라고 그 친구가 충고했더니, 그 작가 하는 말이 "이혼하면 어차피 재혼할 걸세. 그러면 그 두 번째 남편한테 창피해 그럴 수가 없단 말야. 글쎄 있어야 할 것이 없으니 딱하네."

이상理想의 남편

코롬베르 노인이 손자딸 같은 젊은 아내를 데리고 산부인과에 나타났다. 이내 의사도 진찰을 하였는데,

"무슈, 놀라지 마십쇼. 부인은 임신했습니다."

하나 이 늙은 신사는 쓸쓸히 미소를 띠고 있었다.

"뭐, 이상할 건 없소. 찬스는 충분히 주면서 살았으니까."

여인의 방房

사업가 루 브류망 씨가 바에서 술을 먹고 있노라니 아름다운 처녀가 하나 들어와 그 곁에 걸터 앉았다. 사업가는 1만 프랑을 낼 터이니 같이 주말을 즐기자고 유혹하였다. 처녀는 승낙하였다.

그 주말이 끝난 뒤 처녀가 약속한 돈을 청구하니까 우편으로 보내주마 하고…… 두 사람은 헤어졌다.

수표가 왔다. 그러나 그 액면은 5천 프랑이었다. 그녀는 사업가의 오피스를 알고 있었으므로 그리로 찾아 갔다.

오피스에는 손님들이 들끓고 있었다. 그녀는 당황하였다. 문제가 문제이니만큼 여러 사람 앞에서 노골적으로 청구할 수가 없었기 때문이다. 하나 그녀의 머릿속에 그때 번갯불처럼 떠오르는 말이 있었다.

"당신에게 빌려 준 방값을 아직 반밖에 받지 못하고 있어요."

하고 이런 식으로 말을 건네니, 이 말의 뜻이 실업가에게 바로 통한 모양으로 눈짓을 하며,

"오오 그랬었지. 하지만 그 방값은 너무 비싸지는 않았는지? 첫째, 그대는 그 방에 이미 누가 들어가 산 일이 있다는 말을 안 하지 않았나? 둘째, 그 방은 너무 컸어. 그리고 셋째로 난방이 부족하더군 그래."

그녀가 이에 반박해 말하기를,

"아니에요. 첫째, 당신은 그 방이 벌써 누가 사용한 일이 있는가 없는가를 한마디로 나에게 묻지 않았어요. 둘째, 그 방은 보통의 크기였어요. 다만 당신 쪽에서 그 방을 그득히 할 가구를 가지고 오시지 않았을 뿐이에

요. 그리고 셋째로 난방장치는 잘 되어 있었습니다만 당신이 그 쓰는 법을 모르시더군요."

그리고 이 처녀는 결국 잔금 5천 프랑을 손에 넣었다.

내 맘과 똑같아

영화관 껌껌한 관람석이다. 의복 차림도 깔끔한 점잖은 노부인 앞에 젊은 남녀가 앉아 있었다. 잔과 아베크는 영화구경을 하고 있다.

하나 이 두 청춘은 영화 같은 건 보지도 않고 사랑에 열중해 있다, 남의 눈쯤 조금도 꺼려하지 않고…….

잔의 손이 스커트를 밑으로 들어가고 하니까 보다 못해 그 노부인이 잔의 어깨를 뒤에서 툭 치며,

"어째 그렇게 품행이 단정치 못해. 그런 짓은 남의 앞에서 하는 게 아냐. 그 처녀를 어디 호텔로라도 데려가지 그래."

잔이 뒤를 바라보며 하는 말이,

"역시 그렇죠, 마담! 그러니까 제가 호텔로 가자는데 말을 듣지 않는 거예요. 미안하지만 부인께서 좀 권해주세요!"

음악회

"그날 그날의 생활에서 언제, 무엇이 제일 즐거운가?"
하는 질문을 남자들만의 만찬회에서 화제로 삼은 일이 있다. 이 질문에 대해 어떤 사람은 연극을 보고 있을 때라고 말하고, 또 어떤 사람은 술을 마실 때라고 하였으며, 또 어떤 사람은 거리의 여자를 사러 갈 때라 하고, 남은 사람들도 제각기 그 사내다운 소리를 정직하게 대답하였다.

필립은 최근 결혼한 청년인지라 그저 정직하게 조금 낯을 붉히며,

"그야…… 아내를 껴안고 잘 때가 제일 즐겁지 뭐야."
하고 고백하여 모두들 웃으며 손뼉을 쳤다. 유쾌한 만찬회였다.

그날 밤 필립은 집에 돌아와 이 이야기를 아내에게 들려주었다.

"그래 당신은 뭐라 대답했어요?"
하고 아내가 묻는 말에 자기가 말한 대로 아내에게 "난 음악회라고 대답했어!" 하고 거짓말을 했다. 이야기하는 것을 부끄러워하여 거짓말을 하였다.

그녀는 우습다는 듯이 깔깔대고 있었다. 그것도 그럴 것이 필립이 음악을 전혀 이해하지 못하는 음치인 것을 그녀가 알고 있었기 때문이다.

그리고 나서 며칠 뒤의 일이다. 그녀는 길에 나갔다가 남편의 친구 한 사람을 만났다. 이 친구도 요전날 밤 만찬회에 왔었던 친구다. 얼굴에 가벼운 웃음을 띠고,

"참 좋겠습니다. 바깥양반이 좋은 취미를 가지고 계셔서!"
하고 인사하는 것이었다. 그녀는 물론 음악회라고 믿고 있었기 때문에 그녀도 미소 지며,

"천만에요. 그것이 아주 글렀어요. 집의 어른을 거기까지 끌고 가는데 여간만 힘이 들지 않아요. 거기다 다 가서는 그냥 쿨쿨 자고 말거던요. 나한테 잔뜩 기대갖고 무겁기가 또 천근만근이에요."

★ 연애에 있어서 여자는 하프이다. 이걸 잘 뜰 줄 아는 자에게만 그 비밀의 기쁨이 주어진다—바르자크. 여기서의 연애란 섹스를 가리킨다.

욕망과 이성理性

머슴살이를 하는 에르망이 남몰래 낮잠을 한잠 자려고 곳간 속에 들어가니 주인마누라가 제멋대로 짚단 위에서 자고 있다. 이 머슴은 아주 바보는 아니었다. 거기다 곳간 속엔 아무도 없는데다가 어둠침침하다. 아주 좋은 찬스였다.

하나 주인마누라가 뭐라고 할까? 만일 내쫓으면 어떻게 하지? 그러나 욕망은 이성보다 강하였다.

주인마누라는 이윽고 그의 가슴 속에서 눈을 뜨고 소리쳤다.

"어머나…… 에르망, 글쎄 이놈이 무슨 짓이야? 이런 것이 더 창피하지 않느냐?"

"미안합니다. 주인 아주머니. 이제 곧 물러 가렵니다."

"내가 언제 물러가라고 했어, 이놈아. 그저 창피하잖느냐고 물었지."

잘못된 구멍

한 사내가 몸을 잔뜩 꾸부린 채 창백한 얼굴로 병원에 나타났다.

"선생님, 아까 옷을 입었더니 갑자기 몸이 꾸부러지고 도무지 펼 수가 없습니다."

에레스타우스 박사는 힐긋 보아 그 원인을 알았지만,

"허…… 그것 야단났군. 대체 어찌된 셈입니까. 자초지종을 말씀해 보시오."

"말씀 드리기 좀 부끄럽습니다만, 나와 좋아 지내는 여자가 있어서 아까 저기 호텔에서 랑데부를 하고 있었습니다만, 그 일을 다 끝내고 옷을 입었더니…… 이렇게 되고 말았습니다."

"그래요? 그러나 그런 사정이시라면 퍽 안됐습니다만 현대의학으로서는 어떻게 고칠 수가 없는걸요."

"고칠 수 없으시다고요? 그럼 이대로 몸이 꾸부러져 버리는 겁니까?"

"그렇다고 할 수밖에 없죠. 대단히 안됐습니다만……."

"선생님 제발 부탁입니다. 어떻게 좀 살려 주십시오."

"물론 살려 드리고 싶은 마음은 간절합니다만, 당신에게는 부인이랑 애들도 있습니까?"

"네, 여편네와 애 둘이 있습니다."

"그런데 그렇게 내연의 여인을 만들어 놓고 대낮부터 호텔로 드나드시고 하십니까…… 가족 되시는 분들의 원한이 맺힌가 봅니다."

"그럼 아내는 벌써 알고 있습니까?"

"아니, 알고 계시지 않더라도 여자의 영혼이란 것이 이상한 것이어서 남편에게는 바로 직결되어 이 같은 봉변을 당하시는 게 되는 모양입니다."

"그럼 어떡해서면 좋을까요?"

"어떡하라니? 당신이 그 애인하고 손을 끊으면 되지요."

"곧 손을 끊겠습니다!"

"좋습니다. 당신이 그처럼 후회하신다면 이번만은 고쳐드리죠. 나는 다소 정신의학에 대한 것도 알고 있으니까요. 하지만 두 번 세 번씩은 고쳐 드릴 수가 없습니다."

이렇게 말하면서 데레스타우스 박사는 손을 내밀어 환자가 조끼 단추 구멍에 껴놓은 바지 단추를 풀어주었다.

애처가愛妻家의 봉변

베랑 교수는 출근 전에 아내에게 키스하는 것을 습관으로 삼고 있었다. 한데 어느 날 아침 일이다. 통근 버스에 발을 올려놓으려다가 문득 매일 아침 하던 키스를 잊어버리고 온 것이 생각나, 그리고 또 하나는 부인을 놀래줄 셈으로 그대로 집으로 발길을 돌렸다. 가만가만 발소리를 죽이고 부엌으로 들어가니 아내가 저쪽을 바라보고 서서 있기에 그 목덜미에 다정히 키스해 주었다.

아내는 뒤도 돌아다보지 않고,

"굿모닝…… 우유 두 병하고 늘 가져오는 크림을 갖다 줘요."

그의 아내는 남편을 우유배달부로 잘못 안 것이다.

허릿바를 클러라!

어느 대학교수가 타이피스트 앙리와 특수한 관계를 갖게 되었다. 물론 남모르게.

교수는 타이프를 구수口授하면서 가끔 그녀를 무릎 위에 앉히고 애무하는 것이었으나, 물론 그런 때 도어는 잠겨 있었다. 한데 이 교수의 방심벽放心癖은 학계에서도 유명하였다.

어느 날 일이다. 교수는 뭣인가 생각에 잠겨 방으로 들어오더니 타이프라이터를 무릎 위에 올려놓고 테이프를 끌르기 시작한 것이다.

지옥地獄

드 그라이브 목사가 여느 때와는 달리 편복으로 갈아입고 거리로 나갔다. 마침 좋은 기회라 생각하고 대로를 한 바퀴 돌고 나서 해안을 끼고 나간 길로 들어서니 젊은 여자가 따라와 말을 걸었다. 단번에 누구라는 걸 알 수 있는 그런 여자이기에,

"얼마지?"

"순풍이면 1천 프랑, 폭풍이면 1천 5백 프랑, 태풍이면 2천 프랑이에요."

"흐음, 그것 참 항도港都다워 재미있군."

하고 두 사람은 값싼 호텔로 들어갔다.

먼저 순풍부터 시작하였다. 하나 여자는 마치 재목처럼 움직이지를 않는다.

"조금 움직여 봐."

"순풍은 순풍이에요. 움직이지 않으니까 순풍이죠."

"그럼 폭풍을 일으켜!"

하고 소망하였다. 큰 파도가 일기 시작했다. 침대가 비꺽거린다. 목사는 크게 재미를 붙여…… 큰 목소리로 소리쳤다.

"이번엔 태풍이다!"

별안간 요란스러운 진동이 시작하더니 베개도 쿠션도 이불도 뭣도 다 달아나고 말았다. 갑자기 여자가 비명을 올리며 외쳤다.

"아이구머니, 여보세요, 방향이 달라요."

"귀찮아. 태풍 때는 어느 항구든 좋아!"

음성 효과

에르망은 스마트한 학생이었다. 그는 감기가 걸렸다. 그만 목이 쉬어 가만 가만히 밖에 말을 못한다. 이웃 의사를 찾아가 도어를 노크하니 이날따라 젊고 아름다운 의사부인이 나온다. 그는 아픈 목을 누르며,

"선생님 계십니까?"

하고 속삭였다. 의사부인도 똑같이 속삭이는 말소리로,

"걱정 마세요. 지금 왕진 나가고 안계세요. 자, 어서 들어오시죠!"

불신용不信用

학생코러스 연습이 행해지고 있었다. 그 지휘자 역할을 받아가지고 있던 에레스타우스 교수는 학생들의 무능에 화가 치밀어 긴 설교를 하였다. 더욱이 당대 젊은 여학생들에게 지성의 결여缺如를 공격하여 그 희박한 도덕성을 맹렬히 꾸짖었다.

그 이튿날 연습에 한 사람의 아름다운 학생이 어지간히 분했던 모양으로 그녀의 처녀성을 확인한 의사의 증명서를 지참하였다. 하나 태양족을 싫어하는 이 교수는 그것을 코웃음치며,

"이따위는 아무런 증거도 안돼. 이건 어제 날짜 것이 아닌가."

마이동풍馬耳東風

산보길을 거닐고 있던 영양令孃이 신혼여행에서 막 돌아온 클라스 메이트(급우級友)와 딱 만나 길옆에 서 있는 우유마차 곁에서 이야기를 시작하였다.

"어마…… 포리누…… 만나서 반갑다. 자, 어서 이야기를 좀 해라. 그전부터의 약속이었으니까. 먼저 결혼한 사람이 고백한다고. 그러니까 숨기지 말고 처음부터 얘기해야 돼. 첫날밤은 어디서 잤지?"

"칸누서 잤어. 바다가 보이는 호텔에 도착한 것은 오후 네 시 경이었지만, 그이는 내가 옷 갈아입는 걸 기다리지 못하고……."

하면서 이렇게 새색시 포리누는 듣기 곤란한 데까지 털어놓고 이야기하기 시작했다.

하나 문득 옆을 보니 우유마차의 말이 그 동물적인 감동을 표현하고 있었다. 포리누는 새빨개졌다. 친구 손을 잡고 그 귀에 입을 갖다 대고,

"저쪽으로 가자. 말이 다 듣고 있잖아."

포즈 문답

한 사람의 젊은 처녀가 사진관에서 의자에 걸터 앉아 포즈를 취하고 있다.
"아셨어요? 저의 제일 좋은 데를 똑똑히 눈에 띄게끔 찍어 주세요."
사진사 페르뮤체 씨가 말하였다.
"아가씨. 그건 좀 곤란합니다."
"어마나, 왜요?"
"글쎄요…… 아가씨는 아가씨의 제일 좋은 델 걸터 앉아 계시는뎁쇼."

식욕食慾과 성욕性慾

어느 겨울 밤, 농사꾼 부부가 잠자코 난롯가에 앉아 있었다. 바깥은 얼어죽을 것 같은 추위였다. 누구인가 도어를 노크한다. 문을 열고 보니 한 사람의 젊은 나그네가 서 있었다. 보아하니, 괜찮게 생긴 청년이었으나 거지와 같은 옷차림이었다.

"하룻밤 재워 주실 수 없을까요? 바깥이 너무나 추워서……."

"들어와 불이나 쪼이시오."

하고 아내가 말하였다. 세 사람은 잠자코 불을 쪼이고 있었다. 하나 이윽고,

"빵하고 치즈를 조금만 주실 수 없습니까?"

하고 나그네가 말하였다.

남편 되는 주우루가 큼직한 빵조각과 치즈를 갖다 주었다. 어지간히 시장했던 모양으로 나그네는 화닥닥 손을 내밀어 순식간에 다 먹어버렸다. 그리고 한 조각만 더 달라고 했다. 주우루가 또 빵하고 치즈를 내어다 주었다. 그것도 단숨에 다 먹어버렸다.

나그네는 잠시 동안 잠자코 있더니 또 조금만 치즈를 더 달라고 했다.

주우루가 화난 목소리로,

"이젠 안돼. 너무 염체없이 굴면 못써. 이젠 밤도 깊었으니 자도록 해. 하나 침대는 한 개 밖에 없으니 우리와 같이 자는 거야."

물론 남편 주우루를 한 가운데 재우고 그 좌우에 아내와 나그네가 잤다. 왼쪽에 아내를 재운 것은 부부의 습관대로이더라.

하나 밤중에 갑자기 마구간에서 큰소리가 났다. 말이 마구간에서 뛰쳐나간 모양이다. 주우루는 화닥닥 일어나 바지를 입고 밖으로 뛰쳐나갔다.

그러자 아내는 나그네 곁으로 바싹 달라붙어 잰 말로 속삭였다.

"빨리 하세요…… 빨리요!"

나그네는 벙긋이 웃으며

"곧 돌아오지 않을까요?"

"빨리…… 빨리 하세요."

"괜찮을까요?"

"괜찮아요. 빨리 하라니까요…… 빨리요."

나그네는 침대에서 일어났다. 그리고 급히 치즈를 찾으러 부엌 쪽으로 걸어갔다.

큰일날 소리

어떤 학생이 시골 이발소에 갔다. 형편없이 깎아 주리라 생각했더니 의외로 친절히 잘 깎아 주었던 것이다. 몸이 우락부락하게 생긴 이발사가 수염을 깎아주고 있는 동안 얼굴이 예쁘장스럽게 생긴 매니큐어 걸이 손톱을 닦는다. 그는 이 미인에게 홀딱 반해버렸다.

"오늘밤 나하고 데이트하지 않을래?"

하고 낚아 보았다. 여러 말로 여자 마음을 당기는 소리도 해 보았다. 하나 잔누는 진지한 얼굴로,

"거절합니다. 전 결혼했어요."

"주인이 있군……."

이건 학생에게도 의외의 일이었으나,

"있으면 어때. 한두 시간쯤 어떻게 속일 수 있잖아? 외출을 주인한테 부탁해 봐."

"그럼…… 당신이 직접 부탁해 보세요. 지금 당신의 목있는 데를 면도질하고 있는 분이 저의 남편인데요."

두 가지 종류

"아담은 자기와 하와가 서로 다르다는 걸 발견했을 때 어떻게 했습니까?" 하고 페르뮤체 교수가 질문한즉, 한 학생이 일어나 대답하였다.

"그는 그 틀리는 것을 파묻었습니다."

바보 남자

여학생 미르저가 혼자서 시골길을 거닐고 있으려니 젊은 농사꾼이 쫓아왔다. 어지간한 핸섬 보이다. 그는 등에 커다란 통을 짊어지고, 바른 손에는 산닭을 들고 있었다. 왼손에는 지팡이, 그 지팡이와 함께 손에 쥔 새끼줄 끝에는 염소가 잡아매어 있었던 것.

"어딜 가시오?"

미르저가 먼저 말을 걸었다.

둘이서 나란히 걸어갔다. 걸어가며 힐끔힐끔 미르저가 멋쟁이 총각의 얼굴을 바라보더니,

"난 이런 쓸쓸한 길을 사내양반하고 둘이서 걷는 것이 무서워요. 말일 당신이 나에게 키스하려 덤벼들지도 모르잖아요?"

총각은 깜짝 놀란 눈을 뜨고,

"그런 소리 마라…… 내 손은 보다 깊이 이렇게 옴짝할 수 없게 되어 있잖아?"

미르저가 윙크하며 말하였다.

"하지만…… 그 지팡이를 땅에 세우고 염소를 거기 붙들어 매어 놓고 그리고 나서 닭에는 등에 짊어진 통을 내려 씌워 놓는다면 키스는커녕 좀 더 딴 짓도 할 수 있어요. 당신이 그러려고만 생각하면 말이에요."

의사醫師의 공로

x마스 주임신부는 진지한 신부여서 교구의 평판이 좋았다. 하나 불쌍하게도 장만腸滿이라는 병에 걸려 배가 삐루통처럼 컸다. 그래서 병원에 가 수술을 했다.

그 수술을 하는 날, 옆의 병실에서 한 처녀가 애비 없는 애를 낳았다. 그 처녀의 세상 소문도 소문이거니와, 가난해 도저히 애를 기를 수가 없었다. 산고에 시달리며 그걸 한탄하고 있노라니까,

"뭐, 너무 걱정할 것 없어. 내가 잘 봐 줄 터이니까."

하고 의사가 이 젊은 산부를 위해 말하였다.

그리고 의사는 이웃방 신부 병실로 들어갔다. 신부는 지금 막 수술 마취에서 깨어나 있었다.

"신부님, 조금 어떠십니까?"

"네, 덕분에 대단히 편안해졌습니다. 이젠 그만 다 나았을까요?"

"그렇습니다. 당신 같은 병은 한번 수술로 전쾌합니다."

"장만이란 그렇게 간단합니까?"

"아니, 그게 장만이 아니었습니다."

"그래요? 그럼 무슨 병이었습니까?"

"글쎄 그걸 말씀드리기가 좀 곤란하군요."

"괜찮습니다. 말씀해 보셔요. 전 성직자이니까요!"

"그럼…… 말씀드립니다만, 신부님, 실은 어린애를 배셨댔습니다."

"어린애라고요? 사내가 어떻게 애를 뱁니까?"

"이것이 바로 그 애입니다."

하고 간호사보고 애를 안아오라 하여 보여 주었다.

그러고 나서 30년이란 세월이 흘렀다. 신부는 임종의 자리에 누워 있었다. 그 머리맡에 자기가 기른 애를 불러다 앉히고,

"얘야, 난 신 계신 곳으로 가기 전에 어떤 중대한 일을 너에게 고백하지 않을 수 없다. 잘 들어 두어라. 넌 그전부터 나를 애비로 생각해 왔지만, 사실은 그렇지가 않다."

"뭐라시는 말씀입니까?"

"난 너의 애비가 아니다. 실은 너의 에미다."

"그게 무슨 말씀입니까, 아버지?"

"아니다. 사실이 그렇다. 난 너의 에미다. 지금 내가 눈을 감으려 하는 이 순간이기에 바른대로 고백한다만…… 너의 아버지는…… 너의 아버지는 어느 헌병대의 대위였다."

본대로

"선생님이 오늘 그림시간에 크면 뭣이 되겠는지 그림으로 그려 보라 하셨어요. 하지만 난 아무것도 그리지 않고 말았어요."

"뭣이 될지 생각이 안 나던?"

하고 모친 되는 다르랑슈 부인이 상냥히 묻자,

"네, 그렇잖아요. 커지면 엄마처럼 결혼하고 싶지만, 그걸 어떻게 그려야 좋을지 모르겠는걸요."

안전제일安全第一

친구 주르가 전화를 걸어,

"오늘밤 호케시합 구경 안 갈래? 표가 두 장 있어……."

"고마워. 하지만 오늘밤은 라빈스키가 나오는 연극이 있어서 못가겠어. 갈 수가 없어."

2~3일 후에 또 주르한테서 전화가 걸려왔다.

"오늘밤 나이터에 가지 않을래? 표를 사놨어 넌 어려서부터 야구구경을 좋아했지?"

"응. 좋아하긴 좋아하지만. 오늘밤도 라빈스키 연극이 있어서 못가."

그러고 나서 1주일 뒤에 또 주르로부터 전화가 왔다.

"권투구경 안 갈래?"

"미안해. 역시 오늘밤도 라빈스키가 출연해."

"넌 늘 라빈스키가 출연한다고 하는데 대체 그 라빈스키란 어떤 자냐?"

"나도 잘 몰라. 만난 일도 없고, 어디서 어떤 연극을 하는지도 몰라. 다만 그 라빈스키가 연극에 출연하는 밤은 그 녀석의 처와 내가 몰래 만나게 되어 있어."

두 귀[二鬼]를 쫓는 자

"왜 그렇게 우울해하나? 대체 무슨 일이야?"

"식모를 꼬시다가 여편네한테 들켰어."

"그건 좀 곤란한데."

"아니 그 정도면 대단할 것은 없지만, 실은 더욱 곤란하게 됐어."

"어떻게?"

"여편네가 그걸 우리 사무실 여비서한테 일렀으니 큰일이지 뭐야!"

기름 훔치는 이야기

그라뷰가 천국에 가니 성聖 베드로가 반가이 맞아 주었다.

"전 앞으로 몇 해나 살 수 있을까요?"

하고 물었다. 성 베드로는 대답도 않고 널찍한 창고로 데리고 갔다. 거기엔 몇 천만이나 되는 꼬마등잔이 널려 있었다. 불이 켜있는 것도 있고, 꺼져 있는 것도 있었다.

"이 꼬마등잔은 인간의 각자 생명의 등불이다. 이것이 꺼지면 사람은 죽는다. 그러니 기름이 많이 남아 있으면 수명이 길어지게 마련이다."

"내 꼬마등잔은 어느 거죠?"

"이거다."

"아니, 이건 기름이 거의 없군요. 제 곁에 건 누구죠? 아직 4분의 3이나 남아 있습니다만?"

"너의 부인 것이다."

그때 성聖 베드로가 코를 푸느라고 잠깐 고개를 옆으로 돌리자, 그 틈에 그라뷰는 아내의 꼬마 등잔을 열고 자기 손가락을 집어넣어 기름이 뚝뚝 떨어지는 손가락을 자기 꼬마 등잔 위로 가져왔다. 아내의 기름을 훔치기 시작한 것이다. 그는 이 동작을 몇 번이고 되풀이했다. 하나 이윽고 아내가 잠을 깨,

"여보, 그 손가락 좀 치우세요. 밤새도록 뭘 하고 계시는 거예요?"

★ 불효막심한 사내가 있었다. 애비가 반대하는 결혼을 해 갖고 고향을

팔고 산소를 모신 땅도 저버리고 떠났으나 몇 해가 지나 이 양친들도 세상을 하직하고 말았다. 이 사내가 성묘를 생각하게 된 것은 기이한 후회였다.

산소에 가보니 무덤가에 풀이 무성해 있었다. 그는 손으로 풀을 뜯기 시작했다. 아내가 눈을 뜨고 "아파요…… 당신은 무슨 짓을 하고 있어요!" 하고 화를 내는 것이었다.

머리 감추고

"재판장님, 저의 남편은 알남봉이라서 전 이혼을 했으면 해요."

"어떤 확실한 증거라도 있어서 하는 소리요?"

하고 시지스페르 재판관이 물었다.

"네, 실은 어젯밤 내가 어느 영화관 앞을 지나갈 때, 남편이 한 여자를 데리고 그 영화관으로 들어가는 걸 제 눈으로 보았어요."

"그 여자는 누구죠? 당신 남편의 애인이던가요?"

"누군지 몰라요. 본 것도 어젯밤이 처음이지만, 그때 느낌으로 남편의 애인이라는 걸……."

"그것 가지고는 증거가 안 되죠. 어쩌면 당신의 지나친 생각 같소. 당신은 왜 두 사람 뒤를 밟아 그걸 확인하지 않으셨소?"

"저도 그러려고 했어요. 한데 저하고 같이 가던 남자가 그 영화를 벌써 봤다고 하지 않아요."

어쩔 수 없게 된 이야기

목수 몽지레가 발을 삐어 정골원에 실려 들어갔다.

"어쩌다 이렇게 뼈를 삐었습니까?"

하고 여의사가 물으니,

"30년 전 이야기입니다만……."

어처구니없는 이야기를 끄집어내기에 의사가 급기야 되물었다.

"30년 전 일은 아무래도 좋습니다. 어쩌다 뼈를 다쳤는지 그걸 들려주시오."

그러나 몽지레는 기어코 30년 전 일을 지껄이고 싶은 모양이다. 의사도 하는 수 없어 그대로 내버려 두었다.

"꼭 30년 전, 그 무렵 난 어느 농가로 일을 갔었습니다. 그날 밤 내가 자고 있는 데로 그 집 딸이 들어 왔습니다. 그런데 여간 미인이 아니었어요. 그 처녀가 말하기를 욕심나는 게 있으면 사양 말고 뭣이든 말하라는 겁니다. 자기가 할 수 있는 건 다 해주겠다는 겁니다. 하지만 난 별로 욕심나는 일도 없고 해서 아무것도 없다 하며 그녀를 그대로 돌려보냈습니다. 한즉 다음날 밤 이번엔 엷은 잠옷 바람으로 들어왔습니다. 그리고 역시 똑같은 소리를 하는 거예요. 나도 꽤 친절한 처녀라 생각했습니다만 별로 부탁할 일도 없고 해서 또 그대로 돌려보냈습니다. 한데 사흘째 되는 날 밤 이번엔 아주 발가벗고 내 방엘 들어와 욕심나는 게 없느냐고 묻지 않겠습니까. 그래서 나는 대답했습니다. 저녁은 잔뜩 먹었겠다, 따뜻한 이부자리도 있겠다, 별로 부족함이 없다고. 그러나 그때 그 처녀의 모양이 난 도무지 이

상했습니다만, 실은 오늘 지붕 위에서 일을 하다가 갑자기 30년 전 일이 머리에 문득 떠올라 앗차 하는 바람에 잘못 내딛어 미끄러져 버렸습니다."

퍽 어려운 약藥

시지스페르 부인이 늘 단골로 다니는 의사를 찾아와,

"요새 우리 주인이 곧잘 잠꼬대를 합니다만……."

성질이 급한 의사는 부인 말을 죄다 듣지도 않고 고개를 끄덕이며,

"아아 잠꼬대 말입니까. 그건 간단히 고칠 수 있어요. 이 약을 매일 밤 한 개씩 잡수시게 하십쇼. 아침까지 늘어지게 주무실 겁니다. 잠꼬대 같은 건 곧 없어집니다."

아마 그것은 흔한 잠자는 약의 정체였던 모양이나 시지스페르 부인은 그 약을 도로 내밀며,

"선생님, 전 주인의 잠꼬대를 못하게 하려는 게 아니에요. 그렇지가 않고 주인이 잠꼬대를 하면 제가 금방 눈을 뜰 수 있는 그런 약이 소용돼요. 잠꼬대에서 어떤 말을 하는지 전 똑똑히 다 듣고 싶으니까요."

의심꾸러기 아내

크로제르 부인이 친정에 볼 일이 생겨 며칠 간 여행하게 되었다. 부인은 출발할 때 올해 일곱 살 나는 어린 것의 머리를 쓰다듬어 주며,

"아가야, 집 잘 봐야 한다. 그리고 아빠를 감시하다가 엄마 없는 틈에 만일 아빠가 식모하고 수상한 짓을 하거들랑 엄마가 돌아왔을 때 가르쳐 줘야 해."

며칠 뒤에 크로제르 부인은 예정대로 친정에 갔다가 돌아 왔다. 돌아오자 곧 어린 것 보고 어땠었느냐고 물었다. 어린것은 어린애다운 천진한 얼굴로,

"응, 그랬어."

하고 대답했다. 그 소리를 듣자, 부인은 그 자리에서 핏대를 올리고 아가 손을 잡고 남편 방으로 뛰어 들어갔다.

남편은 그때 신문을 보고 있었는데, 그걸 무릎 위에 놓으면서

"이제 돌아왔소. 고단하겠구려, 친정엔 모두들 다……."

하고 말을 하다가 문득 입을 다물었다. 아내가 노여움에 몸을 부르르 떨며 새빨간 눈으로 자기를 째려보고 있는 것을 깨달았기 때문이다.

"내가 모를 줄 알고 어물어물하는 것도 엔간히 하세요. 당신은 나이도 부끄럽지 않소. 그렇게 태연한 낯을 하고 있으니. 애기 증인이 있어요."

하고 어린 꼬마를 돌아다보며,

"아가야, 똑똑히 말해야 한다. 아빠는 식모하고 어떤 짓을 했지?"

귀여운 꼬마는 천진스럽게 눈을 껌벅이면서,

“엄마가 언젠가 아빠 없을 때 보험회사 아저씨하고 하던 것과 꼭 같은 짓을 하셨어요.”

이름을 지어주신 어른

보와방 목사는 이젠 어지간히 늙었으나 마을 장롱집 아내와 친해가지고 주인 없는 틈을 타서 곧잘 장난질을 쳤다.

어느 날. 주인이 밤늦도록 돌아오지 않을 것을 알고 둘이서 침대에 들어가 시시덕거리고 있노라니 뜻밖에 남편이 돌아와 문을 탕탕 두드린다.

"여보 문 열어. 문 걸고 뭣하고 있어……."

순간 아내는 어찌할 바를 몰랐으나, 재빨리 애인에게 옷을 입혀 옆방으로 숨게 하였다. 목사는 옆방 창문을 열고 몰래 달아났다. 그것을 보고 나서야 아내는 이제서 잠이 깬 듯한 손으로 눈을 비비적거리며 도어를 열러 갔다.

"뭐야…… 벌써 잠이 들었댔어? 아니겠지, 어떤 놈팽이라도 끌어들였을 거야. 그렇지?"

남편은 여기저기 찾아보았으나 증거가 될 만한 것은 눈에 띄지 않았다.

"감기가 들어 하도 춥길래 일찌감치 잤어요. 빨리 들어와 나 좀 녹여줘요."
하고 말하니 남자는 그리 나쁜 기분이 아니다. 침대로 들어갔다. 한데 발에 뭣인가 걸리는 것이 있다. 가만히 끌어내니 그것은 남자 셔츠였다. 목사가 당황한 나머지 입을 걸 잊어버리고 그냥 간 것이다. 주인은 후일의 증거로 넌지시 그걸 간수해 두었다.

그 이튿날. 보와방 목사가 장롱집 가게를 찾아왔다.

"이거 웬일이십니까? 목사님이 저희 가겔 다 오시고……."
하고 주인이 공손히 인사를 하였다.

"그걸 돌려주게."

"그거라니 뭐 말씀입니까?"

"그렇게 시치미를 떼면 안 돼. 성 니그트반의 셔츠 말야. 부인이 애를 낳고 싶다 해서 효과 100%인 그 셔츠를 빌려 주었어. 한 대엿새 전 일야. 이젠 애도 되었겠고 하니 어서 돌려주게."

주인은 가슴 속에서 뭉클거리던 것이 단번에 내린 것 같은 기분이어서 좋아라 하고 당장에 셔츠를 돌려주었다.

한데 과연 아홉 달쯤 되자, 아내는 귀여운 사내애를 낳았다. 애의 이름은 이 보와방 목사가 지어주었다.

교령술交靈術

잔누 큰어머니가 돌아가시고 나서 뜻하지 않은 막대한 재산이 조카아들과 조카딸에게 굴러 떨어졌다. 그들은 모두들 너무나 기뻐 목사 댁에 가서 큰어머니의 명복을 빌었다. 하나 젊은 시절 오밤중에 달아나듯 마을을 뛰쳐나갔다는 저 큰어머니가 어떻게 해서 그 많은 돈을 버셨는지는 아무도 모른다.

그래서 교령술을 해 보기로 하였다. 조카아들이 조그만 테이블을 꺼내다 놓고,

"잔누 큰어머니, 잔누 큰어머니 나타나셨습니까. 나타나셨으면 세 번 소리를 내어 주십시오."

똑똑똑…… 큰어머니가 와 계시다. 이 조가아들이 일동을 대표하여

"잔누 큰어머니, 많은 재산을 우리들한테 남겨 주셔서 정말 고맙습니다. 모두 여간만 기뻐하지 않고 있습니다. 한데 한 가지 여쭈어 보고 싶은 일이 있습니다. 큰어머니는 어떻게 해서 그처럼 많은 재산을 만드셨습니까? 좀 말씀해 주세요."

별안간 테이블이 뒤집혔다. 그리고 테이블 다리 넷이 생물처럼 벌벌 떨기 시작했다. 그와 동시에 테이블서랍이 반쯤 열렸던 것이다.

★ 뒤집힌 이 테이블 모양은 봄날 양지바른 잔디에서 뒹굴고 있는 강아지 같다. 피치구리리의 『불행한 개』라는 소설에 개의 독백으로 「밤마다 다리 위에 가서 편안히 뒹굴다 잔다. 배를 위로, 별들이 반짝이는 밤하늘

로 보내고 네 다리를 쭉 편다. 이 얼마나 기분 좋은 자세인가. 한데 이 자세는 가정 내에서는 야단을 맞는다. 젊은 처녀가 있으니 말이다.」

간단한 교실教室

마을의 앙리 신부가 신에게 정조를 맹세한 몸이면서 식모와 통해 밤마다 음락에 빠져 있다는 소문이 드디어 사교司教 귀에까지 들어가고 말았다. 넌지시 교구 신자들한테 알아보니, 그것은 마을에서 숨길 수 없는 사실로 되어 있었다. 그래서 사교는 그 교회로 가서 직접 앙리 신부에게 엄중한 훈계를 주려 마음먹었다. 그는 늙어빠진 말을 타고 찾아갔다.

이윽고 마을 입구까지 간즉, 때마침 그전부터 얼굴만은 서로 알고 있던 그 식모가 어떤 농사꾼 집에서 나오는 것과 딱 마주쳤다. 잘 됐다 싶어 나무 그늘로 불러,

"오늘은 너하고 앙리 신부와의 관계에 대해 조사를 하러 왔는데 진실을 똑바로 고백해야 된다. 넌 매일 밤 앙리 신부와 같이 잔다고들 하더군?"
하고 엄하게 물었다. 이 식모는 조금 머리가 모자라는 여자이다. 태연한 얼굴로,

"사교님, 그건 할 수 없어요. 집엔 침대가 하나 밖에 없는걸요. 하지만 오해로 동네 소문이 하두 심해 침대 한 가운데를 송판으로 가로막고 자고 있어요."

사교는 이 거침없는 대답에 깜짝 놀라 벌린 입을 다물 수가 없었다.

"하지만 너든 앙리신부든 어느 편이 가끔 그 송판을 넘으려는 생각이 들지는 않느냐?"

"네, 그것도 그렇지 않은 건 아니에요. 하지만 그런 땐 먼저 송판을 넘은 측에서 2프랑씩 벌금을 내도록 정해져 있어요."

사교는 화를 내면서도 이야기가 재미있어,
"호…… 그래 넌 매주 얼마쯤 벌금을 내지?"
"저요? 전 아직 한 번도 낸 일이 없어요. 늘 신부님이 넘어오시는 걸요 뭐. 요번 주일만 하더라도 신부님은 28프랑이나 벌금을 내셨어요."

상투적인 문구

어느 날 아침 파르바일 부인이 유리창에서 아무 생각 없이 바깥을 내어다 보니 식모가 우유배달원하고 키스를 하고 있었다. 엄격한 부인은 대단히 화가 나서 식모를 단단히 나무랄 생각을 하였다.

그날 밤 가족들이 다 자러 들어간 뒤에 부인은 식모를 자기 방으로 불러들여 이맛살을 찌푸리며 엄한 목소리로,

"난 오늘 아침 네가 우유배달원놈 하고 키스하는 걸 보았다. 내일 아침부터는 내가 우유를 받으러 나갈 터이니 그리 알아라."

"소용없어요, 마님."

"왜 소용이 없다는 거냐?"

식모는 자신 만만하게 대답하였다.

"그분은 딴 사람하고는 절대로 키스안하겠다고 저한테 맹세했어요."

앞뒤의 문제

어느 유명한 정신과 의사가,

"여자가 히스테릭해졌을 때에는 꼭 껴안고 오래도록 키스해 주는 것이 가장 효과적입니다."

하고 말하였다. 이 키스요법을 들은 앙리가 진지한 낯으로 질문하기를,

"선생님…… 그럼 여자를 히스테리크하게 만들려면 어떻게 하면 좋습니까?"

★ 질투는 질투, 귀여움을 받고 싶은 것과는 그건 별개예요.

우물 가에서

남의 말하기 좋아하는 아낙네가 이웃 색시 배를 힐끔힐끔 사양없이 바라보며,

"이루마, 어린애 뱄군?"

젊은 아낙네는 사랑스럽게 미소 지으며,

"집의 양반 애가 아니에요. 집의 어른 친구의 부탁을 받고 잠시 내 방을 빌려 주었을 뿐이에요."

닭과 계란

구리제트가 그 고을 지주집 아들과 약혼하였다. 그 지주집 아들은 체격이랑이 늠름한 청년이었다. 따라서 구리제트 편에서도 아주 우쭐해 하고 있었다.

빨리 결혼 날짜를 정해 달라고 모친보고 자꾸 졸라대는 것이었으나 그렇게 곧 모친은 결심이 되지 않았다. 그 까닭은 그 청년의 코가 너무나 크고 위대한지라 예로부터 내려오는 말도 있고 해서 귀여운 몸집의 조그만 내 딸이 고통을 받지 않을까 걱정이 되어서이다. 하나 에미 맘을 모르는 딸은 무턱대고 빨리 식을 올리게 해 달라는 것이다.

생각하다 못해 모친은 늘 다니는 교회로 가서 목사한테 의논을 하였더니 자초지종을 다 듣긴 들었으나 목사도 그 자리에서 곧 대답을 할 수가 없었던 모양으로 스무날을 기다려 달라고 말하였다. 그 사이에 넌지시 그 청년을 만나보기로 했다.

결혼 전의 참회에 오라는 것이다.

청년은 하라는 대로 교회에 와서 형식적인 참회를 하였다. 목사는 이 청년에게 용서를 주기 전에 먼발로 이렇게 말해 보았던 모양이다.

"당신도 알다시피 결혼엔 여러 가지 의무가 있는 거요. 하나 경우에 따라서 늘 신부가 협력할 수 없는 일도 있소. 가령 그 신랑이 굉장한 몸을 하고 있을 때 같은 때요……."

"그건 무슨 뜻입니까, 목사님……."

여기서 목사는 좀 더 똑똑한 그 질문의 의미를 설명하지 않을 수가 없었다.

“아니 목사님, 그건 걱정할 것 없습니다. 신부한테 이상이 없다면 저는 걱정 없습니다. 전 아직 처녀를 경험한 일은 없습니다만 대체 처녀의 거기는 얼마나 넓습니까. 목사님은 여러 가지로 풍부한 경험이나 학식을 가지고 계실 터이기에 여쭈어 보는 것입니다만…….”

“글쎄, 어느 만하다고 할까, 조금 형용키 어렵네만 암탉 엉덩이만 하지 않을까…….”

“목사님 그렇다면 잘 맞을 겁니다. 저는 계란만 하니까요.”

★ ‘계간鷄姦’이란 말도 있잖은가.

악마惡魔의 나무

화창한 봄날 일이다. 피에르가 그의 처 조에하고 능금나무 아래 걸터 앉아 있노라니 그전부터 넌지시 조에하고 정을 통하고 있던 마을 목사가 찾아왔다. 한데 남편이 그 곁에 있고서는 어떻게 할 수가 없다. 그래서 한 꾀를 내어 능금 나무를 아래서 쳐다보며,

"맛있어 보이는데. 한두 개 따 먹어도 괜찮겠지?"

하고 목사는 능금나무를 올라가더니 그 나뭇가지 사이에서 소리를 질러 말하기를,

"무슨 짓들이야! 아무리 자기 집 뜰이라고 하더라도 그런데서 시작하는 건 너무 심하지 않나. 그것도 내 눈 앞에서."

"무슨 말씀이십니까, 목사님. 우린 아무 짓도 하지 않고 있잖습니까. 둘이 의젓이 앉아 있지 않습니까!"

"글쎄 날 속여도 소용없어. 난 쇠경이 아니란 말야."

조에는 남편과 마찬가지로,

"목사님, 전 그런 짓 하지 않고 있어요."

"흥, 그럼 이 나무에 악마가 붙어 있는 모양이군. 여보게, 피에르…… 자네 좀 올라와 보게."

그래서 이번엔 피에르가 능금나무로 올라가 봤다. 그 사이 목사는 조에를 풀 위에 자빠뜨리고 재빨리 일을 시작했다. 피에르도 이건 차마 그냥 볼 수가 없어 나뭇가지 사이로 소리 질렀다.

"이게 무슨 짓이요. 그런 짓해서는 안돼요."

"아니야. 난 아무 짓도 안하고 있어. 이렇게 의젓이 앉아 있을 뿐이야."

"하지만 이상한데? 여기서 보면 여편네가 목사님 밑에 깔려서……."

"그럴 수가 있나. 그러니까 내가 말하잖던가. 이 능금나무에 악마가 붙어 있다고."

이윽고 피에르가 능금나무에서 내려왔을 때에는 목사도 조에도 의젓이 벤치에 걸터 앉아 있었다.

애비 없는 자식

프로랑랑이 여자 점쟁이한테로 가서 운수점을 쳐보았다. 그 점쟁이가 수정구슬을 들여다보며 말하기를,

"당신은 결혼을 하셨군요."

"그래요."

"그리고 당신한테는 어린애가 둘 있군요."

프로랑랑이 빙긋 웃었다. 역시 점이란 맞지 않는다고 생각했기 때문이다. 고개를 옆으로 흔들어 보이며,

"그건 안 맞습니다. 어린애는 셋 있습니다."

"아냐. 그건 당신이 그렇게 생각하고 있을 뿐이야."

하고 그 여자 점쟁이는 말하였다.

짧은 반즈봉

에피방의 여편네는 젖가슴이 전혀 없었다. 그래서 큰 브래지어를 사려 하였다. 그걸 안 에피방이 어처구니 없어하며,

"글쎄 그건 뭐 하러 사누? 그 속에 들 걸 안 가지고서."

아내가 낯을 찌푸리며 대답하였다.

"그럼 당신은 짧은 반즈봉을 입으세요."

약한 자의 이름

파몽이 포라르 박사한테로 건강진단을 받으러 갔다. 그는 체격이 좋은 사내였다. 박사는 진찰을 끝내고 말하였다.

"당신은 조금 오입을 삼가야지 그렇잖으면 생명이 위험합니다."

하나 파몽은 가슴을 탁 치면서,

"뭐 걱정할 것 없습니다. 난 이렇게 건강체이니까요."

박사는 고개를 가로 저으며,

"그건 알고 있지만, 그러나 당신이 관계하고 있는 여자 중에 내 아내가 있어서……."

버드나무 밑

농사꾼 알베르는 결혼은 했으나, 여자를 싫어하지나 않나 싶게 지극히 냉정한 사내였다. 하나 결혼하고 나서 1년쯤 지난 어느 날의 일이다. 밭에서 뛰어 돌아오자 폭풍과 같은 열렬한 애무로 아내를 얼싸 안았다.

아내는 그 재미를 잊을 길이 없어 다음 기회를 고대하고 있었으나, 언제나 남편 알베르는 모르는 척한다.

3년이 지났다. 그는 또 그 언젠가처럼 밭에서 뛰쳐 돌아왔다.

"아아 이제서야……."

아내는 희색의 만연하다. 두 손을 벌리고 허리를 비비 꼬며 남편에게 매어 달리려 하였다. 하나 알베르는 화를 내며 소리쳤다.

"색광 같으니! 우리 곳간이 불타고 있잖아!"

떨어진 그리스도 상像

예배당의 그리스도 상像이 떨어졌으나, 뚱뚱보 목사는 사다리에 올라갈 수가 없어 식모 이르마를 불러 못질을 시켰다. 목사는 사다리 밑으로 들어가 붙들고 있었던 것이다. 하나 문득 얼굴을 쳐드니, 이르마는 노오 드로어즈(no drawers, 부인용 속옷)여서 곱슬곱슬한 금발이 그대로 보인다. 목사는 곧 이르마를 사다리에서 내려오게 하고,

"이르마…… 얼른 드로어즈를 가서 사 와."

하고 1백 프랑을 내주었다.

이르마는 좋아서 뛰어가다가 부엌 앞에서 놀러와 있던 여동생을 만났다. 이르마는 동생에게 드로어즈 사러 가는 까닭을 말하면서,

"너도 가 봐. 1백 프랑 줄 거야."

하나 이번엔,

"가서 깎고 와."

하고 30프랑 밖에 주지 않았다.

★ 그 뒤를 이렇게 쓴 것도 있다. 그 노오 드로어즈의 식모가 목사의 민대진 머리에 떨어진다. 목사는 손을 대고, "내 머리에 털이 난 줄 알았다. 신의 은총으로!"

미망인未亡人 이야기

크루슨 부인이 가장 사랑하는 남편과 사별死別하고 매일같이 울고 지내는 것을 목사가 가엾게 여겨 위로하러 찾아 왔다.

"정말 사람 좋고 상냥한 활동가였습니다. 그리고 무척 애정이 깊은 분이셨습니다."

하고 위로의 말을 하자, 이 미망인은 더욱 슬픈 듯이 흐느껴 울면서,

"목사님, 그이는 아무런 기념품도 남겨 주시지 않았어요. 낡은 사진이 한 장 있긴 있지만, 조금도 그이 같지가 않아요!"

"그만 우시오. 울면 뭣합니까. 귀여운 어린 것이 있잖습니까. 어린것이야말로 제일 좋은 기념품이지요."

"하지만…… 목사님, 그 애는 집의 양반 애가 아닌걸요."

핥는 입

이것은 저 전쟁 때의 이야기이다.

프랑스의 1부를 점령한 독일군이 거리의 양갈보를 모아 검진을 시작했다. 거기 옛날에 목사네서 식모노릇을 하고 있던 에바라는 76세 되는 노파가 지나가다가 양갈보 한 사람을 붙들고,

"당신들은 뭣 하러 여기 서 있소?"

하고 물었다. 양갈보는 킬킬 웃으면서,

"설탕 배급을 타는 거예요."

하고 대답했다.

"그래? 설탕 배급은 참 고맙군. 어디 나도 서 볼까."

노파는 행렬 뒤에 가서 섰다. 마침 거기를 지나가던 것이 옛날의 그 목사였다. 목사 쪽에서도 옛날의 그 식모가 이 나이에 양갈보 행렬 속에 끼여 있는 걸 보고 깜짝 놀란 모양이다.

"에바, 거기 있으면 안 돼."

"목사님 아니슈! 왜 여기 서면 안돼요? 난 이젠 나이도 먹고 해서 옛날처럼 깨물 수가 없어요. 하지만 아직 핥을 수는 있어요."

장만영張萬榮에게 보내어진 문인文人들의 편지便紙

신석정辛夕汀의 엽서

그동안 안녕하신지요.

묻혀 살기 갑갑해서 여수麗水에 나왔소.

오늘 오동도에 가서 동백冬柏꽃 구경하고 지금 시내 다방茶房에서 쉬고 있습니다.

늙어가니 자꾸만 여행旅行이 하고 싶어 이렇게 훌쩍 나온 것이오.

<1969. 1. 12>

정비석鄭飛石의 편지

만영萬榮 사백詞伯.

평안平安하십니까. 보내주신 귀저貴著 ≪저녁놀 스러지듯이≫ 잘 받아 즉석卽席에서 대개大槪 읽었습니다. 내용內容과 체재體裁가 잘 어울리는 우아優雅하고도 그윽한 시집詩集이어서 새삼 축하祝賀의 말씀을 드립니다.

노래老來에 이처럼 정수精粹한 업적業績을 남기신 것이 무척 부럽습니다. 내내來來 건강健康을 빕니다.

<1973. 11 .1>

최영해崔暎海의 편지

장형께

날이 흐려, 가을이 겨울을 부르는 빗소리 날 듯— 책 받고 반가운 마음, 구름을 뚫고 올라갈 듯— 언제 우리 한번 시골길 걷고, 길가에서 햅쌀밥 지어 먹읍시다.

<1973. 10. 31>

이봉구李鳳九의 편지

만영

참으로 오랜만일세. 자네 이름만 불러봐도 나는 그만 우리들의 지난날 일이 생각켜 가슴이 뭉클해지고 눈물이 핑 돌 정도일세. 이게 다 마음이 약한데다 몸까지 말이 아니게 누워 있으니 그런가베.

자네는 그만하다니 천만 다행일세. 그러니까 내가 자네를 본 지가 여러 해 전 같아. 아마도 김용호 영결식장에서였지. 그래도 병든 몸들이나마 살아 있으니까 편지도 오고 가고. 그런 반가운 편지를 아직도 마비된 손이 풀리질 않아 이렇게 대필로 해야만 되니. 허나 내 병세는 회복 일로로 달음질치고 있어 쉬이 문 밖 출입도 가능할 것 같으이. 그날이 오면 내가 연락을 취할 터이니 세종로 근처에서 만나보도록 하세. 자네도 말했지만 신석정辛夕汀과 홍이섭洪以燮의 비보를 나도 병상에서 알고 큰 충격을 받았고, 한편 자네의 몸 걱정을 했지.

어쨌든 우리가 회복이 되어서 이렇게 소식을 나누고 있으니 역시 살고 있다는 것은 고맙고도 즐거운 일이 아닌가. 부디 몸조심 잘하고 유쾌한 기분을 지녀 나가도록 부탁하네.

후일 내 컨디션에 따라 또 소식 전합세

안녕 잘있게.

<1974. 11. 26>

장만영張萬榮이 최승범에게 보낸 편지便紙

*전북대학교 명예교수 최승범

승범님께

새해에 복 많이 받으시고 더욱 좋은 글 많이 쓰시기를 빕니다.

장인의 소식을 듣고 놀라 정음사正音社에 가서 두 번이나 장거리전화를 신청했었으나 그쪽 전화가 고장이라 해서 통화를 하지 못했습니다.

오늘쯤 당일치기로 내려가 뵙고 돌아오고 싶었으나 여의치가 않아 이루지 못하고 말았습니다. 실은 나도 밤중에 가끔 심장의 압박을 받아 호흡 곤란을 받곤 합니다만, 대수롭지 않게 여기며 병원에도 가지 않고 있습니다.

석정夕汀에게는 내가 따로 어제 편지 냈읍니다만, 그 후 소식—언제 퇴원하게 되며 퇴원 후에는 얼마나 고생해야 되는지 좀 자세히 기별 주십시오. 부탁만 드리옵고—.

<1974. 1. 2>

어제 동아일보에서 조연현의 글을 읽고 정태용이 세상 떠난 것을 알았소. 그와는 한번, 그것도 조문 정도 만난 사이이나, 외롭게 살다 갔다고 하니 불쌍한 생각이 드오. 남의 일 같지도 않고—.

이만 줄이오. 부디 건안하시오.

<1974. 1. 8>

회귀와 환상의 이미지즘: 장만영론

유성호(한양대학교 교수)

1. 1930년대의 시사적 지형과 '역사적 모더니즘'

1930년대는 경성을 중심으로 식민지 근대가 화려하면서도 왜곡된 방식으로 꽃을 피운 자본주의적 난숙기爛熟期였다. 이 시기의 시사적 지형은, 1920년대의 주류였던 프로문학과 민족주의 문학의 동시적 지양이라는 요청에 의해 구성된다. 그 핵심에 선 이들이 바로 『시문학』과 '구인회'를 구성했던 일군의 순수서정과 모더니즘 시인들이었다. 특히 후자는 세계적 동시성으로서의 모더니즘을 자신들의 미학적 방법이자 이념으로 받아들여 식민지 사회에서 일정하게 '미적 근대성'을 일구려는 의지와 노력을 보여주었다고 할 수 있다.

기본적으로 모더니즘 문학이 가지는 일반적 특성은 자기인식의 강화, 그리고 내면적 총체성, 기법에 대한 의존 등이다. 이러한 형식적 특성은 자본주의 현실이 가져다주는 현실의 사물화와 파편화, 그리고 그로 인한 주체의 소외 등 근대성의 체험에서 기인된 것이다.[1] 그러나 서구 모더니즘의 배태시킨 유럽 도시들과는 달리 식민 세력에 의한 일방적이고 타율적인 도시화의 양상을 겪은 1930년대 경성이라는 공간에서의 근대성 체험이란, 기실 세계관의 변이를 겪을 만큼 그리 통전적이거나 전면적이지 않은 것이었다. 근대화가 가져온 현란한 외피만을 감각적으로 경험하기가 일쑤였고, 모더니즘이 고유하게 가지는 미적 근대성이라든가 미학적 비판의 기능이 자생적으로 육화되기에는 미적 주체들의 인식이 빠른 사회 변화를 따라가지 못했기 때문이다. 따라서 1930년대 모더니즘시詩는, 영미 모더니즘 이론의 도입과 더불어 경성에서 시인이나 작가들이 겪는 체험 내용에 합당한 형식상의 새로운 감각을 결합하려는 시도 정도로 나타날 수밖에 없었다.

물론 모더니즘은 '미적 근대성'과 비슷하기는 하지만, 그보다는 훨씬 제한된 의미를 지니는 개념이다. 일차적으로 그것은 19세기 말엽에서 20세기 전반에 걸쳐 서구 예술을 풍미한 전위적이고 실험적인 예술 운동에 한정되는 개념이다. 따라서 르네상스 때부터 시작되었다 해도 과언이 아닌 역사적 '모더니티' 개념과 비교해볼 때, 1930년대 '모더니즘'은 기껏해야 반세기 정도의 역사를 지니고 있을 뿐이었다고 할 수 있다. 어쨌든 1930년대의 역사적 모더니즘은 근대성의 보편성과 식민지 현실의 특수성이 그 안에 변증법적으로 매개되어야 한다는 당위적 명제를 충족시키지 못한 채, 방법적으로만 그것을 받아들인 흔적을 우리 시사에 남기게 된다.

따라서 우리는 서구 이론과의 대비를 통해 이 시기의 모더니즘을 옹호하거나 비판했던 원전 확인형 연구나 작품의 기법을 중시하여 그 의의를 부각시키는 기법 중시형 연구[2]보다는, '보편성/특수성', '저항/순응'의 혼재 과정을 당대의 미적 주체들이 어떻게 그려나갔는가를 탐색하는 것이

---

1) 나병철, 「모더니즘과 미적 근대성」, 『근대성과 근대문학』, 문예출판사, 1995, 188쪽.
2) 박헌호, 「'구인회'를 어떻게 볼 것인가」, 상허문학회, 『근대문학과 구인회』, 깊은샘, 1996, 33쪽.

훨씬 더 이 시기를 현재화하는 안목이 된다고 말할 수 있다. 그 역사적 자료가 되는 시인들이 정지용, 김기림, 이상, 김광균, 장만영, 오장환 등이라고 할 수 있을 것이다. 이 가운데 장만영은, 1930년대 이미지즘의 적확한 이해와 구사, 조소적彫塑的 깊이를 가진 시인으로 그동안 평가받아왔다. 하지만 그에 대한 종합적 연구 결과는 매우 빈약하며, 상대적으로 다른 모더니스트들에 비해 많지 않은 형국이다. 이 글은 장만영에 대한 새로운 접근을 통해 그의 시가 가지는 미학적 가치, 문학사적 의미 등을 더불어 고찰하고자 한다. 그럼으로써 1930년대 모더니즘시에 대한 역사적 조망에 대한 자료를 얻음은 물론, 그동안 장만영에게 부여되었던 시사적 명명의 폭을 한 차원 높이게 되는 결실을 얻을 수 있을 것이다. 본문에 인용되는 시편들은 전부 장만영이 만년에 스스로 자신의 대표작들을 묶은 『장만영선시집』(성문각, 1964)에서 취하기로 한다.

2. 장만영의 생애와 이미지즘

초애草涯 장만영(張萬榮, 1914~1975)은, 그동안 도시 생활에 대한 강한 회의와 고향에 대한 강렬한 그리움 때문에 자연에의 귀의를 줄곧 노래한 이른바 '전원시인'으로 알려져 왔다. 그는 황해도 연백에서 3대독자로 태어났는데, 거기서 그의 부친은 배천온천을 경영하였다. 장만영은 배천보통학교를 졸업하고 서울로 올라와 경성제2고보를 다녔는데, 이때 도스토예프스키의 『죄와 벌』을 읽고 문학에 빠져들기 시작했으며, 이러한 열정으로 교내 회람지를 꾸미기도 했다. 1932년 졸업 후에 「봄노래」 등을 ≪동광東光≫지에 투고하여 김억의 추천으로 작품이 실림으로써 창작 활동을 시작하였다. 그때 장만영은 이미 '전원시인'으로 유명했던 신석정과도 친교를 맺는다. 1934년 일본으로 건너간 그는 동경 미자키 영어학교 고

둥과에 적을 두고 문학 공부를 하면서 많은 시편들을 발표하였다. 1935년 귀국 후 그는 많은 문인들을 사귀고, 신석정의 처제인 박영규와 결혼하여 고향에서 시작을 계속하다가 1937년 첫 시집 『양羊』을 자비 간행하였다. 이후 홀로 서울 생활을 하며 두 번째 시집 『축제祝祭』를 낸 후, 도시 생활에 지쳐 고향으로 돌아가 살 것을 결심한다. 해방 후 고향 배천이 38 이북으로 굳어지자, 1947년 서울로 이사, 회현동 자택에 조그마한 출판사인 '산호장珊瑚莊'을 등록하여 시집 『유년송幼年頌』을 간행하였다. 이 시집은 전편이 어린 시절의 회상만으로 이루어진 시집인데, 시인은 자작시 해설에서 "다시는 돌아올 길 없는 그 날을 그리는 마음에선지" 이 시집이 가장 애착이 간다고 밝혔다. 당시 그는 '산호장'에서 박인환, 김경린, 임호권, 김경희, 김병욱이 결성한 동인 『신시론新詩論』 1집을 자원하여 내주었으며, 조병화 첫 시집 『버리고 싶은 유산遺產』을 내주기도 하였다. 전쟁이 나자 그는 겨울까지 서대문구의 부모 집에 숨어 지내다가 부산으로 피난하여 1953년까지 지냈다. 그 사이 부모가 돌아가시고, 수입의 원천이었던 배천 온천이 이북으로 넘어갈 것이 기정사실화하자, 일곱 남매를 키우며 살아야 했던 그는 정신적으로나 생활적으로나 큰 충격을 받게 된다. 이후 그는 서울신문사에 입사하여 월간 『신천지新天地』의 주간을 지냈으며, 계속 시작에 정진하다가 1966년에는 한국시인협회 회장을 지내기도 하였다. 1956년 제4시집 『밤의 서정抒情』, 1957년 제5시집 『저녁 종소리』, 1962년에 시와 산문집 『그리운 날에』를 발간하였고, 『장만영선시집張萬榮選詩集』(성문각, 1964)을 출간함으로써 자신의 시세계를 직접 갈무리하였다. 만년에는 별로 시작 활동을 하지 않았다.[3)]

이러한 생애의 줄기를 가지고 있는 장만영에 대한 그동안의 시사적 언급은, '고향'과 '전원'에 대한 그리움의 시인으로 요약될 수 있다. 아닌 게 아니라 그의 초기 시편들은 도시 생활을 등지고 목가적 유년 시대로 돌아

---

3) 이상 장만영의 생애에 대한 조감은 다음의 자료를 참조하였다. 김용성, 『한국현대문학사탐방』, 현암사, 1984.

가고자 하는 지극한 원망願望을 담고 있었다. 그는 '어머니', '순이', '아가' 같은 고향과 유년을 환기하는 순수 지향의 이미지 속에, 어린 날의 순진무구함을 잃어버린 데 대한 상실감과 그리움을 대상代償하였다. 그의 시에서 현재는 언제나 쓰라린 슬픔의 현실이었고, 과거는 회상 속에서 감미롭게 추억되는 서정적 원천으로서의 역할을 하였다. 이러한 주제 권역을 그는 신선하고 감각적인 이미지를 통해 퍽 특이한 방식으로 시화詩化하였는데, 이를 두고 "그는 농촌의 티를 벗지 못한 서정적 동심적인 면에서 신석정을 닮았고, 대상을 이미지화하는 면에서는 김광균 등의 모더니스트들과 현대적 호흡을 통하고 있다"(백철, 『新文學思潮史』)라는 지적이 있기도 하였다. 이처럼 장만영은 과거 지향, 고향 회귀의 마음을 선명한 이미지즘의 방법론으로 결속해낸 시인이었다는 것이 저간의 대체적인 평가였다고 할 수 있다. 하지만 그러한 평판은 자신의 시적 육체에서 역사와 현실을 유보하고 배제함으로써 얻게 된 방법적인 것이었다고 말할 수 있다. 그래서 그는 자신의 회귀와 환상의 감각으로 새로운 미학지대美學地帶를 건설하여 그 안에 자족한 것이며, 이는 비판적 이성을 매개로 해야 하는 이상적인 근대적 주체로서는 아쉬운 점이 아닐 수 없다. 또한 근대 자본주의에 대한 거부의 열정을 핵심으로 하는 '미적 근대성'의 기율과 그의 시가 많은 부분 어긋나 있는 것도 바로 이 부분일 것이다. 응전과 거부가 아니라 회귀와 환상의 이미지즘이 그의 몫이었기 때문이다. 따라서 1920년대 시인들이 보였던 감상과 영탄이 현실 부정과 환멸의 소산이었듯이, 장만영의 회귀와 환상의 이미지즘 역시 식민지 현실에 절망하고 그것을 부정하는 정서가 반영된 것이 틀림없다 할 것이다. 이 점 장만영을 식민지 시대라는 지평에서 다시 읽어볼 수 있는 계기를 부여하는 문제제기가 될 수 있을 것이다. 우리는 그의 시편들이 공동空洞의 감각으로 분출된 것이 아니라, 식민지 시대라는 결여 공간에서 미학적·방법적으로 대응한 역사적 실재였다는 가설을 가지게 되는 것이다.

3. 회귀의 이미지즘

앞에서도 강하게 암시하였듯이, 장만영은 우리 근대시의 창작방법을 논구하려 할 때 꽤 의미 있게 거론되는 시인이다. 그는 1920년대의 편내용주의와 감상성을 방법적으로 극복한 1930년대 모더니즘 운동을 누구보다도 앞장서 실천하였으며, 한국적 이미지즘의 시 경향에 선구적 길목을 냈다고 할 수 있다. 동시대의 다른 모더니스트들처럼 그 역시 시의 내용보다는 대상을 감각적으로 재현하는 방법에 심혈을 기울였다는 점에서, 그는 매우 충실한 당대 문맥으로 기념 가능한 시인이다. 다음에 제시되는 그의 대표작을 한번 읽어보자.

순이 버레 우는 고풍한 뜰에
달빛이 조수처럼 밀려 왔구나!

달은 나의 뜰에 고요히 앉았다.
달은 과일보다 향그럽다.

동해 바다 물처럼
푸른
가을
밤

포도는 달빛이 스며 곱다.
포도는 달빛을 머금고 익는다.

순이 포도넝쿨 아래 어린 잎새들이
달빛에 젖어 호젓하구나!

—「달 · 포도 · 잎사귀」 전문

≪시건설詩建設≫ 1936년 12월호에 발표된 이 아름다운 시편은, 한 폭의 동양적 회화를 연상시키는 이미지의 연쇄로 짜여져 있다. 고풍스런 뜰에 비친 달빛, 달빛 아래 익어가는 포도, 달빛에 젖은 잎사귀 형상 등은 그 자체로 눈에 익숙하게 익은 그림이 아닐 수 없다. 첫 연과 마지막 연에는 '순이'라는 이름이 나오는데, 이 여인은 장만영 시편에서 '어머니'나 '아가'와 함께 자주 등장하는 순수 이미지의 캐릭터이다. 그 순수 이미지는 다른 시편들에서 '누이', '연인', '어릴 적 동무' 등으로 다양하게 파생되면서, 시인이 아름다운 세계를 함께 누리고 싶은 친화적 대상들로 나타난다.

이 시편의 공간 배경은 "버레 우는 고풍한 뜰"이고, 시간 배경은 그 뜰을 비추는 달이 뜬 밤이다. 그런데 시인은 '달빛'이 뜰을 비춘다거나 가득 차 있다는 등의 정적 이미지가 아니라, "조수처럼 밀려 왔구나!"라는 동적 이미지로 달밤 이미지를 표현한다. 여기서 '달빛'은 뜰에 고요히 앉은 채 하나의 '세계'를 만들어간다. 시인은 뜰앞 마루에 앉아 뜰안 풍경을 바라보면서, 달이 '나'의 안으로 들어와 일체감을 이루는 경지를 보여준다. 4연에서는 달빛에 빛나는 가장 아름다운 부분으로 시선이 집중되는데, 검푸른 포도와 달밤의 색상이 각별한 유사성을 띠면서 '포도'와 '밤'도 하나로 동화되어 반짝이고 있다. 그리고 2연의 '향그럽다'는 후각적 이미지로 '달'과 '포도'가 연결되고, 넝쿨 밑 잎사귀들은 달빛에 젖어 있는 촉각적 이미지로 연결됨으로써, 이 시편의 감각적 충일성이 완성된다. 여기서 '호젓함'이란 고요하고 한적한 뜰의 분위기를 표현한 것으로서, 호젓한 '어린 잎새들'이야말로 장만영 시편에서 흔히 나오는 감미로운 아름다움의 유년적 이미지라고 할 수 있을 것이다.

우리가 잘 알듯이, 하나의 이미지는 대상의 단순한 모사나 재생으로 이루어지지는 않는다. 설사 그것이 대상을 충실히 모사하는 것에 목표를 둔다고 하더라도, 시 안에 구현된 이미지는 시인의 주관적 목적이나 욕망에 의해 선택되고 변형되고 배열된 어떤 것일 수밖에 없다. 이러한 선택, 변형, 배열 과정에 결정적으로 개입하는 것이 바로 시인 자신의 주관이다.

그것은 언제나 '어떤 것에의 의식'이므로, 시 안의 이미지는 대상과 주관의 복합적 구성물이 아닐 수 없다. 그 점에서 장만영 시의 이미지에는, 전혀 인위적인 훼손이 없는, 평화롭고 아늑한 이상향을 그리는 시인의 유토피아 지향성이 반영되어 있다고 할 수 있을 것이다. 다음 작품이 그 대표적인 경우일 것이다.

> 나는 바다로 가는 길로 걸어 간다. 노오란 호박꽃이 많이 핀 돌담을 끼고 황혼이 있다.
>
> 돌담을 돌아가면 — 바다가 소리쳐 부른다. 바다 소리에 내가 젖는다. 내가 젖는다.
>
> 물바람이 생활처럼 차다. 몸에 스며든다. 요새는 모든 것이 짙은 커피처럼 너무도 쓰다.
>
> 나는 고향에 가고 싶다. 고향의 숲이, 언덕이, 들이, 시내가 그립다. 어린적 기억이 파도처럼 달려든다.
>
> 바다가 어머니라면 — 하고 나는 생각해 본다. 바다의 품에 안기고 싶다. 안기어 날개같이 보드러운 물결을 쓰고 맘 편히 쉬고 싶다.
>
> 수평선 아득히 아물거리는 은빛의 향수. 나는 찢어진 추억의 천막을 깁는다. 여기 모래벌에 주저앉아 —.
>
> —「鄕愁」 전문

이 작품 역시 시각적 이미지(노오란 호박꽃, 황혼, 수평선)와 청각적 이미지(바다 소리), 촉각적 이미지(젖는다, 차다), 미각적 이미지(쓰다) 등이 시편 곳곳에 배치됨으로써, 향수의 감각이 얼마나 구체적이고 절절한 시

공간성을 가지는지를 잘 보여준다. 특별히 현재와 과거, 이곳과 그곳의 확연한 대위법對位法이 '고향'의 유토피아적인 속성을 배가한다. 하지만 그 지향은 결국 돌아갈 수 없는 실존적 슬픔으로 이어지면서, 현실의 냉엄함을 환기하는 데 역설적으로 기여한다. 저물녘 바다로 가는 길을 걷다가 생활처럼 구체적으로 떠오르는 '고향'의 모습은 "요새는 모든 것이 짙은 커피처럼 너무도 쓰다"라는 반추와 현저한 대조를 이룬다. 이렇게 "어릴 적 기억"의 힘으로 현실을 견뎌가는 시인의 모습 속에서 우리는, "수평선 아득히 아물거리는 은빛의 향수"가 비록 퇴행적이기는 하지만 여전히 현실견인적인 기운을 가지고 있음을 알아차릴 수 있는 것이다. '향수'의 과거지향성이 결여된 현재형에 대한 강력한 반명제로 기능하게 되는 것이다.

얼마나 우쭐대며 다녔었냐,
이 골목 정동 길을.
해어진 교복을 입었으나
배움만이 나에겐 자랑이었다.

도서관 한 구석 침침한 속에서
온종일 글을 읽다
돌아오는 황혼이면
무수한 피아노 소리,
피아노 소리
분수와 같이 눈부시더라.

그 무렵
나에겐 사랑하는 소녀 하나 없었건만
어딘가 내 아내 될 사람이 꼭 있을 것 같아
음악 소리에 젖는 가슴 위에는
희망이 보름달처럼 둥긋이 떠올랐다.

그 후 이십 년
커어다란 노목이 서 있는 이 골목
고색 창연한 긴 기와담은
먼지 속에 예대로인데
지난 날의 소녀들은 어디로 갔을까?
오늘은 그 피아노 소리조차 들을 길 없구나.

—「貞洞 골목」 전문

장만영은 1920년대 후반부터 1930년대 초반까지 서울에서 학교를 다녔다. 1949년에 쓰여진 이 시편에서 '그 후 20년'이라고 술회하고 있으니 시적 상황과 전기적 사실은 그대로 부합한다. 가난했지만 도서관에서 온종일 책을 읽을 만큼 학구열이 높았고 자부심도 컸던 그는, "어딘가 내 아내 될 사람이 꼭 있을 것" 같은 동경을 가졌다. 하지만 시간이 흘러 다시 찾은 정동 골목에는 '커어다란 노목'과 '기와담'은 그대로이지만 '지난 날의 소녀들'은 모두 사라져버렸고, 그 시절 '피아노 소리'조차 어디론가 숨어버렸다. 이때의 피아노 소리는 근처 이화여고 교정에서 흘러나온 것이었다. 시간의 무상한 흐름 속에서 시인은 그 옛날 '우쭐댐'과 '배움'의 자랑으로 넘쳤던 '정동 골목'으로 퇴행하고 회귀함으로써 자신의 한 시절을 그리게 된다. 그래서인지 황혼에 듣곤 했던 "피아노 소리"나 "어딘가 내 아내 될 사람이 꼭 있을 것 같아" 음악 소리에 젖어들던 시간에 대한 아득한 회귀 의식이 '뜰안'이나 '고향'처럼 평화롭고 아늑하게 만져진다.

이처럼 장만영 시편들은 근본적으로 '시간'에 대한 회상과 회귀의 형식으로 쓰여진다. 그 시간 형식을 통해 그는 속악하고 가파른 현실을 넘어 혹은 현실을 비껴나 전혀 '다른 세계'로 잠입한다. 각별한 기억을 통해 다다른 그 '다른 세계'로의 지향이, 선연한 이미지군群을 통해 구체성과 고유성과 적실성을 얻고 있는 것이다. 여기서 우리는 이러한 작법이 김광균이나 신석정에게도 두루 보이는 1930년대 모더니즘의 동류항이었다는 점에

상도한다. 프로문학이나 민족주의 문학이 강력한 이념적 준거로 식민지 시대에 응전한 결실이었다면, 이들이 보여준 회상과 회귀의 시법詩法은, 그 자체로 우회적이고 간접적인 근대 비판의 요소를 함유하고 있다고 보아도 좋을 것이다. 이 점, 그들의 역사적 몫이요, 진공 상태에서의 현실 회피라는 부정적 평가를 받은 이들에 대한 재독再讀의 가능성을 열어주는 시각이다.

4. 환상의 이미지즘

잭슨은 "환상성은 알레고리의 개념화와 시의 은유적 구조 둘 다에 저항하기 때문에"[4] 나란히 자리할 수 없는 것이라고 말하였다. 이러한 논의는 환상이 주로 이야기 장르에 한정되어 있으며, '시'는 그다지 환상에 부합하지 않는다는 점을 잘 말해준다. 하지만 라캉은 환상이 "어떤 상황에 대한 진정한 공포심을 완화하는 역할"[5]을 한다고 보았고, 그리고 환상이 "공포를 은폐하는 것"이며 동시에 "그것이 억압된 지점을 만들어낸다"는 점을 강조하였다. 말할 것도 없이, 시적 상상력은 모든 형상들을 서로 뒤섞어 놓는 자유를 누림으로써 마술적 지위를 획득하면서, 동시에 어떤 일상 혹은 관습의 세계에 대해 저항할 수 있는 것일 터이다.[6] 그 점에서 시에서 '환상'이란 기괴하고 비현실적이라는 표피적 속성보다는, 현실과의 접점에서 그 고통을 은폐하면서 '더 먼 곳'을 지향하는 유토피아 지향을 변형적으로 수용한다고 할 수 있다. 더불어 현실을 자유롭게 굴절하면서

---

4) 로즈메리 잭슨, 서강여성문학연구회 옮김, 『환상성－전복의 문학』, 문학동네, 2011, 59면.
5) 슬라보예 지젝, 대니 노부스 엮음, 『라캉 정신분석의 핵심 개념들』, 문학과지성사, 2013, 231면.
6) 프리드리히 후고, 장희창 옮김, 『현대시의 구조』, 지식을만드는지식, 2013, 38면.

마술적인 꿈을 부여하는 속성을 잘 보여준다고 할 수 있을 것이다. 장만영 시편의 또 다른 지향은, 이처럼 현실 일탈을 꾀하면서 새로운 세계를 그려내는 '환상'에 의해 구현된다.

유리로 지은 집입니다.
창들이 하늘로 열린 집입니다.
집은 연못 가 딸기밭 속에 있습니다.
거기엔 꽃의 가족들이 살고 있습니다.

지평선 너머로 해가 기울고
밤이 저 들을 걸어 올 때면
집 안에는 빨간 등불이 켜지고
꽃들이 모여 앉아 저녁 식사를 합니다.

자, 이리로 오시오,
좋은 음식 냄새가 풍기지요?
꽃들이 지금 저녁 식사를 하고 있습니다.
저, 접시에 부딪치는 포오크며 나이프 소리가…
저, 무슨 술냄새 같은 것이 나지요?

이리로 좀더 가까이 와 보시오.
보기에도 부럽게 즐거운 가족들입니다.
그리고 저 의상이 어쩌면 저렇게 곱습니까?
식사가 끝나면 으레 꽃들은 춤을 춥니다.
조금만 여기에서 기다려 주시오.
이윽고 우리는 아름다운 음악을 들으며
이 세상에서 보기 드문 호화스러운 춤을 구경할 것입니다.

—「溫室」 전문

시인은 '온실'의 외관을, 창들이 하늘로 열린 채 연못가 딸기밭에 있는 "유리로 지은 집"으로 묘사하였다. 이는 그 자체로 신비하고 동화적인 공간 설정이다. 그 안에 사는 "꽃의 가족들"이 황혼녘에 빨간 등불을 켜고 식사를 하는 장면은, 저녁 불빛을 받아 희미하게 빛나는 온실의 안쪽을 생동감 있게 변형한 것이다. 이렇게 즐겁고도 부러운 "저녁 식사"를 하는 가족들은 고운 의상을 입은 채 "아름다운 음악"을 들으며"이 세상에서 보기 드문 호화스러운 춤"을 펼친다. 이러한 '음악'과 '춤'의 예술적 묘사 자체가 미메시스적인 것이 아니라, 환상적인 것임은 말할 것도 없을 것이다. 이처럼 모방적 재현보다는 환상적 변형을 통해 '다른 세계'를 그려냄으로써, 장만영은 현실 일탈적이고 동화적인 하나의 세계를 창조하고 있다. 그 창조 작업을 통해 시인은 현실의 가파름을 넘어, 그것 너머 있는 '다른 세계'를 지향하는 것이다. 따라서 우리는 이 '온실'의 이미지야말로 엄혹한 현실로부터 유리된 가상적이고 환상적인 이미지인 동시에, 앞서 살펴본 자연이나 고향 이미지와 함께, 현실의 결여 혹은 폭력적 상태에 대한 우회적, 방법적 비판의 함의가 충분히 담겨 있다고 읽을 수 있을 것이다.

> 장미 가지를 휘어 울타리를 한 하이얀 양관을 돌아가면 곧 바다였다.
>
> 어느 날 황혼 소년은 바다로 나아가 가슴 깊이 오래니 지니고 있던 무지개 같은 꿈을 차디찬 물결 위에 집어 던졌다. 그리고 자기 봄마저…….
>
> 이제 꿈은 바다 밑바닥 깊이 바둑돌처럼 갈앉아 떨어지는 꽃잎새들을 생각하고 있으리라……. 이제 서글픈 느낌만을 주던 봄도 이윽고 물결을 따라 그 어느 먼 해안으로 아주 떠나 가리라.
>
> 소년은 가벼운 마음에서 휘파람까지 불며 황혼 길을 돌아갔다, 등 뒤에서 부르는 바다 소리를 하모니카처럼 들으면서…….
>
> 그러나 소년은 그날 밤부터 시름시름 병을 앓아 자리에 눕고 말았다. 그가 무슨 병으로 앓는지는 의사도 모르는 수수께끼였다.
>
> —「少年」 전문

여기서도 '소년'의 시선으로 포착된 '다른 세계'가 들어 있다. 바닷가에 위치한 하얀 양관洋館이 장미에 둘러싸여 있다. 황혼에 한 소년이 바다로 나아가서 오래 지니고 있던 무지개 같은 꿈을 버린다. 그렇게 그의 꿈은 바다 깊이 가라앉았고, 봄도 어느 먼 해안으로 떠나갈 것을 예감한다. 바다 소리를 하모니카 소리로 들으면서 가볍게 바다를 떠난 소년은 그날 밤부터 병을 앓게 된다. '꿈'이 빠져나가자 '병'으로 이어지는 수수께끼 같은 상황이 시편의 전全 메시지를 이룬다. 이때 '병'은 육체적 질병이라기보다는 오래도록 몸에 지니고 있던 '꿈'이 정말 무지개처럼 사라져버리자 찾아온 어떤 '환幻'의 상태일 것이다. 그렇게 '소년'과 '봄'과 '꿈'과 '바다'와 '병' 사이의 연결고리가 느슨한 채로 환상적이고 비현실적인 이미지를 구축함으로써, 이 시편은 '다른 세계'로의 몽환적 진입을 가능하게 하고 있는 것이다. 이러한 '병' 이미지는 현실이 주는 중압감에 대한 물리적 표현으로서, 꿈의 상실과 회복이라는 논리 구조를 환기하는 적절한 방법적 이미지라 할 것이다.

본 · 스트리트는 바닷가 조그만 고장.
낯선 이방인들이 가끔 드나다니는 거리.

상점 유리창이며 간판들이
온통 바닷빛인데
여기 Bond Street를 파는 담배 가게에서
나는 바닷빛 눈의 한 소녀를 만났다.

바닷빛 눈의 소녀는
바다 빛깔의 표지를 씌운
시집을 들고 있었다.

그것은 발레리의

『바닷가 무덤』이었다.

저녁 바람은 바닷소리 속에서
마지막 나의 여행을 재촉하는데
등에 노을을 지고
돌아 나오는 내 가슴 속엔
바닷빛보다 짙푸른
노스탤지어가 서리었다,
꽃도 낙화지는 본 · 스트리트의
하늘 아래서.

—「본 · 스트리트Bond Street」 전문

낯선 이방인들이 가끔씩 드나드는 'Bond Street'는 그 자체로 현실 가운데 있는 거리이기보다는, 바닷가 조그만 고장이라는 장만영 특유의 고요하고 평화로운 이미지를 은유하는 공간일 것이다. 물론 '본 · 스트리트'는 명품 상점들로 유명한 영국의 거리 이름이고, 이 시 안에서처럼 국제적 브랜드의 담배 이름이기도 하다. 아마도 그 안에는 담배 상인 필립 모리스가 런던의 본 · 스트리트에서 상점을 열고, 손으로 만 터키산 시가를 판매하면서 유명한 담배 기업을 일군 성장 신화가 깃들여 있기도 할 것이다. 어쨌든 그 거리는 바다 빛깔의 유리창과 간판들로 가득한 아름다운 곳이고, 시인은 아름다운 "바닷빛 눈의 한 소녀"를 거기서 만난다. 그녀가 들고 있는 폴 발레리의 『바닷가 무덤』은 우리에게 흔히 '해변의 묘지'로 번역된 그 시집인데, 그것은 그 거리만큼 신비롭고 아름다운 이국정서 구현에 기여한다. 그렇게 마지막 여행을 재촉하는 '바람'과 '노을'을 등에 진 채 화자는 "바닷빛보다 짙푸른/노스탤지어"를 안은 채 현실로 귀환한다. 이처럼 장만영은 이국적 분위기 속에서 현실 너머의 상상을 지속하고 있다.

이러한 장만영의 환상적 공간, 이미지, 정서 설정의 이면에는 '다른 세계'를 미적으로 창조하여 가혹한 현실을 견디고 위무하려는 낭만적 의지가 깔려 있다. 그 점, 회귀나 귀환 같은 낭만적 구심 욕망과 함께 장만영 시의 확연한 원심 욕망이 되고 있다 할 것이다. 그것이 '온실溫室'과 '소년少年'과 '본 · 스트리트'의 동화적이고 몽환적이고 이국적인 '다른 세계'를 통해 구현됨으로써, 장만영 시편으로 하여금 '환상'을 통한 현실 일탈 혹은 현실 견인의 의지를 선보이게끔 하고 있는 것이다. 그 점, 장만영 환상 시편들을 낭만주의와 접속하게 하는 큰 힘이 아닐 수 없다.

5. 장만영 시편의 독자성

장만영의 이러한 '회귀'와 '환상'의 이미지즘은, 낭만주의자들이 그랬던 것처럼, 현실 도피의 일환으로 해석될 수 있을 것이다. 현실을 직시하거나 극복하려는 적극적 방법을 피하고, 과거나 환상으로 회귀하고 잠행하려는 성향은 다분히 도피적 혐의를 받을 수밖에 없기 때문이다. 그럼에도 불구하고 장만영의 회귀와 환상 지향을 새로운 세계의 도래를 기대하는 일종의 '낭만적 의지'로 파악하는 것도 가능할 것이다. 당시 많은 모더니스트들은 과거 역사를 부정하거나 극복해야 할 대상으로 삼았지만, 장만영은 그와 달리 훼손되지 않은 원형 공간을 상정하면서 유년이라는 시간과 고향이라는 공간을 통해 힘들고 어려운 현재의 자아가 돌아갈 수 있는 정신적 귀속처를 만들었기 때문이다. 이는 과거를 폐쇄적 공간으로 설정하여 그 안에서 자족적인 모습을 재구성함으로써 공동체적 삶과 풍속의 원형을 복원하고자 하는 것과는 달리, 현실 역사가 개입하는 것을 철저히 봉쇄하면서 순수 원형을 상상적으로 회복하려는 의식 때문에 가능했을 것이다.

또한 환상적 경험의 장만영 시편들은 현재적이고 물리적인 재현보다는 새로운 지각 작용을 통해 가장 아름답고 몽환적인 경험을 처리하고 있다. 현재적 자아가 표면적으로 혹은 심리적으로 강하게 설정되어 있는 것이 아니라 온전히 '다른 세계'에 몰입함으로써 그 상상적 지각 작용이 시의 전부를 이루도록 한 것이다. 이처럼 궁극적으로 시詩가 현재로 수렴되는 의식에 바탕을 둔다는 사실을 인정한다면, 장만영 시에서는 그것이 현실과 상상의 대비를 통해 이루어지는 것이 아니라, 전적으로 상상에 몰입함으로써 이루어진다는 특성을 지닌다고 할 수 있을 것이다.

결론적으로 장만영 시편은 크게 유년이나 고향으로 돌아가려는 회귀 시편과, 현실 일탈을 지향하면서 '다른 세계'를 그려내는 환상 시편으로 나뉜다. 특별히 유년과 고향 회귀의 성격을 지니는 시편들은, 현재적 회상 체험보다는 과거적 지각 작용으로서 유년 체험을 재현적으로 처리한다는 데 그 특징이 있다. 과거를 회상하는 현재적 자아가 심리적으로 강하게 설정되어 있고, 나아가 온전히 과거에 몰입함으로써 과거의 지각 작용이 생생하게 살아나도록 하고 있다. 온전히 회상 안으로 대상의 지각 작용이 일어나기 때문에 회상 주체보다는 회상의 내용이 도드라지게 남게 된다. 그런가 하면 장만영 시편들은 환상적 기제旣濟들을 많이 활용하는 특성을 일관되게 지닌다. 이러한 속성은 그를 사실적인 의미의 '전원적 모더니스트'에 한정시키지 않는다. 생의 이상향을 그리거나 현실을 떠나 표박漂泊과 유랑의 상상을 꾀할 때 그는 줄곧 일종의 낙원 향수로서의 환상적 상황을 줄곧 택한다. 이러한 '회귀'와 '환상'은 사실 그의 시를 이루는 한 줄기로서, 가파르고 엄혹한 물리적 · 역사적 현실을 우회적 비판하려는 의도요, 새로운 이미지를 통해 새로운 세계를 상상적으로 생성하려는 장만영만의 이미지즘 전략이자 성과라 할 수 있을 것이다. 하지만 우리는 이러한 긍정적 가능성에도 불구하고, 장만영의 이미지즘은 감각적 심미성, 낭만적 비애 등의 편향으로 그 육체를 형성하였고, 그래서 그에게 모더니즘이란 세계관이나 인식론 혹은 자기를 규정하고 실천하는 기율이 아니라, 다소 방법적인 수용에 한정된 것이었다고 말할 수 있을 것이다.

김용성 선생이 본 장만영 시인(1914~1975)

김용성

1. 부자집 3대 독자

1930년대 초 안서 김억을 통해 문단에 소개되었던 초애草涯 장만영은 선명한 심상을 드러내 보이는 시각적이고도 회화적인 모더니즘 계열의 시를 써 각광을 받았다. 그러나 도시적이 아닌 목가적 서정의 세계를 구축했던 그의 시는 떠나버린 이의 그리움으로 충만하고 그 자신이 떠나버린 존재가 되었을 때에는 상실한 고향이나 아름다운 과거의 추억에 대한 향수로 짙게 물들게 된다. 그는 언제나 애상어린 감성으로 행복한 상태로의 회귀를 희구하지만 그것은 찾아질 수 없는 피안의 저쪽에 이질적으로 남아 있을 뿐이다. 결국 그는 잃어버린 자였으며 이 세상에 커다란 의미를 둘 수 없었던 '길손'이었던 것이다. 장만영은 38선 이남이었으나 휴전선 이북이 되어버린 그의 생가를 이데올로기에, 그리고 후기 반생을 살았던 서울 서대문구 평동 집을 도시문명의 격랑에 잃어버렸다. 호젓하기 이를 데 없던 관상대로 오르던 길은 지금 음식점과 술집으로 가득찬 거리로 변모했다.

고려병원 정문 옆으로 난 담장을 따라 50여 미터쯤 언덕길을 올라가노라면 예전에는 그의 집으로 들어가는 좁은 골목이 있었다. 그러나 그 골목조차 개인에게 불하가 되어 사유재산이 되었고 그 뒤쪽에 있던 그의 집은 고려병원에서 산 뒤 허물어 흔적마저 찾아볼 수가 없게 사라졌다. 그는 한때 출판사도 차려보고 출판사나 잡지의 편집자도 했으나 철저히 시인을 업으로 하여 살았던 사람이었다. 그런만큼 그는 가난했다. 그러나 결코 출생이나 성장이 가난에 쪼들렸던 것은 아니었다. 그런 측면에서 그의 생애를 보면 그는 근대적 작가 시인군에 속하는 문인이었다.

누룩이 뜨는 내음새
술지게미 내음새가 훅훅 풍기든 집
방마다 광마다
그뜩 들어차 있는 독안에서는
술이 끓었다
술이 익었다

해수병을 앓으시는 어머니는
숨이 차서…… 기침이 나서……
겨울이면
요를 둘른채
어둔 등잔불 곁에서
긴긴 밤을 노상 밝히군 했다
아버지는 집을 나가신뒤
몇해를 두고 소식이 없으시고
오십간 가까운 크나큰 집을
어머니와 두울이서 지키는 밤은

귀신이라도 나올 것 같어……
바람소리
기왓골에 떨어져 굴르는 나뭇잎새 소리에도
나는 이불을 뒤집어 쓰고 숨도 쉬지 못하였다

—「生家」 전문

장만영은 1914년 1월 25일 황해도 연백군 온천면 영천리에서 3대 독자로 태어났다. 그의 아버지 장완식張完植은 원래 양조장을 경영하던 사람이었는데 장만영의 유년시절에 한동안 집을 비웠었다.

<사진 1> 배천 생가 서재에서의 장만영 부부. 1937년 결혼 두돌 때 사진에 취미가 있던 그는 기념사진을 찍었다. 그는 학생 때 갖고 싶은 서적은 무엇이든지 사볼 수 있는 유복한 가정환경에서 자랐다.

> 아버지가 언제 어째 집을 나가셨는지는 지금까지도 모르는 일이지만, 하여튼 내가 어지간히 크도록 아버지는 집에 들어오시지를 안하셨다. 따라서 나는 오직 어머니 손에서만 자랐고, 어머니가 나를 귀여워하는 그 정도란 여간이 아니었다.[7)]

그의 떠난 것에 대한 기다림은 어쩌면 그의 아버지에게서부터 비롯된 것인지도 모른다. 그러나 적지 않은 머슴을 거느리고 술도가를 경영했던 어머니는 여장부였으나 아버지 또한 사업가적 수완을 터득한 사람이었다. 아버지 장완식은 후에(1927년) 논에서 김이 솟아오르는 것을 보고 온천을 발견하여 유명한 배천온천 호텔의 주주가 되었다.

그러므로 1927년 경성제 2고보에 진학했던 장만영은 학교에 다니기 편리하도록 그 자신의 독채집을 서대문 밖 천연동에 가질 수 있었고 읽든 안

---

7) 自作詩解說『里程標』, 新興出版社刊, 1958년.

읽든 갖고 싶은 책을 마음대로 살 수 있었다. 그가 2학년이 되던 14세 때 처음으로 접한 문학서적은 도스토예프스키의 「죄와 벌」이었다. 이후 그는 1920년대의 중요한 시인들을 섭렵하면서 교내 회람지에 시를 발표하는 등 습작시대를 보냈다.

2. 맑은 음질, 고운 해조(諧調)의 세계

그가 주요한이 발행하던 ≪동광東光≫에 시를 투고하기 시작한 것은 학교 상급반 때였다.

그 무렵 그가 투고하던 ≪동광≫지와 관련을 맺고 있던 김억은 싣지 못하는 시들에 빨간 잉크로 첨삭을 하고 단평을 써 작자에게 되돌려 보내는 등 시작 지도를 맡아하고 있었다. 장만영도 그러한 경험을 가지고 있었는데 거기서 많은 것을 배웠다.

졸업을 앞두고 시험공부에 몰두하고 있던 어느 날 그의 천연동 집에 웬 낯선 사람이 찾아왔다. 그는 근처 박영희朴英熙의 집에 왔던 길에 잠시 들렀다고 했다. 바로 김억이었다. 그 방문은 장만영에 대한 김억의 관심을 표명한 것이었으며 그가 학교를 졸업하던 1932년, ≪동광≫ 5월호에 그의 최초의 시 「봄노래」가 활자화되는 계기를 이루었던 것이다.

따라서 문학평론가 김용직金容稷은 「맑은 음절 · 고운 해조의 세계—장만영론」[8]에서 김억이 "정형률에 기반을 둔 음악성 추구"였던 것에 비해 장만영이 '자유시'에 "주지주의계의 기법을 원용해서 명증스러운 언어의 작품"을 썼다는 점에 현격한 차이가 있음을 지적하면서도 장만영에 대한 김억의 영향을 이렇게 설명했다. "장만영 사백의 습작기에 김억이 미친 영향은 절대적인 것이었다. 그런데 바로 그 김억이 우리 시단에 감상주의를

---

8) 金容稷, 「맑은 음절 · 고운 諧調의 世界—張萬榮論」, 『韓國文學』 1982년 9월호.

전파시킨 장본이었던 것이다. 그러니까 장만영의 시에 섬세함과 애상의 그림자가 깃든 까닭은 이런 데서도 추출되는 것이다."

또한 그의 초기 시를 놓고 볼 때 신석정과의 관계를 듣지 않을 수 없다.

김억이 가지고 있던 신석정의 원고를 접하고부터 신석정의 시에 감탄했던 그는 1933년 배천 고향에서 전북 부안 선운동의 신석정을 찾아 갔고 그 2년 뒤에는 신석정의 처제와 결혼을 함으로써 동서지간의 인척 관계를 맺었던 것이다. 이런 관계 때문인지 우리는 장만영의 초기 시에서 신석정과 동류적인 인상을 받게 된다.

그것은 전원적이고 목가적인 시를 썼다는 것뿐만 아니라, 「풀밭우에 잠들고 싶어라」, 「아직도 거문고 소리가 들리지 않습니까?」와 같은 긴 제목의 시가 있다든지, 선대 한용운의 수법이긴 하지만 경어체와 의문문의 술어로 시의 결구를 삼았다든지 하는 점에서도 그렇다.

"가끔 부안에 놀러갔던 그이는 도시 여성보다는 얌전한 시골 여성과 결혼하기를 원했던 모양이에요. 그래 하루는 석정 씨가 그이에게 처제가 얌전한데 소개해줄까 하고 말 했대요. 그이는 저를 마음들어 했어요. 시어머니가 저의 집 만경으로 오셨지요. 그리고 성혼이 되었어요. 그이가 스물두 살, 제가 열일곱 살이었지요." 홀로 사는 아파트에서 행복했던 시절을 회상하던 미망인 박영규朴榮奎는 그의 문학적 재질을 이어받을 줄 알았던 막내 아들 성훈成勳을 작년에 잃은 슬픔 때문에 말을 잇지 못하고 눈시울을 붉힌다. 만경에서 배천까지는 서울에서 하룻밤을 유해야 하는 사흘 길이다. 그의 시집가는 길은 예성강 건너 토성까지 자동차 2대가 나왔던 호사스러운 여정이었다.

장만영은 결혼 전에 일본으로 건너가 동경의 삼기三崎영어학교에서 잠시 공부한 적이 있었으나 귀국하여 결혼하고는 주로 고향에서 시를 쓰는데 몰두한 것 같다. 그리하여 그가 첫 시집 『양羊』을 낸 것은 1937년 겨울의 일이었다. 이 시집은 100부 한정판으로 자비 출판하였는데 경문서림의 송해룡宋海龍에 의하면 "20여 부를 친지들에게 돌리고 나머지는 팔기 쑥쓰러워 뒤꼍에서 태웠다"고 전한다. 이 시집에 흔히 그의 대표작으로 꼽는 「달, 포도, 잎사귀」가 실려 있다.

> 順伊 버레우는 古風한 뜰에
> 달빛이 潮水처럼 밀여왔고나!
>
> 달은 나의뜰에 고요히 앉었다
> 달은 과일보다 香그럽다
>
> 東海바다 물처럼
> 푸른
> 가을
> 밤
>
> 葡萄는 달빛이 스며 고웁다
> 葡萄는 달빛을 먹음고 익는다.
> 順伊 葡萄넝쿨 밑에 어린잎새들이
> 달빛에 젖어 호젓하고나!
>
> ─「달, 葡萄, 잎사귀」 전문

여기에 이르러 그는 1930년대 그의 시의 독특하고도 탁월한 경지를 보여준다. 탁월성은 시가 음풍영월의 수묵화에 머물지 않고 '달의 향기', '달빛에 익는 포도'를 입체적으로 드러냄으로써 가능했던 것이다. 그러나 자신의 작품에 대해 만족할 수 없었던 그는 문학공부에 열중하려고 1938년 혼자 서울로 갔다. 그 무렵 그가 거처했던 곳이 관수동 22번지였다.

> 그전에 어떤 부잣집이었던 것을, 왜놈이 사가지고 방을 많이 들여 월세를 놓고 있다고 하였다. 그런지라, 제법 방같은 건 볓 개 안

되고, 모두가 광이나 헛간, 그렇지 않으면 줄행랑에다가 유리창을 갖다 단 그런 방 구조였다. 아파트와도 다른, 이상야릇한 집이다.[9]

그 자신 밝혔듯이 그곳은 이상의 「날개」를 연상하면 걸 맞는 곳이었다. "바로 관수동 22번지/ 담도 관장도 없이/집이자, 뜰이자 방인 집은/그옛날 내가 순이와 외롭게 살던/외롭게 살며 「축제」를 쓰던 곳"인 것이다.

<사진 2> 지금은 북녘땅으로 그의 부친이 주주의 한사람이었던 배천 호텔에서 선저용으로 썼던 엽서에 담긴 1930년대의 배천읍 전경. 이곳은 계절을 가리지 않고 온천을 찾아오는 사람들로 번성했었으나 38선이 굳어지자 1940년대 말께엔 황폐화했었다.

그의 글을 통해서 1930년대 말 어둡고 암울한 시대를 산 데카당한 한 시인의 모습을 볼 수가 있다. 그가 두 번째 시집『축제祝祭』(1939년)에 실은 작품은 "주로 병든 소녀요, 병든 여인이요, 병든 매음부"에 관한 것이었다. 그러나 그의 시에 자주 등장하는 '순이'는 구체적이고 특정한 여인이라기보다는 워즈워드의 '루시'처럼 일종의 시적 표상이라고 보는 것이 옳겠다.

시집『축제』를 내던 무렵에 그는 심한 정신적 혼란에 빠지면서 고향과 가족에 대한 깊은 향수에 젖어 배천으로 돌아갔다.

3. 고독한 종장(終章)

그는 고향으로 돌아가자 본가에서 걸어 20~30분 상거의 읍내 배천호텔의 일을 돌보며 일제 암흑기를 보냈다. "그러므로 인사동 통문관 위쪽에

9) 自作詩解說『里程標』, 新興出版社刊, 1958년.

자리 잡고 있던 오장환吳章煥의 '남만서방南蠻書房'에 모여들었던 문인들은 걸핏하면 떼를 지어 배천으로 몰려가고는 했다"(송해룡의 전언). 그는 몰려오는 그들에게 화를 내는 법 없이 치다꺼리를 해냈다.

그러나 그의 풍족했던 생활은 8 · 15광복과 더불어 굳어진 38선으로 말미암아 무너지기 시작했다. 배천 뒷산(속칭 치악산)에 38선이 그어지고 소련군이 마을로 넘어와 닭을 잡아갔느니 하더니 따발총 소리가 들렸고 민심이 흉흉해지면서 주민들은 살길을 찾아 남으로 떠나가기 시작했다.

그가 황폐 해버린 고향을 등지고서 서울로 온 것은 1947년이었다. 그는 회현동 2가 42번지 7호에 이층집을 마련하여 '산호장珊瑚莊'이란 출판사를 내어 손바닥 반만 한 크기의 '산호문고' 등을 간행하는 등 출판업에 종사했다.

"나는 그를 해방 후에야 같이 글을 쓰는 사람으로서 서로 친숙하게 지내게 되었다. 나 자신 해방 후 가족을 거느리고 월남한 사람으로 서울에서의 생활이 궁핍했다. 그는 그때 내게 땔감을 사라고 돈을 주기도 한 고마운 사람이었다. 청렴하고 불의와 타협할 줄 몰랐던 그는 문단과 밀접한 관계를 유지하지 않았다. 가까운 친구라면 최영해崔暎海, 김용호金容浩, 홍이섭洪以燮, 나 등으로 손으로 꼽을 정도였다"(정비석 회고담).

6 · 25전쟁을 겪으면서 그의 부모가 세상을 떠났고 산호장도 운영난으로 문을 닫게 되었다. 전쟁을 겪은 뒤 그는 회현동 집을 처분하고 부모가 살던 서대문구 평동 55번지 2호로 옮겨와 타계할 때까지 살았다. 그후 그는 서울신문사에서 발간하던 ≪신천지≫의 주간직을 맡기도 하고 출판사인 정양사正陽社와 관계를 맺으며 생계를 꾸려나갔다.

"그는 결벽성이 있어 아무나 사귀지 않았다. 일에 임하는 자세는 언제나 성실했으며 책의 장정도 세밀하게 관심을 두어 만들었다. 1m 85cm의 건장한 체구였으나 술은 좋아하지 않았다"(윤재영 회고담).

장만영은 1966년 시인협회 회장직을 맡은 적도 있었지만 늘 외롭게 지냈다. 그는 말년에 시내에 나가면 자주 경문서림에 들러 송해룡과 흘러간 시절의 문단 이야기나 출판이야기를 나누곤 했다. 송해룡이 문을 닫고 출타중이면 이런 쪽지를 문틈에 꽂아 놓았다. “송형, 산토리에서 기다리고 있읍니다”, “안녕하십니까? 왔다가 못 뵙고 갑니다. 다시 들르겠습니다.”

1973년 1월 23일 환갑을 이틀 앞두고 전주로 몸이 불편한 신석정을 찾아갔다가 충격을 받았던지 이튿날 집으로 돌아와 누웠으나 갑자기 동맥경화증 현상을 일으킨 적이 있었다.

그리고 1975년 1월 그는 고려병원에서 위암 진단을 받았고 그해 10월 8일 새벽 2시반 급성췌장염으로 세상을 떠났다. 그가 세상에 남기고 간 시집은 미간행된 시집까지 모두 8권이었다. 『양』, 『축제』, 『유년송幼年頌』, 『밤의 서정抒情』, 『저녁 종소리』, 『장만영시선집』, 『등불따라 놀따라』(미간행), 『저녁놀 스러지듯이』가 그것인데 시집을 낼 때마다 제목의 글자가 한 자씩 늘어가고 있음을 알 수 있다. 이제 병상에서 썼다는 한 편의 시가 한 시인의 생애에 대한 슬픈 감회에 젖게 한다.

> 멀지 않은 장래에
> 내가 숨을 거두고 눈을 감거들랑
> 아무도 모르게 넌즈시
> 화장터로 가져다가 태워버려라.
> 절대로 울지 말라 사랑하는 가족들아.
> 나는 영원으로 돌아갈 뿐이거니
> 문인장이니 시비니를 생각하지 말라
> 새까만 뼈가 남거들랑
> 한강이나 황해바다에 가져다 던져라
> 유고집이니 따위를 마음에 두지말라
> 이세상에 나와 그럴듯한 시한편 쓰지 못하고
> 그럴듯한 산문 한편 쓰지 못한
> 너절한 인간이고 보면 무엇을
> 내 후세에 바라랴

그저 태어났다 그저 훨훨
떠나는 마음만이 기쁘다
잘있거라 나의 사랑하는 가족들아

—「나의 遺言」 전문

◆ 도움말 주신 분(1982년 현재)

朴榮奎　63 · 미망인 · 서울 마포구 망원동 성신아파트 다동 303호
鄭飛石　71 · 문우 · 작가
尹在瑛　70 · 친지 · 전 정양사(正陽社) 사장
宋海龍　49 · 친지 · 경문서림 대표

◆ 관계 문헌

金容稷,「맑은 음절 · 고운 諧調의 世界—張萬榮論」,『韓國文學』1982년 9월호.
文德守,「張萬榮論」,『韓國모더니즘時研究』, 詩文學社刊, 1981년.

현대시詩문학의 추구와 '시인-번역자'의 실천적 삶

김진희(이화여대)

1. 서론

草涯 張萬榮시인(1914~1975)은 한국시문학사에서 전원과 고향에 대한 그리움의 정서를 이미지와 감각을 통해 시화詩化한 시인으로 논의되어 왔다. 특히 1930년대 작품이 이미지즘의 측면에서 조소적彫塑的 깊이를 성취한 것으로 높이 평가된[1] 이후 문학사에서 장만영은 이미지즘과 관련하여 집중 조명되어 왔다. 장만영 1975년 타계할 때까지 8권의 창작집, 1권의 미출간 시집 등 총 9권의 창작 시집을 엮을 만큼 시인으로서 꾸준한 열정과 성실성을 보여주었다. 그러나 한국 문학사 안에서 장만영 시인의 활동은 시인에 국한되지 않는다. 그는 시인이자 번역가이고 저술가이며, 출판인이기도 했다. 이런 의미에서 장만영 시인의 전체적 면모를 이해하기 위해 시인을 넘어 특히 번역가와 출판인으로서의 성과 역시 주목해야 한다.

---

1) 김기림, 「모더니즘의 역사적 위치」, 『인문평론』, 1939. 10.

장만영 시인이 1948년 출판사 珊瑚莊을 만들어 박인환, 김경린 등의 동인시집 『新詩論』 1집을 자원하여 출간해주었고, 이외에 김기림, 조병화 등의 시집 역시 출판해주었다는 사실은 잘 알려져 왔다. 그런데 1950년대 이후 출판사와 협력하여 수많은 외국 시집 번역을 수행한 번역문학가로서 장만영의 활동은 아직까지 논의된 적이 없다. 이 글은 번역 · 문학자로서 장만영 시인의 성과에 주목함으로써 1950년대 이후 한국 문학 · 문화 · 지식의 장場에서 번역가로서 장만영 시인의 위상을 새롭게 자리매김함으로써 문학사에서 장만영에 대한 또 다른 이해가 가능하길 기대한다.

2. 1950년대 전후前後 근대 번역의 장場과 장만영의 외국시 번역

해방 이후 남한 정부가 들어서면서 지식의 장場은 미국을 중심으로 하는 서구 지식의 장場으로 재편되었다. 일본어가 아닌 모국어를 중심으로 지식의 소통이 이루어지길 기획했고, 이에 번역은 국가가 주도하는 주요한 사업으로 인식되어 추진되었다. 신문화를 건설하기 위한 노력은 해외의 지식 수용에 적극적이었고, 문맹률을 극복하기 위한 노력과 지식의 보급을 통해 교양 있는 대중과 지식인 계층의 확대에 힘썼다. 장만영의 번역 작업은 이런 사회문화적 상황 속에서 이루어졌다.

특히 한국전쟁이 끝나자마자 출판문화는 개화를 맞이한다. 일제 식민기간 동안의 지적 결핍과 전쟁으로 인한 정신적 폐허를 극복하고자 하는 움직임은 서구의 지식에 대한 수용에 박차를 가하게 만들었고, 이에 '번역'이라는 작업은 당대 문화의 장을 움직인 큰 바퀴였다. 해방 전에 외국문학 전공의 지식인 · 문학인은 이런 번역의 작업에 적극적으로 참여하게 되었다. 양주동, 이하윤, 김수영 등과 함께 장만영도 영문학 전공의 시인이자 번역가로 활동했다. 50년대는 60년대 번역 르네상스의 기초를 놓은 시기로 출판물이 경이적으로 증가했는데, 특히 全集과 文庫 형태의 번역물이 대거 등장했던 때이다.[2] 장만영 역시 이런 전집류의 출간에 참여하였는데, 특히 그는 시인으로서 세계 詩全集과 詩人選의 번역에 주목할 만한 성과를 보였다. 김병철의 자료에 의하면 1950년대 전집류의 종류는 27종이다. 그런데 김병철은 이에 장만영이 정양사에서 번역 출간한 '세계정시선'만 포함시켰다. 그런데 장만영은 1955년부터 동국문화사에서 '세계시인전집' 8권 을 출간한 바 있다.

이는 시집의 번역에 장만영의 기여가 압도적이었음을 의미한다.

해방 이후부터 1950년대까지 미국 공보원과 대한민국 정부가 함께 협력하여 번역한 책들의 대부분은 문학과 철학 · 사회과학의 이론서이거나 문학 작품 중에서도 소설과 희곡 등 서사가 중심을 이루었다. 이런 점에서 시문학은 번역의 중심 종목이 아니었던 것으로 이해할 수 있다. 이런 정치적 · 문화적 맥락에서 시의 번역에 앞장선 시인－번역자로서 장만영의 애정과 열정이 없었다면 이루어질 수 없었을 것이다.

언급했듯 1950년대 문학 작품의 번역 장場에서는 세계문학전집의 간행이 붐을 이루었다. 고대와 근대를 아우르면서 번역된 세계문학전집의 출간 배경에는 외국 지식에 대한 정부와 독서 대중의 지적 욕망이 놓여 있었는데, 이는 장만영이 세계시문학을 번역하는 작업 속에서도 드러난다. 장만영은 1953년부터 '世界抒情詩選' 시리즈를 번역 · 출간하는데, 독일, 프랑스, 미국, 중국 등 다양한 국가의 시집으로 구성되었다. 또한 '世界詩人選集'을 1955년부터 1960년대까지 번역 · 출간했는데, 동 · 서양에 잘 알려진 괴테, 휘트먼, 보들레르, 타고르, 버언즈, 아폴리네르 등의 시를 소개했다. 이처럼 해방 이전 바이런, 타고르, 아더 시몬즈 등에 한정되었던 개별 시인의 시집 번역 출간이 다양한 시인과 국가로 분류 · 번역되어 단행본으로 출간된 사실은 문학사적으로나 문화사적으로 외국시와 시인을 이

---

2) 김병철, 『한국현대번역문학사연구 上』, 을유문화사, 1998, 21쪽.

해하는 중요한 콘텐츠가 되었다.

뿐만 아니라 장만영은 『南歐詩人』(1958), 『少女의 노래』(1958) 등의 시 선집詩選集을 통해 그리스 고전부터 현대까지 가장 잘 알려진 시를, 서정시라는 분류로 함께 수록하고 있다. 이는 시간 · 공간을 가로지르며 세계시문학 작품을 아우르고자 하는 장만영과 출판자의 욕망은 물론, 그 시대 독서 대중의 수요와 맞닿아 있는 것이다. 이처럼 장만영은 해방 이후 번역의 장에서 적극적으로 시와 시인을 번역 · 소개함으로써 당대 문학과 독서문화의 장을 새롭게 형성하는 데 중요한 역할을 하였다.

언급했듯 장만영은 詩人選이나 詩選의 번역 출판시 항상 '서정시'를 중심으로 작품을 선택하였음을 밝히고 있다. 정책적인 요구나 독자의 수요를 넘어 번역자-시인으로서 장만영의 의도는 무엇이었는지 생각해볼 필요가 있다.

> 서정시만을 택하여 편한 것은-진실로 시라고 할 만한 것은 서정시를 제쳐 놓고 없다고 갈파한 E. A. 포오의 말을 그대로 내가 수긍하기 때문이다.[3]

> (이 시집은) 16세기 이후 구미 여러 나라의 대표적인 시인들이 읊은 서정시 중에서 주옥편으로 알려진 명시名詩만을 추리고 골라서 엮은 것이다.[4]

장만영은 '약한 마음의 인간을 숨기지 않고 토로하는 서정시를 좋아한다'고 고백한 바 있는데,[5] 서정시에 대한 애정은 위의 인용문처럼 서정시

3) 「後記」, 『世界抒情詩選-獨逸詩集』, 정양사, 1953.
4) 「머리말」, 『지다 남은 잎』, 선경출판사, 1968. 이 시집에서 장만영은 연대순으로 시인을 배열하여, 프랑스 시인 롱사르(Pierre de Ronsard, 1524~1585)부터 워즈워드, 셸리 등을 거쳐 20세기의 장 콕토, 아뽈리네르 등의 시까지 번역 소개하고 있다.
5) 「촛불아래서」, 『里程標』(自作解說書), 신흥출판사, 1958.

를 중심으로 시집이나 시인을 선택하여 번역하도록 했다. 장만영이 이처럼 서정시를 좋아한 이유는 서정시가 인간의 마음을 이해하게 하고, 위로하며, 나아가 정서적인 안정을 통해 인격적인 성숙에 이를 수 있도록 한다는 믿음 때문이었다.

> 시를 많이 읽자. 우리의 것만 아니라 딴 나라의 것도 많이 읽자. 시를 마음에 지니고 살아간다는 것은 좀더 인생을 진실하게 살자는 것이기도 하다.[6]

> 그러나 사실에 있어서 감상이란 일생을 두고 해야 하는 일대사업인 것이다. 인간적 수업인 것이다. 통속적으로 말한다면 한 인간이 되려는 것이다. 작은 인간이 아닌, 진실된 어른이 되려는 것이다. 그렇기 때문에 우리는 위에서도 말한 바 있는 훈련을 게을리할 수가 없다.[7]

서정시는 일반적으로 개인의 정서를 표현하는 시이다. 장만영은 서정시에 표현된 순화된 감성을 독자들이 읽음으로써 힘든 세상에서 진실되고 아름답게 살 수 있을 것이라고 상상하고 있다.[8] 이런 점에서 장만영은 시詩의 교육 · 문학의 교육이 가능하다고 생각하면서 다양한 종류의 문학교재를 저술하고,[9] 올바른 감상법을 위해 시 감상 해설서 역시 저술[10]한다. 특히 C. D.루이스의 『詩學入門』을 일찍이 1955년에 번역한 사실[11] 역시 시의 교육 가능성을 통해 대중의 교양과 감성의 수준을 높이려는 생각에 맞닿아 있다.

---

6) 「後記」, 『世界抒情詩選－獨逸詩集』, 정양사, 1953.
7) 「시감상법」, 『그리운 날에』, 문영각, 1965.
8) 「내가 부르고 싶은 노래」, 『잊으려도 못잊어』, 송강출판사, 1967.
9) 『문예독본2』(대양출판사, 1952), 『학생을 위한 명시 감상』(경학사, 1968) 등 다수
10) 예를 들어 『현대시감상』(산호장, 1952), 『애정시감상』(향문사, 1955), 『현대시의 이해와 감상』(신흥출판사, 1961) 등 다수.
11) 1955년에 정음사에서 간행 후, 1974년에 정음사에서 재출간.

> 서두에 나와 있는 목차를 잠깐 보십시오. 이것을 보아도 아시다시피 독자를 위하여 온갖 친절을 아끼지 않고 있습니다. 저자는 먼저 시의 중요성 · 필요성을 강조하고, 시의 시초로부터의 발달사를 자세히 설명해줍니다. 그리고 나서 시의 여러 가지 종류와 거기에 대한 해설, 그리고 시의 목적, 시의 과제와 현재, 실제적인 시작에 있어서의 감상과 아울러 낭송 같은 데 대하여도 거기에 적합한 명시를 인용해가며 설명하고 있습니다. (중략) 이 책의 저자는 시인으로서의 자기의 체험을 시학자적 입장에서 평이한 말로 놀랄 만큼 잘 설명하고 있습니다. [12]

장만영은 시 해설서를 집필하면서 자신의 해설이 중학생 수준이면 읽을 수 있음을 강조한다. 독서 대중의 수준이 평균적으로 중학생 정도임을 감안할 때 장만영은 일반적으로 어렵다고 생각하는 시작품을 대중 독자가 쉽게 이해할 수 있도록 평이하고, 친절하게 설명하고 있다. 위의 인용문에서 다루고 있는 『詩學入門』 역시 독자에게 시에 관한 체계적인 교육이 필요하기 때문에 번역했다는 의도를 읽을 수 있으며, 나아가 C. D.루이스가 가진 평이함과 친절함이라는 덕목은 바로 장만영이 추구하는 시 감상이나 해설의 방향이기도 했다.

이와 같이 장만영의 번역 출판 작업은 1950년대 이후 번역의 장場에서 시의 번역을 통해 당대 한국 사회가 추진했던 지식의 새로운 체계화 작업과 이를 통한 교양 있는 시민 양성이라는 커다란 정책 담론의 방향 안에서 이루어지고 있다. 그러나 중요하게 인식해야 할 사실은 그의 작업이 일제강점기에 억압되었던 한국어 · 모국어를 사용하여 외국시를 번역했다는 점, 특히 모국어의 아름다움이 가장 드러날 수 있는 서정시를, 많은 사람들이 읽고 삶과 세계를 정서적으로 이해할 수 있도록 했다는 점 등은 높이 평가해야 할 것이다.

---

12) C. D.루이스, 『詩學入門』, 장만영 역, 정음사, 1974, 218~219쪽.

3. 번역 장場의 상황과 장만영의 시詩 번역 방향

① 시詩 번역의 특성

일제 강점기 근대문학의 번역 작업은 자연스럽게 일본어 번역 작품을 다시 중역하는 방식이 빈번했다. 1950년대 번역 상황 역시 번역자들이 적은 시간을 들여 많은 작품을 번역하기 위해 일본어판을 놓고 원서와 대조하면서 번역을 했지만, 직접 원서를 한국어로 번역하는 데 많은 노력을 기울인 것을 알 수 있다. 장만영 역시 이런 상황 속에서 자신의 번역 태도를 밝히고 있다.

> 한 나라의 문학작품을 다른 나라 말로 번역 · 소개한다는 것은 쉬운 일이 아니거니와, 특히 한 마디 한 귀절에 심오한 감정의 물결과 폭넓은 사상의 소용돌이를 담고 다듬는 시를 번역한다는 것은 지극히 어려운 일이 아닐 수 없다. 원작이 지니는 시어의 운율이며 뉘앙스 같은 것을 완벽하게 살린다는 것은 거의 불가능한 일이지만, 편자는 우리나라에 많은 외국시집과 몇몇 외국원서를 철저히 대조 · 참작하면서, 조금이라도 우수한 번역시를 선택하는 데 적지 않은 노력을 기울였다.[13]

> –과거 우리나라에도 차류此類의 역시집이 전연 없었던 것은 아니나, 그것들은 역자譯者 또는 선자選者에 따라 순수하지 못한 것이 많았을 뿐더러, 지금에 와서 읽어보면 표현과 기교에 시대적 거리를 느끼는 것들이었다. 選者는 이런 점에 적지 않은 불만을 품고, 될 수 있으면 현재 쓰여지고 있는 것에 가까운 것들을 추리는 데에 노력하였다.

---

13) 「머리말」, 『지다 남은 잎』, 선경출판사, 1968.

> 예술의 이식은 불가능에 가까운 것이라고 한다. 나는 여기에서 번역론을 운위하려는 것이 아니기에 긴 말을 하지 않거니와 번역된 것은 원작을 떠난 이미 하나의 창작이라고 보아야 할 것이다.[14]

장만영은 위의 인용문에서 문학작품, 특히 시의 번역이 쉽지 않다는 점, 번역을 할 때 현재 사용하는 표현과 기교를 사용해야 자연스럽다는 점, 좋은 번역을 위해 자신은 원작과 함께 다른 번역본도 참조했다는 점, 번역이란 새로운 하나의 창작이라는 점 등을 제시하고 있다. 이런 내용 등을 종합해보면 장만영 역시 번역을 할 때 중역의 가능성이나 상황을 전혀 배제하지 않았지만, 이런 상황 속에서 원서를 참조하면서 당대 독서 대중의 언어로 자연스러운 표현을 찾으려 노력했다는 사실이다. 장만영이 말한 바 과거에도 역시집은 있었으나 그 표현이 당대와 거리가 있으므로 새로운 시의 번역이 필요하다는 설명은 결국 번역 그 자체도 중요하지만, 현재에 맞는 언어와 표현을 통해 우수한 번역시를 소개해야 하고, 또 이를 통해 새롭게 번역시의 장을 구성해야 한다는 의식적인 노력을 의미한다. 장만영의 실제 번역 작품을 통해 이런 노력의 일단을 볼 수 있다.

> 제가 부르려든 노래는 오늘껏 안부르고 남겨두었습니다.
> 저는 악기에 줄을 매엿다, 풀엇다하기에 세월을 다 보내였습니다.
> 때도 아직 오지 아니하얏고, 歌詞句도 바로 맛지 아니하야, 한갓 맘만이 하고 십허서 괴롭어 합니다. 꼿은 피지도 아니하고, 다만 바람만 붑니다.(중략)[15]
> 아직 내가 부르고 싶은 노래를
> 오늘에 이르도록 부르지 않고 있습니다.
> 나는 세월을 헛되이 보냈습니다.
> 그저 악기줄을 댕겼다 놨다하며.

14) 「後記」, 『世界抒情詩選－獨逸詩集』, 정양사, 1953.
15) 김억, 『기탄자리』, 1923, 이문당.

아직 때가 되지 않았습니다.
아직 말들을 죄다 고르지 못했습니다.
다만 그리움의 고뇌만이 있습니다.
요 조그만 나의 가슴에
꽃도 피우지 못한채
하늘 하늘 바람만이 불어 옵니다.[16]

위의 시[17] 는 타고르의 『기탄자리』에 실린 작품이다. 1920년대 김억이 번역한 시점의 언어적 문법과 문학적 감수성이 1950년대에는 많이 변화했을 것이다. 예를 들어 문법적으로 보면, '안부르다'에서 '부르지 않는다'로의 변화는 보다 자연스러운 문장으로의 전환을 보여준다. 내용에 대한 이해에 있어서도 주인공-화자가 세월을 헛되이 보내고 있다는 부분을 설명하는 행의 번역에서, 김억은 악기 줄을 매었다 풀었다 하느라 세월을 보냈다고 번역했지만, 장만영은 악기 줄을 댕겼다 놓았다 하는 반복적 행위를 헛되이 보내는 삶을 비유하는 것으로 번역하고 있는데, 이 표현이 화자의 그리움과 아쉬움을 표현하는 데 더 적절하게 읽힌다.

한편 장만영은 시의 번역이 갖는 특수성 역시 지적하고 있는데, 이는 시를 번역할 때 시의 운율이나 뉘앙스 등을 완벽하게 번역하기 힘들기 때문에 번역자의 창작적 의역이 불가피하기도 하다는 이야기이다. '번역'은 하나의 '창작'이라는 설명은 바로 시 번역의 어려움을 감안한 주장인 한편, 기계적인 번역자가 아니라, 창작을 하는 '시인'이라는 특수성이 반영된 태도인 것이다.

---

16) 장만영, 『세계시인선집 8-타고르시집』, 동국문화사, 1955.

17) The song that I came to sing remains unsang to this day./ I have spent my days in stringing and in unstringing my instrument./The time has not come true, the words have not been rightly set; only there is the agony of wishing in my heart./ The blossom has not opened; only the wind is sighing by.

② 안서 김억과의 관련성

장만영의 이러한 의욕적인 시 번역 활동, 그리고 시 번역의 태도나 방법에서 그의 스승인 안서 김억을 떠올리게 된다. 장만영은 김억을 자신이 영향 받은 시인이자 스승으로 기억한다. 특히 장만영의 초기 시詩세계를 보면 김억의 영향을 느낄 수 있다. 김억은 1910년대부터 번역에 앞장서 온 시인이자, 이론가 · 번역가이며, 특히 그의 '創作的 意譯論'은 시의 번역에 있어 주요한 이론이다. 이런 점에서 장만영의 '번역은 하나의 창작'이라는 주장에는 시 번역자로서의 고민과 함께 스승인 김억과의 관련성 역시 읽게 한다. 시인이자 번역가로서의 김억의 활동은 1950년대 시인이자 번역가인 장만영과 겹쳐지는 부분이 많기 때문이다.

장만영은 『동광』의 독자란에 시를 투고하면서 김억의 추천으로 등단했다. 안서 김억은 제자를 기억하는 글에서 그가 장만영을 『동광』 잡지에서 시詩 첨삭을 통해 만났다고 회상하면서, 이후 지속적으로 만나면서 장만영의 온순한 겸손과 신뢰할 만한 품성을 알게 되었다고 높이 칭찬한다. 자신의 시인됨이나 시세계를 높이거나 드러내기 위해 선전하거나 과장하지 않는 시인으로 그를 기억하고 있다. 자신의 세계를 오롯이 지키면서 자신의 명암을 뚜렷이 하는 시인 장만영, 이처럼 김억의 추억 속에 등장하는 장만영은 조용히 자신의 시세계를 만들어 가는 시인이다.[18] 김억이 장만영의 인간됨됨이에 대해 이야기하고 있는 것을 보면, 김억과 장만영은 시단의 선 · 후배로 막역한 사이였던 것으로 보인다. 장만영이 김억의 추천으로 등단하던 때의 작품을 인용하면 아래와 같다.

> 깊은 숲 대장깐에
> 귀여운 아가씨여!
> 산에도 들에도

18) 김안서, 「기억에 남은 제자들(2)」, 『朝光』, 1939. 10~11.

봄은 왓습네.

이름 좇아 잊어진
나무 끝에도
어여쁜 꽃봉이
솟아 나옵네.

바가치로 떠내는
맑은 물에도
봄빛이 가득이
히룽거립네.

내일은 앞들로
나물 뜯으러
그대여 나하고
안가려는가?

「봄노래」(岸曙推薦詩)[19] 전문

정처없이 떠다니고 싶지는 않나?

산머리 우로 힌구름 떠가네
가는 곳 정치 않고 떠가네.

이 사람아! 자네는 저 힌 구름같이
정처없이 떠다니고 싶지는 않나?

「정처없이 떠다니고 싶지는 않나?」[20]전문

---

19)『동광』 제33호 1932. 5.
20)『동광』 제40호 1933. 1.

'안서 추천시'라고 밝혀 놓은 첫 번째 시 「봄노래」는 당시 장만영이 추구했던 전원적 소재와 정서가 민요적인 운율과 분위기와 함께 어우러지며 표현되고 있다. 이 작품에 나타난 '~는가' , '~고요', '~네' 등의 표현과 정형화된 운율과 형식은 아어형雅語形의 말들을 사용함으로써 얻어지는 부드러움과 시의 음악성과 운율의 기능적인 문맥화가 정형적인 시형식을 통해 가능하다고 생각했던 김억의 시관詩觀을 환기시킨다.[21) 「정처없이 떠다니고 싶지는 않나?」 역시 「봄노래」와 유사한 시적 형식을 통해 삶에 대한 우수와 그리움 등을 드러낸 작품이다. 두 작품 모두 민요적인 색채 속에서 애상의 정서를 드러내던 김억의 작품 세계와 닮아 있다는 점에서 장만영의 초기시에서 김억 시세계의 영향을 감지하게 한다.[22) 장만영은 김억을 떠올리면서 "어딘가 서글픈 빛이 선생의 얼굴 위로 그림자처럼 스치며 지나가곤 하였으니 선생은 이런 민요조의 노래를 그저 한때 한때의 상품으로서만 지으신 것은 아닌 성싶다. 선생은 역시 생의 슬픔, 덧없음 같은 것을 이런 민요조로 나타내고 싶으셔서 쓰신 것이리라(1954)"[23) 라고 쓰고 있다. 이 기억의 내용은 장만영 역시 김억의 문학관을 잘 이해하고 있었으며, 이에 영향을 받았음 역시 읽게 한다.

이처럼 장만영과 김억이 서로의 시세계를 잘 이해하고 있었고 절친한 사이가 될 수 있었음은 두 시인의 유사한 시적 취향에서도 그 이유를 찾을 수 있다. 장만영은 시에 관심을 갖기 시작하면서 해외 작품의 번역된 시집을 읽었는데 우에다 빈(上田敏)의 『海潮音』(1905)이나 나가이 가후(永井荷風)의 『珊瑚集』(1913)을 포함하여 호리구치 다이가쿠(堀口大學)의 『月下 の 一群』(1925)에 실린 프랑스 시인의 시들에 많은 영향을 받았다고 고백하고 있다. 김억과 장만영이 모두 상징주의를 중심으로 한 외국시에 심취해 있었으나, 차이가 있다면, 김억이 우에다 빈이나 나가이 가후의 역시

21) 김용직, 앞의 글.
22) 장만영은 일본 유학 후 자신만의 색깔을 가진 모던한 시를 발표하기 시작한다.
23) 「안서 김억 선생―새해에 생각나는 사람들」, 『그리운 날에』, 문영각, 1965.

집을 읽었던 세대였다면, 장만영은 1925년에 나온 호리구치 다이가쿠의 역시집을 읽은 젊은 세대였다는 점이다. 시의 수록 면에서도 『月下 の 一群』은 현대 시인의 작품이 더 많이 실려 있었다. 장만영은 베를렌느, 구르몽, 프랑시스 잼, 사맹, 곡토 등에 심취하여 개인 시집도 읽었고 전기까지 읽었다고 한다.[24] 특히 베를렌느의 멜랑콜리한 서정시를 좋아했다는 고백은 김억이 가장 애정을 가졌던 시인이 베를렌느였음을 상기할 때 두 시인의 인연이 우연이 아니었음을 말해준다. 장만영은 프랑스 상징주의 시에서 보이는 애수와 멜랑콜리가 자신이 추구하는 시세계와 관련되어 있음을 말한다.

> 완전하지 못한 대로 나의 시에서 나는, 그리고 독자는 다소나마 애수를 느끼리라. 보들레르는 우울한 시세계를 만들어냄으로써 그는 우울을 구하는 그의 마음을 만족시키고자 하였다는 말을 들었다. 그는 우울한 마음으로 산다는 그 자체에 어떤 쾌감을 느꼈는지도 모르겠다. 나는 애수를 느끼고 싶은 것이다. 지금 이상으로 보다 깊은 애수의 밑바닥으로 들어가 사뭇 푹 애수에 마음을 적시고 싶다. 애수를 느낌으로써 쾌감을 느낌은 나의 생래적인 이야기이다. 나의 생리에는 애수만이 필요한 것 같다.(1960)[25]

시인으로서 우수와 애상, 우울의 감성과 정서에 대한 생태적인 애정은 그의 번역시 선택에도 반영된다. 번역할 서정시를 선택할 때 장만영은 자주, '잊으려도 잊지 못하는 인간의 마음과 상실의 아름다움'을 시를 통해 느끼길 바랐으며, 이러한 '곱고 약한 인간의 마음'이 서정시를 읽게 하는 힘이라는 점도 이야기한다. 장만영의 창작시 세계에서도 이미지와 감각의 언어의 심연에서 그리움과 애상의 정서를 읽을 수 있음을 생각할 때, 우수와 애상의 정서는 장만영의 창작과 번역을 움직인 중요한 동인이었다.

---

24) 「촛불아래서」, 『里程標』(自作解說書), 신흥출판사, 1958.
25) 「이제부터 쓰고 싶은 시」, 『그리운 날에』, 문영각, 1965.

4. 시대 의식과 감성을 담은 창작과 번역 활동

해방 이후 장만영은 박인환이 운영하는 [마리서사]에서 당대의 시인이나 소설가, 화가들을 만났다. 1930년대 모더니즘 문학인들이었던 김광균, 김기림, 정지용 등을 포함하여 신시론新詩論동인인 김수영, 양병식, 김병욱, 김경린 등과 함께 당대 모더니즘 문학과 예술에 관한 열정과 포부를 나눈다. [마리서사]를 중심으로 하는 문학인들의 모임이 장만영에게는 일제강점기 이후 새로운 문학의 방향을 세우는 중요한 발생지점이 될 수 있었다. 이 모임과 모더니즘 문학에 대한 장만영의 애정은 『신시론』 1집(1948) 출판을 지원하는 형식으로, 또는 동인들의 시집이나 시에 관해 적극적으로 평문을 쓰는 방식으로 표출되었다.

> 비늘 돋친 방파제 같은 모더니즘의 새로운 시를 향하여 질주하는 파도소리는 내일을 약속하는 모더니즘. 어디선가 가을의 음향, 새로운 세기의 시 정신이 그랜드 오케스트라와 같이 당신 귀를 울리며 걸어옴을 알고 있는지라, 나는 사는 것이 이렇게 기쁘오.
>
> 경린 씨, 하늘 높이 불러보아도 대답이 없어 당신은 외롭소? 그럴 것은 없소. 당신의 올바른 시정신이 우리 모두 영거 제너레이션(younger generation; 신세대)의 가슴에 음악처럼 스밀 날이 꼭 있을 걸 나는 믿고 있소. 너무나 당신의 최근작 '너의 목소리는 목관악기'가 나를 감격시킨 나머지 나도 모르게 이런 글을 길게 쓴 것 같소.(1950)[26]

위의 인용문은 당시 신시론의 동인이었던 모더니스트 김경린 시에 대한 평문이다. 이 글에서 장만영은 현대시의 한 방향으로 모더니즘의 질주를 김경린이 훌륭하게 보여주고 있음을 시 분석과 평가를 통해 설명한다.

---

26) 「젊은 모더니스트에게」, 위의 책.

그러고는 '나는 사는 것이 이렇게 기쁘다'라고 고백한다. 이 문장에서는 선배시인으로서 후배 시인에 대한 솔직하고도 따스한 애정이 느껴진다. 뿐만 아니라 새로운 세대의 미학으로 모더니즘이 이 시대의 올바른 시정신이 되길 기대하고 있음을 보여준다. 이는 장만영이 식민지 이후, 한국의 시단詩壇을 이끌어갈 새로운 주체와 미학을 꿈꾸고 있었음을 시사한다.

장만영과 문우들이 꿈꾸었던 새로운 시학은 한국전쟁으로 인해 잠시 주춤했으나 다시 전쟁의 폐허를 딛고 현대시는 새롭게 발전한다. 장만영 역시 창작과 번역 활동을 통해 현대 시문학의 확장과 발전에 기여한다. 그는 모던한 시, 즉 현대적인 시란 단순히 시적 제재에 의해 평가할 수 없다고 한다. 그는 "모던한 시란 모던한 감정과 우리 시대에 충분히 살고 있는 인간의 느낌과 그것의 표현방법으로 자유롭게 나타낸 것이어야 한다. 결코 시대정신의 의식적인 모방이어서는 안 될 것이다. 어디까지나 '진지한 발명'이어야 할 것이다." (1958)[27] 라고 말한 바 있다. 이런 점에서 한국 시문학사에서 장만영의 번역 작업은 모국어의 아름다움, 세련된 표현, 창작적 번역을 통해 당대 문학 · 문화 · 지식의 장場에 시문학을 새롭게 자리매김한 중요한 실천이다. 장만영의 창작과 번역은 그가 소망했던 바, 그 시대의 의식과 감성을 드러낸, 현대적 시문학의 올바른 방향을 추구하고자 했던 열정과 노력 속에서 탄생한 문학사적으로 소중한 성과인 것이다.

---

27) 「현대시는 왜 어려운가」, 위의 책.

나의 아버지 장만영

장석훈

아버지에 대해서 글로 써보려 하니 한동안 막막한 느낌이 든다. 별세하신 지 벌써 40년이란 세월이 흘러 내 나이가 아버지의 천수를 훌쩍 넘어섰지만, 아버지에게 떳떳한 아들이 못되어 죄송한 마음뿐이다.

아버지는 6척 장신의 거인이었다. 숱이 많은 백발은 멀리서도 눈에 띄는 모습이었고. 눈빛이 예리한 무인의 풍모를 가졌다. 하지만 강렬한 외모와는 달리 내면은 연약하고 다정다감한 분이었다.

50~60년대의 한국의 현실이 녹록하지 않은 때였으므로, 춥고 배고픈 문인의 가정은 더 말할 나위가 없을 터였다. 아버지는 신문사, 방송국, 잡지사에서 들어오는 원고 청탁을 받아 항상 밤샘 작업을 하며 커피와 담배를 입에 달고 사셨다. 그러한 작업이 아버지의 건강을 심하게 해쳤으리라.

황해도 배천에서 태어난 아버지 장만영의 유년기는 유복한 가운데 목가적인 환경에서 문학의 꿈을 키우는 소년으로 자랐다. 부친(장완식)은 사업차 항상 출타중 이었으며, 형제, 자매도 없이 커다란 집에서 어머니(아버지의)와 일꾼들과 살았다. 양조장을 경영하신 할머니와 외롭게 산 아버지는 할머니가 들려주시는 동화를 들으며 자랐고, 동화책과 소설을 읽기를 좋아했고 책을 사모으는 것을 즐겼다. 아버지의 어린 시절을 회상한 시 「양洋」, 「축제祝祭」, 「유년송幼年頌」을 보면 고독한 가운데 자연이 들려주는 내밀한 목소리에 귀를 기울이는 소년의 모습이 보인다.

경성 제2고보를 졸업한 후 시인 김억을 만나 친분이 두터워 졌고 사제지간의 인연을 맺는다. 김억의 추천으로 『동광』지에 「봄노래」, 「마을의 여름밤」을 발표하면서 문단에 데뷔한다.

선친은 1934년 동경의 미사키 영어학교 고등과에 입학하고 2년여의 동경유학중에도 신동아, 신인문학, 동아일보에 「고요한 아침」, 「새벽」, 「봄 들기 전」 등 많은 작품을 발표하며 적극적인 활동을 펼쳤다.

학업을 다 마치기 전 부모의 강권으로 귀국하고 그 이듬해 10월 신석정 시인의 소개로 그의 처제와 결혼한다. 아버지와 어머니의 결혼에는 작은 에피소드가 있다. 20살의 문학청년 인 부친은 신석정시인의 시에 깊이 매료되어 서로 서신을 교환한다. 그러다가 그는 할머니에게 인절미를 한말 만들어줄 것을 요청하여 떡을 짊어지고 황해도에서 전라도 부안까지 신석정시인을 찾아간다. 그곳에서 신 시인을 만난 부친은 그의 시세계도 좋지만 그의 풍모와 인격, 환경 등에 감동을 받고 그와 친척관계로 더 친밀해지고 싶은 마음에 "저 장가보내 주세요"라고 말하였다. 그러자 신 시인은 자신의 부인의 동생 되는 16살의 규수를 소개하였다. 부친이 보니 너무 어린 소녀로 보여 그 뒤 3년 동안 서신교환을 한 뒤에 결혼하였다.

사업관계로 자주 집을 비우셨던 조부가 고향땅 배천으로 돌아오신 후 우연히 겨울철에 논두렁을 지나다가 물이 얼지 않고 김이 모락모락 나는 것을 발견하였다. 그곳을 파보니 온천물이 나오게 되어 이를 개발하여 배천 온천호텔의 주인이 되었다. 또 온천수를 이용하여 온실을 여러 동 만들어 과일과 꽃, 야채를 수확하였다. 그 당시에는 보기 드문 최첨단 시설로 온실은 유리로 만들고 수십 그루의 포도와 멜론, 오이 등 각종 과일과 야채, 그리고 장미, 제라늄, 선인장등 화초가 싱싱하게 자라는 농장이었다. 이곳에서 수확하는 과일과 야채는 서울의 호텔이나 고급 음식점에 납품되었다.

배천호텔은 그 당시에 아주 유명한 곳으로 사교계 인사들과 문인들이 많이 드나들었다. 이상李箱과 금홍이의 러브스토리는 당시 장안에 아주 유명하였는데, 그 배경이 배천호텔이다.

선친은 조부와 함께 호텔과 농장을 경영하면서 시 작업을 병행하며 많은 문인들과 예술계의 인사들과 교류하였다. 선친은 형편이 어려운 동료 시인들의 시집 비용을 제공하여 출간해 주기도하였다. 그 당시 예술가들이 몹시 어려운 때여서 N화백의 전시회도 열어주고 K화백의 그림도 여러 점 샀다.

해방 후 미군정이 실시되던 때만 해도, 고향 배천은 38선 이남으로 남아 있게 되어, 배천호텔은 미군 사령부에 예속되어 미군이 주둔하였다. 이때 선친은 이 호텔에 주둔하고 있던 미 사령부의 통역관이 되어 활동하였다.

미군정이 끝난 후 북한군의 기습 반란으로 배천경찰서가 불길에 휩싸이면서 그 옆의 호텔도 소진되었다. 배천은 공산주의자들의 세상이 되어 소작인들은 지주계급을 때려잡자고 몽둥이를 들고 쫓아다니는 살벌한 세상이 되었다. 할아버지도 지주이므로 그들에게 붙잡혀 고초를 당하셨는데 그들 중에 한 사람이 나서서 이분은 마을을 위해 훌륭한 일을 많이 했으니 목숨을 살려주자고 변호를 하여 무사히 사지를 빠져 나올 수 있었다. 그 후 조부와 부친은 집과 많은 재산을 버리고 도망치듯 서울로 이주해서 생활하게 되었다.

선친은 서울에서 출판사 <산호장珊瑚莊>을 경영하며 세 번째 시집『유년송幼年頌』을 발표한다. <산호장>에서 김기림시인의『기상도氣象圖』를 출판하고 조병화시인의『버리고 싶은 유산』등을 출판하며 책을 좋아하여 수집하는 경지를 넘어서 직접 만들기까지 하였다. 그러나 출판에 대한 순수한 의지와 정열이 있음에도 광복 후의 출판경기는 좋지 못했다.

1950년 6 · 25전쟁이 일어나고 서울이 공산주의 세상이 되자, 선친은 골방 뒤에 장롱으로 막아놓은 좁은 공간에 숨어 계셨다. 서대문 평동에 있던 그 옛집은 지금은 강북삼성병원이 되었다. 3달 동안 적 치하에서 숨죽이며 자유를 뺏기고 9 · 28 서울 수복 때 까지 지냈다. 당시 12살이던 나에게 내무서원이 아버지의 행방을 집요하게 캐물어 대답을 못하고 몹시 곤욕을 치렀던 기억이 난다. 1 · 4후퇴 때는 온가족이 대구로 피란을 갔다. 대구에서는 박목월시인의 주선으로 그 옆집을 전세로 얻어 살았다. 두 가족은 친척처럼 허물없이 지내었다. 선친은 종군기자단의 일원으로 서부전선과 적지를 순회하며 전쟁의 비참함을 체험하고 문인들과『전선문학』을 발행한다.

어느 날 부친은 어머니가 집 마당에서 게장사와 홍정을 하고 있는 모습을 보고 커다란 꽃게에서 자신의 모습을 발견하였다. 뜀박질이나 생존경쟁에서 남들처럼 날쌔게 뛰지 못하고 늘 남보다 뒤 떨어진 자신을 자각하며 남들과 타협하지 못하는 모습, 집에 틀어 박혀 있기를 좋아하는 자신의 모습을 게에게 비유하였다.

게
—나의 초상

I

이 놈은

몸집이 커 둥글박거리기만한다.

이 놈은

모로 기면서 바로 걷는다고 생각한다.

II

이 놈은 배고동 소리만 들어도

몸을 오무라뜰인다.

이 놈은 조금만 분해도

입으로 거품을 내뿜는다.

III

이 놈은 구멍 속에

들어박혀 나오길 싫어한다.

이 놈은 달을 좋아하면서

실은 무서워 한다.

IV

이 놈은

가끔 외롭다고 집게질을 한다.

이 놈은

가끔 바보처럼 운다.

선친은 시집 『양』(1937)을 비롯하여 『축제』(1939), 『유년송』(1947), 『밤의 서정』(1956), 『저녁 종소리』(1957), 『등불 따라 놀 따라』(미간행), 『저녁 놀 스러지듯이』(1972) 등 8권의 시집을 남겼는데, 시집을 낼 때마다 시집의 제목이 한 자씩 늘어나고 있다.

1954년에 서울신문사에 입사하여 『신천지』와 『신문예』주간을 맡고 외국시인의 시집을 번역하여 출간한다.

선친은 배천에서 유복한 가운데 살다가 월남하여 모든 가산을 잃고 몹시 힘들어 했다. 급격하게 바뀐 환경과 세태 속에서 망연자실하여 많은 식솔들을 책임지고 현실을 타개할 방법을 찾지 못해 고통스러워하였다. 그러나 아버지는 현실과 타협하지 않고 시인으로의 위치와 품위를 끝까지 지키셨다. 아버지는 항상 편지와 엽서를 통하여 여러 문인들과 서신을 주고받으며 평동 집에서 30여년을 사셨다. 1966년도에 한국 시인 협회 회장을 하셨고 1975년도에 급성췌장염 합병증으로 62세의 나이로 돌아가셨다.

그리운 나의 아버님 張萬榮 시인

나의 先親 草涯 張萬榮 시인은 부유한 가정의 獨子로 태어나 젊은 시절부터 文學에 뜻을 두어 우리나라 근대 문학 발전에 지대한 공헌을 한 岸曙 金億에게 사사하였다. 유난히 마음이 여리고 감성적인 분, 그 여린 감성으로 인해 작은 일에도 가슴 아파하고, 상처받는 분이셨다. 늘 시를 읽으시고, 시를 얘기하시며, 시를 쓰신 분. 맑은 눈으로 세상을 보며 무지갯빛으로 채색된 시상을 시로 옮겼다. 세상을 아름답게 하기 위해, 또 세상에 속해 사는 사람들에게 아름다움을 보여주기 위해 선친은 총 1천여 편의 귀한 시를 쓰셨다.

선친은 내게도 많은 시를 읽어 주셨다. 아름다운 세계의 시, 그리고 주옥같은 우리나라 신인들의 시를 읽어 주셨고, 또 설명도 즐거이 해 주셨다. 지금도 귀에 생생히 울리는 낭랑한 음성, 때로는 잔잔하면서도 애잔한 목소리. 시인이신 선친은 또 다른 시인의 시를 읽으며 감성에 흔들리고 감동하여 당신의 감성으로 승화하기도 했다. 쟁쟁한 목소리로 프랑스 시인 장 콕토 시 「귀」를 해설해 주던 아버님!

「내 귀는 소라껍질,
바다 소리를 그리워하오…….」

선친은 이 시를 좋아하여 늘 암송하셨다. 그리고 어느 날엔가 곁에 있던 나를 붙들어 앉혀놓고는 이 시를 해설해 주었다. 영원을 그리워하고 나의 실재를 찾는 시인의 간절한 영원추구의 심상을 그린 작품이라고……. 어려운 설명에 당황스러우면서도 지금까지 기억하는 이유는, 설명하시는 선친의 눈에 맺힌 감동의 흔들림 때문이다. 아직도 콕토의 이 시를 읽으면 들리는 선친의 음성. 바다소리처럼 밀려오는 감동을 느낀다.

선친의 친구 분들은 모두 시인이었고, 작가였다. 특히 서정시인 辛夕汀 님과 그 친분이 유별하여 후에 동서지간이 되셨다. 바로 나의 모친이 辛시인의 처제이다. 6 · 25 동란으로 우리 가족은 생활 터전인 고향 황해도 배천(白川)을 떠나 서울로 이사 왔고, 선친은 1954년 서울 신문사에 들어와 月刊 ≪新天地≫의 주간으로 2년여 잡지 일을 보시기도 했다. 나의 아들 智阮은 현재 ≪문화일보≫社 자매지인 <디지털 타임즈> 편집기자로 근무 중이고, 나는1978년부터 1995년까지 ≪조선일보≫社 편집국 교열부에서 17년간 근무했으니, 父親과 나, 그리고 내 아들이 다 신문사를 거친 기자 3代인 셈이다.

올해로 벌써 선친 張萬榮 시인이 별세하신 지 30년이 된다. 제 나이 또한 금년으로 선친이 세상을 떠난 나이(61세)를 7년이나 넘기고 있다. 아버님의 살아생전에 효도하지 못한 것이 몹시 후회된다.

프랑스 시인 장 콕토 시 「귀」를 해설해 주시며 선친은 이 시를 통해 영원을 추구하며 영원한 창조주를 찾아 간구하는 특별한 삶의 길을 이미 30여 년 전 나에게 가르쳐 주셨다. 비록 교회는 출석하지 않으셨으나, 부친의 마음속에 하나님을 찾는 신앙이 있지 않았나 생각하는 점도 바로 이 시 해석을 통해서이다. 그리고 당신의 시를 통해 조물주에 대한 진정한 경외심을 보여주셨기 때문이다.

<이글은 2000년 6월 1일자 『대한언론인회보』에 실린 古장만영 시인의 장남 장석훈 선생이 선친에 대한 글을 개제한 것이다.
—편집자 주注>

편집 후기

장석훈(고故 장만영시인의 장남)

저의 부친되시는 고故 장만영시인은 1912년 황해도 배천에서 출생하여 1975년 10월 서울 종로구 평동에서 눈을 감으셨다. 아버지는 10대 시대부터 시작활동을 하며 펜을 놓지 않고 문학의 길을 꾸준히 걸어오셨다. 아버지는 모던이즘의 詩세계를 추구 하면서 외국시를 번역하고 시문학평론을 하고 대학 강단에 출강하셨고 출판사도 경영하셨다. 특히 남북분단 전에 황해도 배천에서 사실 때는 호텔과 농장을 경영하며, 아버지의 예술에 대한 꿈과 생활인으로서의 현실이 조화를 이룬 때가 아닌가 생각된다.

아버지는 자녀들에게 자애로운 분이셨다. 아버지의 시문학을 추구하는 정신세계에 현실은 몹시 냉혹하여 아버지는 많이 괴로워하셨다.

아버지의 일기에도 나오지만 1950~60년대의 한국은 경제적으로 어려운 가운데 예술인은 제대로 대우받지 못하고 어려운 생활을 영위해야 했다.

어렵고 부족한 형편에도 아버지는 시인으로서의 품위를 잃지 않고, 문인들과 편지를 주고 받는 교류를 통해 아날로그적인 따뜻한 모습을 보여주셨다.

1986년에 서거11주기 문학의 밤을 남산 도서관에서 가졌고, 2005년 12월 16일에 시인협회후원으로 문학의 집(필동)에서 30주기추모 "초애 장만영 시인 문학의 밤"을 가졌다. 이 때 장만영 전집 이 발간되었다.

2014년 5월 8일에는 대산문화재단 주최로 "탄생 100주년 문학인 기념문학제"가 광화문 교보빌딩 세미나실에서 열렸다.

2013년 가을 국학자료원에서 선친의 <장만영 전집>을 출판하기로 하였다. 그동안 출판되지 못했던 일기 10권을 비롯해서 미발표詩인 <벌거숭이 고독>등 2편, <러시아 염소담艷笑談>, <프랑스 설화집設話>, 구르몽의 번역시 등을 포함시켰다.

이 전집이 나오기까지 국학자료원의 정찬용원장의 도움이 컸다. 박제천 시인이 고어한문古語漢文을 해석해주어 도움을 주었고, 편집 디자이너 김진솔 양과 그 외 많은 도움을 주신 여러분께 심심한 감사를 드린다.

『장만영 전집』 간행위원회

위 원 장: 최승범 전북대학교 명예교수
위 원: 김남조, 김지향, 원영희, 함동선,
황송문, 이길원, 박제천, 이성천
편집간사: 김효은
일기편집: 박수지(강남대학교 국문과)
차지혜(강남대학교 국문과)

장만영 전집 4권 일기편

초판 1쇄 인쇄일 | 2014년 12월 23일
초판 1쇄 발행일 | 2014년 12월 24일

엮은이 | 장만영 전집 간행위원회 편
펴낸이 | 정구형
편집장 | 김효은
편집/디자인 | 박재원 우정민 김진솔 윤혜영
마케팅 | 정찬용 정진이
영업관리 | 한선희 이선건 허준영 홍지은
책임편집 | 김진솔
표지디자인 | 박재원
인쇄처 | 월드문화사
펴낸곳 | **국학자료원**
등록일 2006 11 02 제2007－12호
서울시 강동구 성내동 447－11 현영빌딩 2층
Tel 442－4623 Fax 442－4625
www.kookhak.co.kr
kookhak2001@hanmail.net

ISBN | 978-89-279-0871-5 *04800
| 978-89-279-0865-4 *04800(set)
가격 | 280,000원(전 4권)